A MULHER NA JANELA

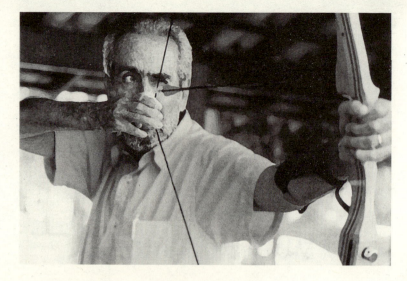

O Arqueiro

Geraldo Jordão Pereira (1938-2008) começou sua carreira aos 17 anos, quando foi trabalhar com seu pai, o célebre editor José Olympio, publicando obras marcantes como *O menino do dedo verde*, de Maurice Druon, e *Minha vida*, de Charles Chaplin.

Em 1976, fundou a Editora Salamandra com o propósito de formar uma nova geração de leitores e acabou criando um dos catálogos infantis mais premiados do Brasil. Em 1992, fugindo de sua linha editorial, lançou *Muitas vidas, muitos mestres*, de Brian Weiss, livro que deu origem à Editora Sextante.

Fã de histórias de suspense, Geraldo descobriu *O Código Da Vinci* antes mesmo de ele ser lançado nos Estados Unidos. A aposta em ficção, que não era o foco da Sextante, foi certeira: o título se transformou em um dos maiores fenômenos editoriais de todos os tempos.

Mas não foi só aos livros que se dedicou. Com seu desejo de ajudar o próximo, Geraldo desenvolveu diversos projetos sociais que se tornaram sua grande paixão.

Com a missão de publicar histórias empolgantes, tornar os livros cada vez mais acessíveis e despertar o amor pela leitura, a Editora Arqueiro é uma homenagem a esta figura extraordinária, capaz de enxergar mais além, mirar nas coisas verdadeiramente importantes e não perder o idealismo e a esperança diante dos desafios e contratempos da vida.

A MULHER NA JANELA

A.J. FINN

ARQUEIRO

Título original: *The Woman in The Window*
Copyright © 2018 por A. J. Finn
Copyright da tradução © 2018 por Editora Arqueiro Ltda.

Publicação feita mediante acordo com o autor.
Todos os direitos reservados. Nenhuma parte deste livro pode
ser utilizada ou reproduzida sob quaisquer meios existentes sem
autorização por escrito dos editores.

tradução: Marcelo Mendes

preparo de originais: Magda Tebet

revisão: Luis Américo Costa, Mariana Rimoli e Taís Monteiro

diagramação: Ana Paula Daudt Brandão

capa: © Netflix 2021. Uso autorizado.

adaptação de capa: Natali Nabekura

impressão e acabamento: Lis Gráfica e Editora Ltda.

CIP-BRASIL. CATALOGAÇÃO NA PUBLICAÇÃO
SINDICATO NACIONAL DOS EDITORES DE LIVROS, RJ

F536m

    Finn, A. J.
       A mulher na janela / A. J. Finn ; tradução Marcelo Mendes. - 1. ed.
- São Paulo : Arqueiro, 2021.
       400 p. ; 20 cm.

       Tradução de: The woman in the window
       ISBN 978-85-306-0170-6

       1. Ficção americana. I. Mendes, Marcelo. II. Título.

20-63339
                    CDD: 813
                    CDU: 82-3(73)

Leandra Felix da Cruz Candido - Bibliotecária - CRB-7/6135

Todos os direitos reservados, no Brasil, por
Editora Arqueiro Ltda.
Rua Funchal, 538 – conjuntos 52 e 54 – Vila Olímpia
04551-060 – São Paulo – SP
Tel.: (11) 3868-4492 – Fax: (11) 3862-5818
E-mail: atendimento@editoraarqueiro.com.br
www.editoraarqueiro.com.br

para George

Desconfio que em algum lugar, dentro de você,
exista algo que ninguém sabe.

– *A sombra de uma dúvida* (1943)

> # DOMINGO,
> ## 24 de outubro

UM

F ALTA POUCO PARA QUE O MARIDO DELA CHEGUE EM CASA. Dessa vez, vai pegá-la no flagra.

Não há cortina nem persiana nas janelas do número 212, a casa de tijolos vermelho-ferrugem que abrigou os recém-casados Motts até pouco tempo atrás, quando eles se separaram. Não cheguei a conhecer os dois pessoalmente, mas às vezes dou uma conferida on-line: no perfil dele no LinkedIn e na página dela no Facebook. A lista de casamento deles ainda está no site da Macy's. Se quisesse, ainda poderia presenteá-los com um aparelho de jantar.

Como eu ia dizendo: janelas completamente nuas. De modo que o 212, rubro e despido, parece olhar direto para o lado de cá da rua, e eu fico olhando de volta, observando a nova proprietária conduzir seu engenheiro para o quarto de hóspedes. Qual será o *problema* dessa casa? É nela que o amor se instala para morrer.

A mulher é linda, uma ruiva natural, com olhos verde-claros e milhares de pintinhas nas costas. Muito mais bonita que o marido, o psicoterapeuta John Miller (sim, ele oferece terapias de casal), um dos 436 mil John Miller que existem na internet. Esse em particular tem seu consultório nas imediações do Gramercy Park e não aceita planos de saúde. Segundo a escritura de venda, pagou 3,6 milhões de dólares pela casa nova. O consultório deve andar cheio.

Conheço mais, e ao mesmo tempo menos, a mulher. Que pelo visto não é muito boa dona de casa: tem oito semanas que ela e o marido se mudaram, mas as janelas continuam peladas, *tsc tsc tsc*. Ela faz ioga três vezes por semana, sempre desce as escadas com seu tapetinho enrolado debaixo do braço, embalada a vácuo numa malha da Lululemon. Deve trabalhar como voluntária em algum lugar, pois às segundas e sextas sai de casa um pouco depois das onze, mais ou menos na hora em que acordo, e volta lá pelas cinco, cinco e meia, quando já estou escolhendo o filminho da noite. (O de hoje é *O homem que sabia demais*, pela enésima vez. Sou a mulher que via demais.)

Já notei que, como eu, ela gosta de tomar um drinque durante a tarde. Será que gosta de beber pela manhã também? Como eu?

Mas a idade é um mistério, embora ela seja visivelmente mais nova que o Dr. Miller (e que eu também, além de mais magra). O nome é outro mistério. Penso nela como Rita, porque ela se parece com a Rita Hayworth em *Gilda*. "Não estou nem um pouco interessada." Adoro quando ela diz isso.

Pois eu estou muito interessada. Não no corpo da mulher – o relevo da espinha dorsal nas costas muito brancas, as escápulas que mais parecem duas asas recolhidas, o sutiã azul-bebê: sempre que qualquer uma dessas coisas aparece diante da minha lente, desvio o olhar –, mas na vida que ela leva. Nas vidas. Duas a mais do que eu.

O marido dobrou a esquina agora há pouco, meio-dia e alguma coisa, logo depois de a mulher fechar a porta de casa com o engenheiro a tiracolo. Trata-se de algo atípico, pois aos domingos o Dr. Miller sempre volta para casa às três e quinze.

Mas agora nosso amigo médico vem caminhando pela calçada, soprando vapor boca afora, carregando sua pasta na mão direita, o ouro da aliança cintilando na esquerda. Dou um zoom nos sapatos dele: um par de oxfords vinho, limpíssimos, reluzindo ao sol.

Subo a câmera para a cabeça dele. Minha Nikon D5500

não deixa passar nada, não com a lente Opteka que coloquei nela. Cabelos muito secos e rebeldes, óculos frágeis e vagabundos, ilhotas de barba por fazer nas faces chupadas: John Miller cuida mais dos sapatos do que do próprio rosto.

De volta ao número 212, onde Rita e o engenheiro se despem às pressas. Eu até poderia descobrir o telefone dela e avisar. Mas não vou fazer isso. Bisbilhotar é como fotografar a natureza: a gente não interfere no que está vendo.

John Miller está a uns trinta segundos da porta de casa. Rita beija o pescoço do engenheiro, tira a blusa.

Mais quatro passos. Cinco, seis, sete. Ele agora está a uns vinte segundos no máximo.

Ela morde a gravata do engenheiro, depois abre um sorriso e vai tirando a camisa dele. O engenheiro mordisca a orelha dela.

O marido salta por cima de um buraco na calçada. Quinze segundos.

Quase posso ouvir quando ela puxa a gravata do colarinho do engenheiro e começa a chicoteá-la pelo quarto.

Dez segundos. Dou zoom outra vez, o focinho da câmera praticamente atravessando a rua. John Miller tira as chaves do bolso da calça. Sete segundos.

Ela desfaz o rabo de cavalo, deixando o cabelo cair sobre os ombros.

Três segundos. Ele sobe os degraus até a porta.

Ela abraça o engenheiro e lhe dá um longo beijo.

Ele encaixa a chave na fechadura. Gira.

Dou zoom no rosto dela, nos olhos que ela arregalou. Porque ouviu.

Tiro uma foto.

Então a pasta do médico se abre acidentalmente e vários papéis são carregados pelo vento. Volto a câmera para ele, a tempo de ver, com nitidez, o palavrão que sua boca deixa escapar. Ele larga a pasta no chão, pisoteia algumas das folhas caídas, tenta pegar as outras que pairam no ar. Um bonequinho de papelão fica preso nos galhos de uma árvore. Ele não percebe.

De volta a Rita. Ela veste a blusa o mais rápido possível, prende o cabelo outra vez e desce às pressas, deixando o engenheiro ilhado no quarto. Ele salta da cama, recolhe a gravata do chão, guarda no bolso.

Esvazio os pulmões, o ar chiando como se escapasse de um balão. Só então me dou conta de que eu tinha prendido a respiração.

A porta da frente se abre. Rita irrompe na calçada, chama pelo marido. Ele vira para trás; imagino que esteja sorrindo, mas não consigo ver. Ela o ajuda a catar os papéis.

O engenheiro surge à porta, uma das mãos enterrada no bolso, a outra acenando para o médico. John Miller acena de volta, depois retorna à porta, pega a pasta que tinha deixado na soleira e aperta a mão do engenheiro. Os dois homens entram na casa. Rita entra em seguida.

Ok. Fica para a próxima.

> # SEGUNDA-FEIRA,
> ## *25 de outubro*

DOIS

O CARRO VEM CHEGANDO À RUA, lento e solene como um rabecão, as lanternas traseiras brilhando no escuro.

– Vizinhos novos – digo à minha filha.

– De que casa?

– Do outro lado do parque. Número 207.

Eles estão lá agora, vultos fantasmagóricos no anoitecer, tirando caixas do bagageiro.

Ela suga fazendo barulho.

– O que você está comendo? – pergunto.

Hoje é noite de comida chinesa.

– Yakisoba.

– Você escolhe: ou come ou conversa com sua mãe. As duas coisas ao mesmo tempo, não dá.

Outra sugada no macarrão.

– Ah, mãã...

Isso é motivo de briga entre nós; contra a minha vontade ela abandonou o "mamãe" em favor desse "mãe" mais curto e mais grosso. "Deixa a menina", diz Ed, mas só porque ele ainda é "papai".

– Você devia ir lá, dar um alô para eles – sugere Olivia.

– Eu bem que gostaria, meu amor. – Saio de mansinho rumo ao segundo andar da casa, de onde a vista é melhor. – Ah, as abóboras já estão *por todo lado*. Todos os vizinhos têm uma. Os Grays têm quatro. – Enquanto subo as escadas, dou um gole no vinho que trouxe comigo. – Você precisa de uma abóbora também. Pede ao seu pai para comprar. – Mais um gole. – Aliás, pede para ele comprar duas: uma para você e outra para mim.

– Ok.

Olho rapidamente o meu reflexo no espelho escuro do lavabo.

– Você está feliz, meu amor?

– Estou.

– Não se sente muito sozinha?

Ela nunca teve amigos de verdade em Nova York; era tímida demais, miudinha demais.

– Não.

Olho para o breu sinistro no alto da escada. Durante o dia a luz do sol entra pela claraboia do terraço; à noite, essa mesma claraboia é um olho arregalado para as profundezas da escada.

– Você não sente saudade do Punch?

– Não.

Ela também não se dava muito bem com o gato. Numa manhã de Natal, ele botou as garras para fora e arranhou o pulso dela, dois raspões rápidos e perpendiculares, formando um ensanguentado jogo da velha na pele branca da menina. Ed só faltou jogar o bicho pela janela. Onde estará Punch agora? Enroscado no sofá da biblioteca, olhando para mim.

– Deixa que eu falo com seu pai, meu anjo.

Subo o lance seguinte da escada, sentindo sob os pés a textura áspera do carpete. Sisal. Onde é que estávamos com a cabeça? Mancha tão facilmente...

– E aí, campeã? – ele me cumprimenta. – Vizinhos novos?

– Sim.

– Mas outro dia mesmo já não apareceram vizinhos novos?

– Isso foi há dois meses. No 212. Os Millers.

Dou meia-volta; vou descendo a escada.

– E os recém-chegados, onde vão morar?

– No 207. Do outro lado do parque.

– O bairro está mudando muito.

– Não trouxeram muita coisa com eles.

– Imagino que o resto venha de caminhão depois.

– É, deve ser.

Silêncio. Bebo mais um gole do vinho.

Agora estou novamente na sala, junto da lareira, minha sombra se alongando pelos cantos.

– Escute... – diz Ed.

– Eles têm um filho.

– O quê?

– Um filho – repito, encostando a testa no vidro frio da janela.

As lâmpadas de sódio ainda não chegaram aqui nos cafundós do Harlem. A rua é iluminada apenas por um gomo de lua; mesmo assim, consigo distinguir os três vultos: um homem, uma mulher e um garoto alto, levando caixas para dentro da casa.

– Um adolescente – acrescento.

– Novo demais para você, sua loba.

Antes que eu me contenha, digo:

– Queria que você estivesse aqui.

Isso me pega de surpresa. A Ed também, pelo visto. Depois de alguns segundos de silêncio, ele diz:

– Você precisa de um pouco mais de tempo.

Permaneço calada.

– Segundo os médicos, muito contato não é saudável.

– A médica que disse isso fui eu.

– Você é apenas uma entre os muitos.

O fogo estala na lareira às minhas costas. As chamas se reacomodam, crepitando nas escoras de ferro.

– Por que você não os convida para uma visita? – pergunta ele.

Esvazio minha taça.

– Acho que por hoje basta.

– Anna.

– Ed.

Quase consigo ouvir a respiração dele.

– Fico muito triste que a gente não esteja aí com você.

Quase consigo ouvir meu próprio coração.

– Eu também.

Punch tinha descido atrás de mim. Pego o gato no colo, vou para a cozinha, deixo o telefone sobre a bancada. Uma última taça antes de dormir.

Com a garrafa em punho, volto para a mesma janela de antes e ergo um brinde aos três fantasmas que assombram a calçada do lado de fora.

> # TERÇA-FEIRA,
> *26 de outubro*

TRÊS

No ano passado, nessa mesma época, tínhamos planejado vender a casa, inclusive já havíamos chamado um corretor. Em setembro Olivia seria matriculada numa escola no centro da cidade, e Ed encontrara um apartamento para nós em Lenox Hill, uma espelunca que precisaria ser colocada abaixo e reconstruída do zero.

– Vai ser divertido – prometeu ele. – Vou instalar um bidê só para você.

Achei por bem não responder.

– O que é um bidê? – perguntou Olivia.

Mas depois ele partiu, e ela junto com ele. Portanto, foi como se uma ferida reabrisse quando, ontem à noite, lembrei da descrição da nossa casa posta à venda nos jornais: BELO SOBRADO DO SÉCULO XIX NO HARLEM, TESOURO DA ARQUITETURA AMERICANA, REFORMADO COM AMOR, PERFEITO PARA A VIDA FAMILIAR! "Sobrado no Harlem" – quanto a isso não há dúvida. "Século XIX" – também é verdade (1884). "Tesouro da arquitetura" – questionável, eu acho. "Reformado com amor" – isso eu posso atestar: com amor e com muito dinheiro também. "Perfeito para a vida familiar" – verdade.

Meus domínios e seus destaques:

PORÃO (ou *maisonette*, segundo o nosso corretor): cômodo de subsolo, sem divisórias, com entrada privativa; cozinha, banheiro, quarto, um míniescritório. Espaço de trabalho de Ed por oito anos: a mesa vivia coberta com suas plantas baixas; as paredes, repletas dos relatórios que ele recebia dos engenheiros e espetava nelas. Atualmente alugado.

JARDIM: pátio (na verdade) acessível pelo primeiro andar. Uma pequena área com piso de lajota; um par de cadeiras Adirondack sem muito uso; um freixo ainda jovem e retorcido num dos cantos, solitário e murcho feito um adolescente sem amigos. De vez em quando tenho vontade de ir até lá e abraçá-lo.

PRIMEIRO PAVIMENTO: *ground floor* para os ingleses, *premier étage* para os franceses. (Não sou nem uma coisa nem outra, mas fiz minha residência em Oxford, quando aliás morava numa *maisonette*, e desde o último mês de julho venho estudando francês pela internet.) Uma adorável cozinha aberta (de novo, palavras do corretor), com uma porta de fundos que dá acesso ao jardim e outra lateral que dá acesso ao parque. Tábuas corridas de madeira clara, agora manchadas pelo Merlot derramado. No hall de entrada há um lavabo: o lavabo vermelho, como costumo chamar. "Vermelho-tomate", segundo o catálogo de Benjamin Moore. Sala de estar com sofá, mesa de centro e um tapete persa ainda em bom estado.

SEGUNDO PAVIMENTO: uma biblioteca (de Ed; prateleiras abarrotadas, livros já bem surrados e encardidos, espremidos uns contra os outros) e um escritório (meu; arejado, sem muitos móveis, apenas uma mesa da IKEA com um computador Mac em cima: o campo de batalha das minhas partidas de xadrez on-line). Um segundo lavabo – este pintado com o azul "Êxtase Celestial", o que é bem sugestivo para um cômodo com um vaso sanitário dentro. E um armário, grande e fundo, que talvez um dia eu transforme em laboratório, caso resolva passar da fotografia digital para a película. Acho que estou perdendo o interesse.

TERCEIRO PAVIMENTO: quarto de casal e banheiro. Passei boa parte deste último ano na cama; o colchão é um desses modernos, com especificações diferentes para cada um dos lados. Ed optou pela maciez total, quase um travesseiro de plumas de ganso; eu optei pela firmeza.

– Você dorme num tijolo – disse ele certa vez, correndo a mão pelo lençol.

– E você, numa nuvem – devolvi.

Em seguida ele me deu um beijo longo, desapressado.

Depois que eles foram embora, durante aqueles meses de escuridão e torpor em que eu mal conseguia me levantar da cama, adquiri o hábito de rolar de um lado para outro no nosso colchão, lentamente, enrolando e desenrolando as cobertas feito o vaivém da água numa praia.

Nesse pavimento também fica a suíte de hóspedes.

QUARTO PAVIMENTO: No passado, área da criadagem; hoje, mais dois quartos, entre eles o de Olivia. Há noites em que subo para o quarto dela e fico lá, que nem um fantasma. Tem dias em que fico parada na porta, apenas observando a dança vagarosa das partículas de poeira contra a luz do sol. E às vezes passo semanas inteiras sem pôr os pés no quarto andar, que aos poucos vai se desmanchando na memória, feito a sensação da chuva na pele da gente.

Bem, amanhã falo com eles outra vez. Quanto ao pessoal do outro lado do parque, por enquanto nenhum sinal.

> ## QUARTA-FEIRA,
> *27 de outubro*

QUATRO

Um adolescente muito alto escancara a porta do número 207 e irrompe na rua feito um cavalo na pista de corrida, galopando na direção leste até passar pelas minhas janelas. Não cheguei a vê-lo direito: acordei muito cedo após passar a madrugada assistindo a *Fuga do passado* e ainda estou tentando decidir se um gole de Merlot é uma boa ideia. Vejo apenas um borrão de cabelos louros e uma mochila pendurada no ombro. E lá se foi o garoto.

Bebo uma taça, então subo para o escritório, sento à mesa e pego minha Nikon.

Na cozinha do 207 posso identificar a figura grande do pai, apenas uma silhueta escura contra a luz de uma televisão ligada. Fechando o zoom da câmera, vejo que ele está assistindo ao *Today Show*. De repente cogito a possibilidade de descer e assistir à mesma coisa na minha própria televisão. Ou continuar assistindo na televisão do homem, através da minha lente.

É isso que decido fazer.

Faz tempo desde a última vez que apreciei a fachada da casa, mas o Google fornece uma boa visão aérea: estilo ligeiramente Beaux-Arts, tijolos caiados, um pequeno mirante no telhado. Claro, de onde estou posso ver apenas a face leste do imóvel: janelas amplas dão uma visão nítida da cozinha, da sala do segundo andar e do quarto acima dela.

O caminhão de mudança chegou ontem com um batalhão de carregadores para levar para dentro da casa sofás, eletrodomésticos e um armário antigo, sempre sob a orientação do marido. Depois daquela primeira noite não vi mais a mulher. Fico imaginando como ela é.

AGORA À TARDE, ESTOU PRESTES A DAR UM XEQUE-MATE no meu oponente virtual, Rook&Roll, quando ouço a campainha tocar. Desço correndo e, ao abrir a porta, deparo com meu inquilino, parado ali com aquele seu jeitão... curto e grosso. Ele é *realmente* um homem bonito: rosto anguloso, olhos escuros e profundos. Um Gregory Peck depois de uma noite de farra. (Não sou só eu quem acha isso. David recebe várias amigas em casa, como já tive a oportunidade de observar. Ou melhor, de ouvir.)

– Vou para o Brooklyn hoje à noite – informa ele.

Passo a mão pelo cabelo e digo:

– Ok.

– Precisa de mim para alguma coisa antes que eu vá?

Parece uma frase de duplo sentido, algo tirado de um filme *noir*. Como Lauren Bacall em *Uma aventura na Martinica*: "Basta juntar os lábios e soprar."

– Não, não preciso de nada, obrigada.

Ele corre os olhos pelo interior da casa.

– Nenhuma lâmpada para trocar? Está escuro aqui.

– Gosto do escuro – explico. "Casas escuras, homens obscuros", penso em acrescentar, mas não digo nada. Acho que já ouvi algo semelhante em *Apertem os cintos... o piloto sumiu!* Fico pensando no que dizer em seguida. Vá pela sombra? Divirta-se? Não esqueça de usar camisinha? – Divirta-se.

Ele me dá as costas e vai saindo.

– Você sabe que pode entrar direto pela porta do porão, não sabe? – pergunto, com uma pitada de humor. – É bem provável que eu esteja em casa.

Torço para que ele sorria. Faz dois meses que está aqui e nunca o vi sorrindo.

Ele assente com a cabeça e vai embora.

Fecho a porta.

Faço um exame geral na frente do espelho. Rugas ao redor dos olhos. Aqui e ali, mechas brancas no castanho dos cabelos soltos sobre os ombros. Depilação vencida nas axilas. Barriguinha flácida. Celulite nas coxas. Pele de uma brancura quase lúgubre, veias roxas colorindo pernas e braços.

Rugas, cabelos brancos, depilação vencida, celulite. Preciso dar um jeito nisso. Já fui uma mulher atraente, embora, segundo alguns, e segundo Ed, de um jeito "caseiro". "Antes eu via você como uma pessoa meiga", disse ele certo dia, triste, já próximo ao fim.

Baixo os olhos para os pés. Os dedos são finos e bem desenhados, talvez um dos meus pontos fortes (talvez o único); porém, do jeito que estão agora, as unhas lembram as garras de um pequeno predador. Abro o armarinho de remédios e, em meio a uma infinidade de frascos empilhados feito totens, encontro um alicate. Finalmente um problema que posso resolver sozinha.

QUINTA-FEIRA,
28 de outubro

CINCO

A ESCRITURA DE VENDA FOI PUBLICADA ONTEM. Meus novos vizinhos são Alistair e Jane Russell; eles pagaram 3,45 milhões de dólares por sua humilde morada. Segundo o Google, ele é sócio de uma empresa de consultoria de porte médio, inicialmente com sede em Boston. Quanto à mulher, impossível levantar no Google alguma coisa a respeito de uma Jane Russell que não seja a atriz.

É um bairro divertido, este em que viemos morar.

A residência dos Millers do outro lado da rua ("Ó, vós que por aqui entrais, abandonai toda a esperança") é uma das cinco casas que posso bisbilhotar das minhas janelas que dão para o sul. A leste, ficam outras duas, que são gêmeas idênticas: ambas com o mesmo cinza na fachada, o mesmo verde garrafa nas portas, as mesmas cornijas retas nas janelas. São as Gray Sisters. Na da direita (talvez um pouquinho mais escura que a outra), moram Henry e Lisa Wasserman, residentes já antigos. "Faz mais de quatro décadas que estamos aqui", disse a Sra. Wasserman, orgulhosa, quando nos mudamos. Ela havia batido à nossa porta para dizer "pessoalmente" quanto ela "e o meu Henry" lastimavam a chegada de "mais um bando de yuppies" naquela vizinhança que um dia havia sido uma comunidade de verdade.

Ed só faltou espumar de tanta raiva. Olivia batizou seu coelhinho de pelúcia de Yuppie.

Depois disso nenhum dos dois veio nos procurar para dizer o que quer que fosse, nem mesmo agora que o bando de yuppies se resume apenas à minha pessoa. Pelo visto, também não são simpáticos com seus vizinhos de porta, os moradores da outra Gray Sister. Estes, por coincidência, têm Gray como sobrenome. O pai é sócio de um pequeno escritório especializado em fusões e aquisições, a mãe é viciada em clubes de leitura, e o casal tem duas filhas gêmeas adolescentes. Segundo a página do clube da Sra. Gray na internet, o livro que ela escolheu este mês e que, nesse exato momento, na sala de sua casa, está sendo estudado por oito mulheres de meia-idade é *Judas, o obscuro.*

Li o livro também, então fico imaginando que estou lá no grupo com elas, mordiscando uma torta de café (nenhuma à vista), bebericando uma taça de vinho (isso para mim é fácil). "O que você achou do *Judas*, Anna?", perguntaria Christine Gray, e eu responderia: "Meio obscuro." Todo mundo acharia graça. Na realidade, todas estão rindo do outro lado da rua. Tento rir com elas. Dou um gole no vinho.

A oeste dos Millers estão os Takedas. O marido é japonês, a esposa é americana e o filho deles é absurdamente lindo. Violoncelista. Nos meses de verão ele estuda com as janelas da sala abertas, do modo como Ed costumava deixar as nossas abertas também. Certa noite, num mês de junho já muito distante, eu e Ed ficamos dançando ao som de uma suíte de Bach, rodopiando na cozinha, minha cabeça no ombro dele, enquanto o garoto tocava do outro lado da rua.

No último verão, sempre que a música do violoncelista vinha me procurar aqui em casa, batendo educadamente na janela e dizendo "Me deixe entrar", eu não deixava. Não conseguia. Não abri a janela uma única vez. Nunca. Mas podia ouvir o violoncelo suplicar: "Me deixe entrar... Me deixe entrar..."

Ao lado dos Takedas, nos números 206 e 208, fica um prédio de fachada de pedra marrom. São duas casas geminadas e por enquanto sem moradores. Uma empresa privada comprou o imóvel dois novembros atrás, mas ninguém se mudou. Um enigma. A fachada ficou escondida durante quase um ano por andaimes que mais pareciam jardins suspensos; então, de um dia para o outro (alguns meses antes de Ed e Olivia partirem), eles sumiram e, depois disso, nada.

Esse é o meu Império do Sul e esses são os meus súditos. Nenhuma dessas pessoas se tornou minha amiga; a maioria delas eu não encontrei mais do que uma ou duas vezes. Coisas da vida urbana, acho. Talvez o casal Wasserman tivesse certa razão. Fico me perguntando se eles sabem o que foi feito de mim.

O PRÉDIO DECRÉPITO DE UMA ESCOLA CATÓLICA – a Santa Dymphna, fechada desde que viemos para cá – praticamente se escora em minha casa pelo lado leste. Sempre que Olivia se comportava mal, Ed e eu ameaçávamos mandá-la para essa escola. Pedras corroídas e encardidas na fachada, janelas imundas de fuligem. Ou pelo menos é o que lembro; faz tempo que não passo diante dela.

Do lado oeste fica o parque: bem pequeno, com um caminho estreito de tijolos ligando nossa rua à paralela seguinte. Dois plátanos montam guarda nas extremidades, ambos já avermelhados pelo outono; duas cerquinhas baixas separam a área das ruas. "Um parque singelo", nas palavras do nosso citado corretor.

E do lado oposto do parque fica o número 207. Os Lords venderam o imóvel há dois meses e partiram imediatamente para a Flórida – foram curtir sua aposentadoria em Vero Beach. No lugar deles entraram Alistair e Jane Russell.

Jane Russell! Minha fisioterapeuta nunca ouviu falar de Jane Russell.

– Os homens preferem as louras – falei.

– Não na minha experiência – devolveu ela.

Bina é bem jovem, talvez esteja aí a explicação.

Tudo isso foi hoje mais cedo; antes que eu pudesse levar a conversa adiante, ela cruzou uma das minhas pernas por cima da outra, depois virou meu corpo de lado. A dor foi tanta que me deixou sem fôlego.

– Os músculos da sua coxa precisam disso – garantiu ela.

– Carrasca... – resmunguei.

Ela pressionou meu joelho contra o chão. Mais dor.

– Você não está me pagando para fazer carinho.

– Posso pagar para você ir embora?

Bina vem uma vez por semana para me ajudar a odiar a vida, como costumo dizer. E para me manter atualizada sobre as suas aventuras sexuais, que são tão excitantes quanto as minhas próprias. Mas com ela o problema é outro. Bina escolhe demais. "Metade dos caras nesses aplicativos posta fotos de cinco anos atrás", reclamou certo dia, o cabelo caindo sobre o ombro feito as águas de uma cachoeira, "e a outra metade é casada. E a *outra* metade está solteira não é à toa."

Aí são três metades, mas ninguém é besta de corrigir a matemática de uma pessoa que está torcendo a sua coluna.

No mês passado criei um perfil no Happn "só pra ver como é", disse a mim mesma. Segundo explicou Bina, o aplicativo coloca você em contato com as pessoas que cruzam o seu caminho. Mas... e se ninguém cruzar o nosso caminho? E se os nossos caminhos ficarem para sempre confinados nos mesmos quatrocentos metros quadrados da nossa casa e nada mais além deles?

Enfim. O primeiro perfil que apareceu na minha tela foi o de David. Deletei minha conta imediatamente.

Faz quatro dias que vi Jane Russell pela primeira vez. Certamente ela não tem as medidas da Jane original, com seus peitões e cinturinha de pilão, mas eu também não tenho. Quanto ao filho, vi apenas aquela vez, ontem de manhã. Mas o marido está sempre à vista (ombros largos, testa marcada, um nariz que mais parece uma lâmina), ora batendo ovos na cozinha, ora lendo na sala, ora espiando dentro do quarto como se estivesse procurando alguém.

> # SEXTA-FEIRA,
> *29 de outubro*

SEIS

MAIS UMA *LEÇON* DE FRANCÊS HOJE E, À NOITE, *Les diaboliques*. Um marido cafajeste, uma mulher frágil, uma amante, um assassinato, um cadáver desaparecido. Existe coisa melhor do que um cadáver desaparecido?

Mas, antes de tudo, o dever. Tomo os meus comprimidos, vou para o computador e digito minha senha. Faço meu login no Ágora.

A qualquer hora, do dia ou da noite, há pelo menos algumas dezenas de usuários logados, uma constelação de nacionalidades diferentes. Alguns se apresentam com o próprio nome: Talia de São Francisco; Phil de Boston; uma advogada de Manchester com o nome nada advocatício de Mitzi; Pedro, um boliviano de inglês mambembe, provavelmente melhor que o meu francês. Outros preferem se apresentar com um apelido – eu inclusive. Num momento de inspiração optei por Annagoraphobe, mas logo depois disse a outro usuário que era psicóloga e a informação se espalhou rapidamente. Agora sou thedoctorisin, ou "a médica está na área". Ela vai atendê-lo prontamente.

Agorafobia: a palavra vem do grego e significa "medo da ágora", ou seja, medo de transitar em lugares públicos e grandes espaços abertos. Hoje ela é usada para designar uma série de transtornos oriundos da ansiedade. Foi documentada pela primeira vez no fim do século XIX e, cerca de um século depois, codificada como uma "entidade diagnóstica independente", embora faça parte do mesmo pacote comórbido da síndrome do pânico. Quem quiser pode ler a respeito na quinta edição do *Manual diagnóstico e estatístico de transtornos mentais*. Ou *DSM-5*, para os íntimos. Sempre achei esse título engraçado; mais parece uma dessas franquias do cinema. "E aí, gostou do *Transtornos mentais 4*? Então vai adorar o 5!"

A literatura médica é particularmente criativa na descrição dos diagnósticos. "Medos agorafóbicos (...) incluem o medo de sair sozinho de casa; o medo de ficar cercado por multidões ou de entrar em filas; o medo de atravessar pontes." Puxa, o que eu não daria para ser capaz de atravessar uma ponte! Ou de entrar numa fila! Também gosto deste: "medo de sentar nas poltronas centrais de um teatro." Poltronas centrais são as melhores, não são?

Muitos de nós – os casos mais graves de estresse pós-traumático – não conseguimos sair de casa, precisamos nos esconder da bagunça do mundo, da massa do mundo. Alguns têm pavor de gente, outros, da desordem do trânsito. Para mim, o problema está na vastidão do céu, na desmesura do horizonte, no simples fato de estar exposta à pressão acachapante da vida ao ar livre. "Espaços abertos", diz vagamente o *DSM-5*, na pressa de chegar às suas 186 notas de fim de capítulo.

Como médica, digo que o paciente precisa estar num ambiente que ele seja capaz de controlar. Essa é a minha avaliação clínica. Como paciente, digo que a agorafobia não veio para destruir minha vida: ela agora *é* a minha vida.

De volta ao site Ágora. Confiro as minhas mensagens, depois começo a peregrinação pelos posts dos usuários. Três meses sem sair de casa. Entendo perfeitamente, Kala88; faz dez que eu também não saio da minha. Até encaro uma Ágora, dependendo do meu estado de espírito. Isso me cheira mais a fobia social, EarlyRiser. Ou um problema de tireoide. Ainda não consegui emprego. Puxa, Megan, sinto muito. Graças a Ed eu não preciso trabalhar, mas sinto falta dos meus pacientes. Fico preocupada com eles.

Uma novata me enviou um e-mail. Encaminho a moça para o manual de sobrevivência que compilei na última primavera: "Então Você Tem Síndrome do Pânico". Foi esse o nome que dei. Achei simpático, divertido.

P: Como faço para comer?
R: Blue Apron, Plated, HelloFresh... Há vários serviços de entrega em domicílio nos Estados Unidos! Provavelmente há similares em outros países também.

P: Como faço para comprar meus remédios?
R: Todas as grandes farmácias americanas fazem entregas em domicílio. Se houver algum problema, peça a seu médico que converse com alguém da farmácia mais próxima de sua casa.

P: Como faço para limpar a casa?
R: Limpando, ora! Contrate os serviços de uma empresa ou limpe você mesmo.

(Não tenho feito nem uma coisa nem outra. Minha casa anda precisando de uma boa faxina.)

P: E o lixo, o que faço com ele?
R: Peça à faxineira para deixá-lo na caçamba mais próxima. Ou peça ajuda a um amigo.

P: O que fazer com a monotonia?
R: Aí, sim, o problema é mais difícil...

Etc. etc. Fiquei contente com esse meu pequeno receituário, achei que fiz um bom trabalho. Teria sido ótimo se lá atrás eu tivesse encontrado algo semelhante.

Uma caixa de diálogo aparece na minha tela.

Sally4th: olá, doutora!

Um sorriso brota imediatamente no meu rosto. Sally: 26 anos, australiana de Perth, violentada no início deste ano, no Domingo de Páscoa. Sofreu uma fratura no braço e teve lesões graves nos olhos e no rosto, mas seu agressor não foi preso, nem sequer identificado. Ela passou quatro meses trancada em casa, isolada numa das cidades mais isoladas do mundo. Mas, ao longo das últimas dez semanas, tem conseguido sair um pouquinho. Que bom. Uma psicóloga, terapia de aversão e propanolol. Nada melhor que um betabloqueador.

thedoctorisin: Oi, Sally, tudo bem?
Sally4th: tudo! piquenique hoje de manhã!

Sally sempre gostou dos pontos de exclamação, mesmo nos momentos mais sombrios da depressão.

thedoctorisin: E aí, como foi?
Sally4th: sobrevivi! :)

Também adora os emoticons.

thedoctorisin: Você é uma guerreira! Como anda o Inderal?
Sally4th: bem. já reduzi pra 80mg.
thedoctorisin: 2x dia?
Sally4th: 1x!!
thedoctorisin: Dosagem mínima! Fantástico! Algum efeito colateral?
Sally4th: olhos secos, só isso.

Sorte dela. Estou tomando uma medicação similar (além de outras tantas), e de vez em quando minha cabeça quase explode de tanta dor. PROPANOLOL PODE CAUSAR ENXAQUECA, ARRITMIA CARDÍACA, DIFICULDADE RESPIRATÓRIA, DEPRESSÃO, ALUCINAÇÕES,

REAÇÕES CUTÂNEAS GRAVES, NÁUSEA, DIARREIA, INIBIÇÃO DA LIBIDO, INSÔNIA E TONTEIRA.

– O que esse remédio precisa é de mais efeitos colaterais – disse Ed certo dia.

– Combustão espontânea – sugeri.

– Caganeira crônica.

– Morte lenta e dolorosa.

thedoctorisin: Alguma recaída?
Sally4th: um piripaque na semana passada.
Sally4th: mas sobrevivi.
Sally4th: exercícios respiratórios.
thedoctorisin: O velho truque de soprar no saco.
Sally4th: fico me sentindo uma idiota, mas funciona.
thedoctorisin: Realmente funciona. Parabéns.
Sally4th: valeu :)

Dou um gole no vinho. Outra caixa de diálogo aparece na tela: Andrew, que conheci num site para fãs de filmes clássicos.

Festival Graham Green no Angelika esse fds?

Paro um pouco para pensar. *O ídolo caído* é um dos meus favoritos (o mordomo de vida dupla, o aviãozinho de papel que pode mudar todo o rumo das coisas), e já faz quinze anos que vi *Quando desceram as trevas*. Além disso, claro, foram os filmes antigos que nos juntaram, Ed e eu.

Mas não cheguei a explicar minha situação para Andrew. *Indisponível* é a melhor solução.

Volto para a conversa com Sally.

thedoctorisin: Você tem ido à psicóloga?
Sally4th: tenho sim, obrigada :) agora só 1x semana. ela está superfeliz com o meu progresso.
Sally4th: Comprimidos e cama, esse é o segredo.

thedoctorisin: Tem dormido bem?
Sally4th: ainda tenho pesadelos.
Sally4th: e vc?
thedoctorisin: Tenho dormido muito.

Talvez demais. Acho que deveria contar isso para o Dr. Fielding. Não sei se contarei.

Sally4th: e os seus progressos, como andam? pronta pra outra?
thedoctorisin: Não sou tão rápida quanto você! O TEPT é um caso sério. Mas também sou guerreira.
Sally4th: claro que é!
Sally4th: só passei aqui pra saber como vão os amigos. estou sempre pensando em todos vcs!!!

Me despeço de Sally e segundos depois recebo uma chamada do meu professor pelo Skype.

– *Bonjour*, Yves – resmungo para mim mesma.

Reflito um instante antes de atender. Chego à conclusão de que quero vê-lo. Aqueles cabelos pretíssimos, a pele morena. Aquelas sobrancelhas que se lançam uma contra a outra e ali ficam, feito um *accent circonflexe*, sempre que ele não entende direito o que digo, o que é bastante frequente.

Se o Andrew chamar de novo, vou ignorar, pelo menos por enquanto. Ou talvez para sempre. Clássicos do cinema: isso é um lance meu com Ed. E com mais ninguém.

Viro a ampulheta sobre a mesa e fico observando como a pequena pirâmide de areia parece vibrar com a queda dos grãos. Faz tanto tempo... Quase um ano. Quase um ano que não saio de casa.

Bem, mais ou menos. Por cinco vezes durante oito semanas consegui me aventurar no mundo externo, ou melhor, no mundo do meu jardim, na parte de trás de casa. Minha "arma secreta", como diz o Dr. Fielding, é meu guarda-chuva (na realidade, o guarda-chuva de Ed, uma engenhoca meio bamba, comprada na London Fog). O Dr. Fielding, ele também meio bambo, fica esperando feito um espantalho no jardim enquanto abro a porta com o guarda-chuva em punho. Aciono o botão e ele se abre automaticamente; gosto de admirar o côncavo que o esqueleto metálico forma contra o nylon xadrez. Um xadrez clássico da Escócia, quatro quadrados pretos enfileirados verticalmente em cada gomo do dossel, quatro linhas brancas formando a trama. Quatro quadrados, quatro linhas. Quatro pretos, quatro brancos. Inspiro, conto até quatro. Expiro, conto até quatro. Quatro. O número mágico.

O guarda-chuva se projeta à minha frente como uma espada, depois como um escudo.

Saio para o jardim.

Expira, dois, três, quatro.

Inspira, dois, três, quatro.

O nylon brilha contra o sol. Desço o primeiro dos degraus (que naturalmente são quatro) e ergo o guarda-chuva, mas só um pouquinho, o bastante para espiar os sapatos do Dr. Fielding, as canelas. O mundo borbulha na minha visão periférica, como a água que ameaça inundar um sino de mergulho, aquela câmara rígida usada para transportar mergulhadores até o fundo do oceano.

– Lembre-se de que você está com sua arma secreta – diz o Dr. Fielding, parado onde está.

Minha vontade é gritar de volta: "Não é arma secreta nenhuma! É apenas a porcaria de um guarda-chuva aberto sem nenhuma chuva no horizonte!"

Expira, dois, três, quatro; inspira, dois, três, quatro. E de repente funciona: consigo descer o resto dos degraus (expira, dois, três, quatro) e atravessar alguns metros de jardim (inspira, dois, três, quatro). Até que o pânico assoma dentro do peito, uma espécie de maré que vai subindo até cobrir meus olhos, até afogar a voz do Dr. Fielding. Depois disso... Bem, melhor nem pensar.

> ## SÁBADO,
> ### 30 de outubro

SETE

TEMPESTADE. O freixo verga, as lajotas me encaram, sérias, molhadas. Lembro de uma vez que deixei uma taça cair no pátio; ela estourou feito uma bolha, o Merlot se espalhando para todo lado, inundando os veios das pedras, rolando escuro e sangrento na direção dos meus pés.

Às vezes, quando o céu está baixo, fico me imaginando do outro lado dele, dentro de um avião ou montada numa nuvem, inspecionando lá de cima a ilha de Manhattan, as pontes da Costa Leste, os carros que elas atraem como as lâmpadas atraem os insetos.

Faz muito tempo desde a última vez que senti a chuva na minha pele. Ou o vento. Quase escrevi "os carinhos do vento", mas achei que isso é o tipo de coisa que a gente lê nesses romances de banca de jornal.

Mas é verdade. Neve também. Mas no caso da neve, não faço a menor questão de senti-la outra vez.

UM PÊSSEGO VEIO MISTURADO ÀS MAÇÃS que a Fresh-Direct entregou hoje de manhã. Fico me perguntando como foi que isso aconteceu.

NA NOITE EM QUE NOS CONHECEMOS, numa exibição de *Os 39 degraus* numa salinha de cinema de arte, Ed e eu comparamos nossas histórias. Contei a ele que havia sido apresentada aos thrillers e aos clássicos do cinema *noir* pela minha mãe e que, na adolescência, preferia a companhia de Gene Tierney e Jimmy Stewart à das minhas colegas de escola. "Não sei se acho isso bonitinho ou triste", disse Ed, que até aquele dia nunca tinha visto um filme em preto e branco. Duas horas depois, a boca dele estava beijando a minha.

A sua *boca é que estava beijando a minha*, imagino ele dizendo e me corrigindo.

Antes de Olivia nascer, víamos pelo menos um filme por semana, sobretudo os clássicos do suspense que eu costumava ver na infância: *Pacto de sangue*, *À meia-luz*, *Sabotador*, *O relógio verde*... Vivíamos num mundo monocromático nessas noites. Para mim, era uma oportunidade de revisitar velhos amigos; para Ed, a de fazer novos amigos.

Adorávamos elaborar listas. As adaptações das histórias de Dashiell Hammett, ranqueadas desde a melhor (*A ceia dos acusados*, a primeira delas) até a pior (*Song of the Thin Man*). Os melhores filmes da excelente safra de 1944. Os melhores momentos de Joseph Cotten.

Também posso fazer algumas listas sozinha, claro. Por exemplo, os melhores filmes de Hitchcock não realizados por Hitchcock. Vamos lá:

O açougueiro, um dos primeiros filmes de Claude Chabrol que, diz a lenda, Hitch gostaria de ter dirigido. *Prisioneiro do passado*, com Humphrey Bogart e Lauren Bacall (um caso de amor em São Francisco, com direito a muita neblina, o primeiro em que um personagem se submete a uma cirurgia plástica para se disfarçar). *Torrentes de paixão*, com Marilyn Monroe; *Charada*, com Audrey Hepburn; *Precipícios d'alma*, com as sobrancelhas de Joan Crawford. *Um clarão nas trevas*: Hepburn de novo, uma mulher cega, ilhada no seu apartamento no subsolo. Eu ficaria maluca num apartamento no subsolo.

Agora os filmes posteriores a Hitchcock: *O silêncio do lago*, com seu final de tirar o fôlego. *Busca frenética*, a homenagem de Polanski ao mestre. *Terapia de risco*, de Steven Soderbergh, que começa como um libelo contra a farmacologia e vai deslizando feito uma enguia na direção de um gênero completamente diferente.

Ok.

O cinema e suas citações equivocadas. *"Play it again, Sam"* (Toque outra vez, Sam), supostamente de *Casablanca* – acontece que nem Humphrey Bogart nem Ingrid Bergman disseram isso. *"He's alive"* (Ele está vivo) – Frankenstein nunca define o gênero do monstro que criou; o correto, por mais cruel que seja, é *"It's alive"* (Isto está vivo). O célebre "Elementar, meu caro Watson" realmente aparece num dos primeiros filmes de Sherlock Holmes na era do cinema falado, mas não consta de nenhum dos livros de Conan Doyle.

Ok.

E depois?

Abro meu laptop, entro no Ágora. Uma mensagem de Mitzi de Manchester; um relatório de progresso, cortesia de Dimples2016 do Arizona. Nada digno de nota.

NA SALA DO NÚMERO 210, o filho dos Takedas toca seu violoncelo. Mais a leste, os quatro membros da família Gray fogem da chuva, gargalhando enquanto correm para a porta de casa. Do outro lado do parque, Alistair Russell enche um copo de água na pia da cozinha.

OITO

FIM DE TARDE. Estou me servindo de uma dose de Pinot Noir californiano quando a campainha toca. Deixo a taça cair.

Ela explode no chão, uma língua comprida de vinho lambendo a madeira clara do piso.

– Merda! – grito.

(Algo que já notei: quando não há ninguém por perto, xingo mais frequentemente e bem mais alto. Ed ficaria horrorizado. *Eu* fico horrorizada.)

Mal tenho tempo de buscar um papel-toalha, e a campainha toca outra vez. "Merda!", penso comigo mesma; ou será que digo em voz alta? David saiu há mais ou menos uma hora para um trabalho qualquer no East Harlem (vi pela janela do escritório quando ele saiu), e não estou esperando nenhuma entrega. Agacho para limpar o vinho derramado, em seguida vou abrir a porta.

No monitor do interfone vejo um rapaz alto com uma jaqueta justa, trazendo nas mãos uma pequena caixa branca. É o filho dos Russells.

Pelo interfone, digo:

– Pois não?

Menos convidativo que um "Olá", mais educado que um "Que foi, porra!".

– Moro do outro lado do parque – diz ele, meio gritando, com uma voz inesperadamente doce. – Mamãe me pediu para entregar isto aqui.

Ele aproxima a caixa do interfone; depois, sem saber ao certo onde fica a câmera, gira devagar com os braços para o alto.

– Você pode... – começo a dizer.

Penso em pedir que ele deixe a caixa na porta. Não é lá muito gentil, eu sei, mas faz dois dias que não tomo banho, e tenho medo que o gato estranhe o garoto.

Ele ainda está na soleira, erguendo a caixa.

– Pode entrar – falo afinal, apertando o botão do interfone.

Ouço a primeira porta se destrancar, a da rua, e vou para a segunda, a que dá acesso à casa, ao fim de um pequeno corredor. Mas avanço com cautela, do mesmo modo que Punch faz quando chega algum desconhecido (ou fazia, quando desconhecidos apareciam por aqui).

Um vulto espera do outro lado do vidro jateado, esguio feito uma árvore ainda em fase de crescimento. Giro a maçaneta.

O garoto realmente é alto. Carinha de bebê, olhos azuis, cabelos cor de areia, uma pequena cicatriz partindo a sobrancelha e riscando a testa. Deve ter uns 15 anos. Lembra um rapaz que conheci certa vez, e beijei, num acampamento de verão no Maine, mais de vinte anos atrás. Gosto dele.

– Meu nome é Ethan – diz.

– Entre.

Ele obedece.

– Está escuro aqui.

Acendo uma luz e examino o garoto enquanto ele examina a casa: os quadros, o gato estirado na chaise-longue, a papelada molhada de vinho no chão da cozinha.

– O que aconteceu?

– Um pequeno acidente – respondo. – Meu nome é Anna. Anna Fox – acrescento, caso ele seja afeito a formalidades; tenho idade para ser mãe dele (uma mãe jovem).

Trocamos um aperto de mão, depois ele me entrega a caixa muito bem embrulhada com um laço de fita.

– É para você – diz timidamente.

– Pode deixar ali, por favor. Quer beber alguma coisa?

Ele vai para o sofá.

– Um copo d'água, se não for incômodo.

– Incômodo nenhum. – Volto para a cozinha, limpo a bagunça do chão. – Gelo?

– Não, obrigado.

Encho um copo, depois outro, ignorando a garrafa de Pinot Noir na bancada.

A caixa espera na mesinha de centro, junto do meu laptop. Ainda estou logada no Ágora; ajudei DiscoMickey a enfrentar um incipiente ataque de pânico, e a mensagem de agradecimento que ele enviou continua estampada em letras grandes na tela.

– Muito bem, então – digo, me sentando ao lado de Ethan e colocando o copo dele sobre a mesa. – Vamos ver o que temos aqui.

Desfaço o laço do embrulho, abro a caixa e, de um ninho de papel de seda, retiro uma vela, dessas que têm pétalas e raminhos dentro, feito insetos no âmbar. Levo a vela ao nariz e farejo de um jeito exagerado.

– Lavanda – anuncia Ethan.

– Foi o que pensei. – Cheiro outra vez. – Amo lavanda. – De novo: – Amo lavanda.

Ele sorri apenas com o canto da boca, como se alguém a puxasse com um fio. "Um dia vai ser um homem bonito", penso. A cicatriz... As mulheres vão adorar. É possível que as meninas já adorem. Ou os meninos.

– Mamãe pediu que eu desse isso para você, tipo... dias atrás.

– Muito gentil da parte dela. Geralmente é o contrário. São os moradores antigos que presenteiam os recém-chegados.

– Uma senhora foi lá outro dia – conta ele. – Falou que uma família pequena como a nossa não precisava de uma casa tão grande.

– Aposto que foi a Sra. Wasserman.

– Ela mesma.

– Não liguem para ela.

– A gente não ligou.

Punch, que já havia pulado do sofá, vem caminhando de modo tímido na nossa direção. Ethan se inclina e pousa a mão no tapete com a palma virada para cima. O gato para, depois se aproxima para farejar e lamber os dedos dele. Ethan ri e, como se estivesse fazendo uma confissão, diz:

– Adoro língua de gato.

– Eu também. – Dou um gole na minha água. – Ela tem umas farpas... parecem umas agulhinhas – explico, caso ele não saiba o que é uma "farpa". De repente me dou conta de que talvez não esteja preparada para conversar com um adolescente; meus pacientes mais velhos tinham 12 anos. – Bem, vamos acender esta vela?

Ele dá de ombros, sorrindo.

– Claro.

Em cima da mesa há uma cartela de fósforos vermelho-cereja com as palavras THE RED CAT. Ainda me lembro de quando jantei lá com Ed, mais de dois anos atrás. Ou três. *Tagine* de frango; e, se não me falha a memória, ele elogiou o vinho. Naquela época eu ainda não bebia tanto.

Risco um fósforo, acendo o pavio.

– Olhe para isso – digo. O fogo vai arranhando o ar como se fosse uma pequena garra; a chama floresce, as flores na cera se iluminam. – Que lindo.

Depois vem um silêncio tranquilo. Punch se enrosca nas pernas de Ethan, em seguida pula para o colo dele. Ethan dá uma risada gostosa.

– Acho que ele foi com a sua cara.

– Também acho – concorda o garoto, roçando as orelhas do gato.

– Ele não costuma gostar das pessoas. Tem um gênio ruim.

Um ronco baixinho. Quem diria? Punch ronronando, de tão à vontade que está.

Ethan ri e pergunta:

– Ele nunca sai de casa?

– Tem uma portinhola para ele na porta da cozinha. Mas ele quase nunca sai.

– Um menino comportado – diz Ethan, o gato aninhado sob seu braço.

– E aí, está gostando da casa nova? – pergunto.

Ele reflete um instante, enquanto massageia a cabeça de Punch com os nós dos dedos.

– Tenho saudade da casa velha – confessa.

– Imagino que sim. Onde vocês moravam antes?

Já sei a resposta, claro.

– Boston.

– O que trouxe vocês a Nova York?

Também já sei a resposta.

– Papai arrumou um emprego aqui.

Na realidade, o pai foi transferido, mas não vou entrar em detalhes.

– Meu quarto aqui é bem maior – acrescenta ele de repente, como se tivesse acabado de lembrar.

– Os ex-proprietários fizeram uma boa reforma.

– Pois é. Mamãe falou que eles botaram tudo abaixo.

– Exatamente. Inclusive derrubaram algumas das paredes dos andares de cima.

– A senhora já esteve lá?

– Algumas vezes. Eu não conhecia os Lords muito bem. Mas todo ano eles faziam uma festinha de Natal, e a gente ia. Faz quase um ano que estive lá pela última vez. Eu e Ed. Ele foi embora duas semanas depois.

De repente, me vejo mais relaxada. A princípio acho que é a companhia de Ethan: sua afabilidade, o jeitinho manso de falar. Até o gato está gostando. Mas depois percebo que estou resvalando aos poucos para o "modo terapeuta", para o toma lá dá cá das perguntas e respostas de consultório. Curiosidade e compaixão: as ferramentas do meu ofício.

E, apenas por um breve instante, é lá que estou outra vez, no meu consultório da rua 88, na penumbra e tranquilidade daquela salinha, as duas poltronas de frente uma para a outra, um lago de tapete azul entre elas. O radiador de calefação ronrona na parede.

A porta se abre sozinha e lá estão o pequeno sofá da sala de espera, a mesinha lateral, as revistinhas infantis empilhadas sobre ela (*Highlights* e *Ranger Rick*), o balde transbordando com as pecinhas de Lego, os passarinhos cantando no som ambiente.

E a porta de Wesley. Wesley é meu colega de consultório, meu orientador de pós-graduação, o homem que me levou para a psicologia clínica. Wesley Brill. Ou Wesley Brilhante, como costumávamos chamá-lo, o Wesley dos cabelos sempre desgrenhados, das meias desencontradas, do cérebro-relâmpago, da voz de trovão. Lá está ele em sua poltrona Eames, as pernas compridas espichadas sobre a banqueta, um livro escorado no colo. A janela está aberta, deixando entrar o ar do inverno. Ele está fumando. Ergue os olhos da leitura e diz: "Olá, Fox."

– Meu quarto agora é bem maior que o antigo – repete Ethan.

Eu me recosto no sofá, cruzo as pernas. Tenho a sensação ridícula de que estou fazendo uma pose. Fico me perguntando quando foi a última vez que cruzei as pernas.

– Onde você vai estudar?

– Em casa. Mamãe é minha professora.

Antes que eu possa dizer alguma coisa, ele aponta com o queixo para o porta-retratos da mesinha lateral e pergunta:

– É sua família?

– Sim. Meu marido e minha filha. O nome dele é Ed, o dela, Olivia.

– Eles estão em casa?

– Não. Não moram mais aqui. A gente se separou.

– Ok – diz ele, alisando as costas do gato. – Quantos anos ela tem?

– Oito. E você?

– Tenho 16. Faço 17 em fevereiro.

É o tipo de coisa que Olivia diria. Ele parece mais novo.

– Minha filha também nasceu em fevereiro. Em 14 de fevereiro, dia de São Valentim.

– Eu sou do dia 28.

– Quase um bissexto – digo.

– Pois é. Você trabalha com o quê?

– Sou psicóloga. Trabalho com crianças.

Ele torce o nariz.

– E por que uma criança precisa de psicólogo?

– Por várias razões. Algumas têm dificuldade quando mudam de cidade, por exemplo.

Ele não diz nada.

– Se você estuda em casa, suponho que tenha que fazer amigos em outro lugar que não seja a escola.

Ele bufa, depois diz:

– Papai encontrou um clube de natação para mim.

– Há quanto tempo você nada?

– Desde os 5 anos.

– Então deve ser muito bom.

– Mais ou menos. Papai fala que eu mando bem.

Não digo nada.

– E devo mandar mesmo – admite o garoto em seguida, mas com modéstia. – Inclusive dou aula.

– Você dá aulas de natação?

– Para pessoas com algum tipo de limitação. Não física, mas...

– Com deficiências de desenvolvimento.

– Isso. Eu dava essas aulas em Boston. Queria continuar aqui.

– Como foi que começou?

– Uma amiga da minha irmã tem síndrome de Down; ela viu as Olimpíadas uns anos atrás e resolveu aprender a nadar. Então dei umas aulas para ela, depois para outros garotos da escola dela. Foi assim que entrei nessa... – ele procura a palavra certa – nessa área.

– Que bom.

– Não sou muito chegado a festinhas, esse tipo de coisa.

– Não é a sua área.

– Não. – Ele ri. – Não é mesmo. – Depois vira o rosto e olha através da cozinha. – Posso ver sua casa lá do meu quarto. É aquele ali, olha.

Viro o rosto para olhar. Se ele pode ver minha casa, isso significa que pode ver meu quarto também. Por um instante fico incomodada com a constatação. Afinal, o garoto ainda é um adolescente. Pela segunda vez me pergunto se ele não é gay.

Só então percebo que os olhos dele ficaram molhados.

– Puxa...

Procuro a caixa de lenços que ficava na mesinha à minha direita, mas no lugar dela está apenas uma foto de Olivia, olhando para mim com seu sorriso banguela.

– Desculpe – diz Ethan.

– Não, não precisa se desculpar. O que houve?

– Nada – responde, esfregando os olhos.

Espero alguns segundos. "Ele ainda é uma criança", penso com meus botões. Alto e de voz grossa, mas ainda uma criança.

– Sinto falta dos meus amigos – confessa.

– Imagino que sim. Claro.

– Não conheço ninguém aqui.

Uma lágrima escorre pelo rosto do garoto. Ele usa o dorso da mão para secá-la.

– Mudar de cidade não é fácil – digo. – Também demorei um tempo para me enturmar quando vim para cá.

Ele dá uma sonora fungada e pergunta:

– Quando foi que você mudou?

– Há oito anos. Na verdade, faz nove agora. Vim de Connecticut.

Ele funga de novo, esfregando o nariz.

– Não é tão longe quanto Boston.

– Não, não é. Mas mudar de cidade é sempre difícil, não importa de onde você veio.

Tenho vontade de abraçá-lo. Mas não vou fazer isso. EREMITA DO BAIRRO APALPA O FILHO DOS VIZINHOS.

Ficamos mudos por alguns minutos.

– Posso pegar mais um copo d'água?

– Pego para você.

– Não, deixa que eu vou – diz ele, já ficando de pé.

Punch escorrega para o chão e se enrosca sob a mesinha de centro. Enquanto Ethan enche seu copo na pia da cozinha, vou até a televisão e abro a gaveta que fica debaixo dela.

– Você gosta de cinema? – pergunto.

Ele não responde. Olho para trás e vejo que está parado na porta da cozinha, observando o parque. As garrafas de vinho se amontoam numa das latas de lixo reciclável ao lado dele. Dali a pouco ele vira para mim e diz:

– Hein?

– Você gosta de cinema? – repito, e ele faz que sim com a cabeça. – Então venha aqui. Tenho uma coleção grande de DVDs. Muito grande. Grande demais, segundo meu marido.

– Mas você não disse que é separada? – questiona ele, voltando para a sala.

– Bem... mesmo assim ele continua sendo meu marido. – Olho para a aliança na minha mão esquerda, giro no dedo. – Mas você tem razão. – Aponto para a gaveta aberta. – Se quiser levar algum, fique à vontade. Você tem um aparelho de DVD?

– Papai tem um drive externo no laptop dele.

– Acho que vai funcionar.

– Se ele me emprestar o drive.

– Vai emprestar – afirmo, já começando a fazer uma ideia melhor de quem é Alistair Russell, o pai do garoto.

– Que tipo de filme você tem aí?

– Filmes antigos, quase todos.

– Tipo... filmes em preto e branco?

– Sim, quase todos.

– Nunca vi um filme em preto e branco na vida.

Meus olhos se arregalam.

– Então se prepare. Porque são os melhores.

Ele não parece muito convencido, mas dá uma espiada na gaveta. São quase duzentos filmes: as coleções Criterion e Kino, a caixa completa da Universal, diversas coleções de *noir*, mais a série *Guerra nas Estrelas*, porque também sou humana. Rapidamente corro os olhos pelos títulos. *Sombras do mal. A ladra. Até a vista, querida.*

– Este aqui – digo, tirando uma das caixas e entregando a Ethan.

– *A noite tudo encobre*.

– É um bom início. Tem suspense, mas não chega a dar medo.

– Valeu. – Ele limpa a garganta e tosse. – Desculpe – fala, bebendo um pouco d'água. – Sou alérgico a gatos.

Olho para ele.

– Por que não disse antes? – pergunto, fulminando Punch com o olhar.

– Porque é um gato tão bacana... Não queria que ele ficasse ofendido.

– Isso é ridículo. Mas de um jeito bom.

Ele ri.

– Preciso ir embora. – Volta para a mesinha de centro, deixa o copo nela e se inclina para falar com Punch através do vidro do tampo. – Não é por sua causa, amigão. Você é um cara legal – declara, antes de reerguer o tronco e varrer as pernas das calças com os dedos.

– Quer um daqueles rolos adesivos de tirar pelo? Nem sei se ainda tenho um em casa.

– Não precisa. – Ele olha em volta. – Posso usar o banheiro?

Aponto para o lavabo vermelho.

– É todo seu.

Enquanto ele está lá dentro, examino minha própria figura no espelho que fica acima da cômoda. Banho hoje à noite, sem falta. Ou, no mais tardar, amanhã.

Volto para o sofá e abro o laptop. "Obrigado pela ajuda", escreveu DiscoMickey. "Você é minha heroína." Digito uma respostinha rápida enquanto Ethan dá descarga. Ele reaparece em seguida, secando as mãos na calça jeans.

– Tudo em cima – diz, e vai caminhando para a porta com as mãos nos bolsos, com uma ginga de colegial.

Vou atrás dele e falo:

– Obrigada pela visita.

– A gente se vê por aí – responde ele, abrindo a porta.

"Acho que não", penso.

– Claro – digo.

NOVE

Depois que Ethan vai embora, vejo *Laura* outra vez. Um filme que não deveria ter dado certo: a canastrice de Clifton Webb, a pobreza do sotaque sulino de Vincent Price, a falta de química entre os protagonistas. Mas a coisa realmente funciona muito bem. Sem falar na música. Ah, a música... "Eles me mandaram o roteiro, não as partituras", reclamou certa vez Hedy Lamarr, depois de recusar o papel principal.

Deixo a vela acesa, um fiapo de chama pulsando no pavio.

Depois, cantarolando o tema de *Laura*, pego o celular, entro na internet e saio à procura dos meus pacientes. Meus ex-pacientes. Todos os que perdi dez meses atrás: perdi Mary, de 9 anos, que estava tendo problemas com a separação dos pais; perdi Justin, de 8, cujo irmão gêmeo havia morrido de um melanoma; perdi Anne Marie, que aos 12 ainda tinha medo do escuro. Perdi Rasheed (11, transgênero) e Emily (9, bullying); perdi uma menina que sofria de uma depressão raríssima para os seus 10 anos e que se chamava, entre todos os nomes possíveis, Joy (Alegria). Perdi as lágrimas dessas crianças, os problemas delas, a raiva, o alívio. Perdi dezenove no total. Vinte, se contarmos minha filha.

Sei onde Olivia está agora, claro. Quanto às outras, venho acompanhando de longe. Não todo dia (psicólogos não devem investigar seus pacientes, nem mesmo os ex-pacientes), mas apenas de vez em quando. Uma vez por mês, não me aguentando de tanta saudade, entro na internet e faço minhas pesquisas. Tenho algumas ferramentas à disposição: uma conta falsa no Facebook; um perfil morto no LinkedIn. Mas, no caso das crianças, só me resta o Google.

Leio sobre a vitória de Ava num campeonato de soletração e sobre a eleição de Jacob para presidente do grêmio estudantil; vasculho as fotos da mãe de Grace no Instagram e espio Ben no Twitter (acho que ele devia ativar algumas das configurações de privacidade). E, após secar as lágrimas do rosto e entornar três taças de vinho tinto, volto para o quarto e começo a "passear" pelas fotos do meu celular. Então, mais uma vez, falo com Ed.

– Adivinhe quem é – digo, como sempre.

– Você bebeu, não bebeu, campeã? – observa ele.

– O dia foi longo. – Olho para a taça vazia e sinto uma pontada de culpa. – E Livvy, o que ela tem feito?

– Está se preparando para amanhã.

– Ah. Qual vai ser a fantasia dela?

– Fantasma – responde Ed.

– Você deu sorte.

– Como assim?

– Ano passado ela quis sair de caminhão de bombeiro – digo, rindo.

– É verdade. Levamos dias para fazer a fantasia.

– *Eu* levei dias.

Posso ouvir a risadinha dele.

Do outro lado do parque, no terceiro andar da casa, nas profundezas de um quarto escuro, brilha a tela de um computador. Amanhece de repente. Vejo uma escrivaninha, uma luminária, depois Ethan, tirando seu suéter. Confirmado: nossos quartos realmente ficam de frente um para o outro.

Ele vira para a janela, olhos voltados para o chão, e vai desabotoando a camisa. Desvio o olhar.

> ## DOMINGO,
> *31 de outubro*

DEZ

A LUZ BRANDA DA MANHÃ VAZA pela janela do meu quarto. Viro na cama; meus quadris atropelam o laptop. Uma madrugada de partidas de xadrez mal jogadas na internet. Meus cavalos tropeçaram, as torres ruíram.

Vou me arrastando para o chuveiro, tomo banho, seco o cabelo com a toalha, passo desodorante. "Pronta pra luta", como diz Sally. *Happy Halloween*. Feliz Dia das Bruxas.

NÃO VOU ABRIR PORTA NENHUMA ESTA NOITE, CLARO. David sai às sete. Vai ao centro da cidade, acho que foi o que ele disse. Aposto que vai ser divertido.

Mais cedo ele sugeriu que eu deixasse uma cesta com balas e chocolates na soleira da porta.

– O primeiro que aparecer vai levar a cesta inteira – observei.

– Bem, você foi a psicóloga infantil um dia, não eu – retrucou ele, meio azedo.

– Ninguém precisa ter sido psicóloga infantil para saber disso. Basta ter sido criança.

Então vou deixar todas as luzes apagadas e fingir que não estou em casa.

VOU PARA O MEU SITE DE CINÉFILOS. Andrew está on-line; acabou de postar um link para um texto de Pauline Kael sobre *Um corpo que cai* ("estúpido" e "superficial") e logo abaixo está fazendo uma lista: **Melhor *noir* pra assistir de mãos dadas?** (*O terceiro homem*. Só a última cena.)

Leio o texto de Pauline Kael e mando uma mensagem para Andrew. Cinco minutos depois ele sai do site.

Nem lembro a última vez que alguém segurou minha mão.

ONZE

Pof!

Barulho na porta da frente. Estou encolhida no sofá, vendo *Rififi*, aquele com a longa sequência do assalto à joalheria, meia hora sem qualquer diálogo ou nota musical, apenas os ruídos ambientes. Yves sugeriu que eu visse mais cinema francês. Provavelmente não tinha em mente um filme quase mudo. *Quel dommage.*

E então um *pof* surdo na porta, pela segunda vez.

Afasto o cobertor das pernas, me levanto, pego o controle remoto, dou pausa no filme.

Anoitece lá fora. Vou até a porta do corredor e abro.

Pof!

Esse corredor é o lugar da casa que mais detesto, do qual mais desconfio; uma terrível zona cinzenta entre o meu reino e o mundo exterior. Neste exato momento é uma grande penumbra. As paredes escuras parecem mãos que podem me espremer a qualquer instante.

A porta da rua tem partes de vidro. Espio através de uma delas.

Um *crec* e a vidraça estremece, atingida por um pequeno míssil. Um ovo. Gema e clara escorrem vidro abaixo. Ainda assustada, consigo enxergar, em meio à sujeira, três meninos na rua, rindo de forma atrevida, um deles com mais um ovo na mão.

Sinto uma tonteira súbita, busco apoio na parede.

Esta é a minha casa. Esta é a minha porta.

Minha garganta se aperta. Lágrimas brotam nos olhos. Primeiro me vem uma sensação de surpresa, depois de vergonha.

Pof!

E raiva.

Não posso escancarar a porta e dar um passa-fora nas crianças. Não posso sair e brigar com elas.

Dou uma pancada na vidraça, uma pancada forte...

Pof!

Bato na porta com a palma da mão.

Com o punho cerrado, eu a esmurro.

Então rosno e berro; minha voz reverbera e o hall escuro se transforma numa câmara de ecos.

O sentimento é de impotência.

"Não, você não é impotente", ouço o Dr. Fielding dizer.

Inspira, dois, três, quatro.

Não, não sou.

Não sou. Batalhei quase uma década para terminar meus estudos. Passei quinze meses fazendo estágios em escolas de periferia. Tenho sete anos de consultório. "Sou uma guerreira", tal como Sally disse.

Ajeito o cabelo atrás das orelhas, volto para a sala, encho os pulmões e finco o dedo no botão do interfone.

– Saiam da minha casa – digo, certa de que alguém vai ouvir na rua.

Pof!

Meu dedo treme no botão.

– Saiam já da minha casa!

Pof!

Com as pernas bambas, subo as escadas do jeito que dá, depois corro para a janela do escritório. Lá estão eles, mancomunados feito um bando de pivetes, cercando minha casa, projetando sombras compridas sob a pouca luz do anoitecer. Bato na vidraça.

Um deles aponta para mim e cai na gargalhada. Depois rodopia o braço feito um arremessador de beisebol. Mais um ovo contra a porta.

Bato novamente na vidraça. E faço isso com tanta força que quase a arrebento. Esta é a minha porta. Esta é a minha casa.

Minha visão fica turva.

E de repente me vejo correndo escada abaixo; me vejo na escuridão do corredor, os pés descalços na cerâmica do piso, a mão na maçaneta. A raiva me aperta o pescoço; tudo parece girar à minha volta. Respiro uma vez, depois outra.

Inspira, dois, três...

Enfim escancaro a porta. Luz e ar me atropelam.

POR UM INSTANTE TUDO É SILÊNCIO E LENTIDÃO, o silêncio dos filmes mudos, a lentidão do crepúsculo. As casas do outro lado da rua. Os três meninos à minha frente. A rua em torno deles. Tudo quieto, tudo parado, um relógio que se quebrou.

Posso jurar que ouvi um *crec*, como o de uma árvore partida.

E então...

... ENTÃO ALGUMA COISA SURGE MAIS ADIANTE e vem na minha direção, cada vez maior, cada vez mais rápida. Uma pedra acerta meu corpo com tamanha força que me obriga a dobrá-lo. Minha boca se abre feito uma janela e é invadida pelo vento. Sou uma casa vazia cujas vigas podres são sacudidas pelo furacão. O telhado despenca com um gemido...

... estou gemendo, escorregando, sendo levada por uma avalanche; uma das mãos arranha os tijolos da parede enquanto a outra é lançada para o espaço. Os olhos vacilam: o vermelho lúgubre das folhas, depois breu. A luz volta sobre uma mulher de preto, a visão vai embaçando, desbotando, até que uma brancura viscosa aterrissa sobre os meus olhos e se instala ali, espessa e profunda. Tento gritar, mas meus lábios parecem estar obstruídos. O gosto é de cimento. Cimento e sangue. Tenho a impressão de que meus braços e minhas pernas estão espetados no chão. O chão tremula contra meu corpo. Meu corpo tremula contra o ar.

De algum lugar do meu cérebro vem a lembrança de que isso já aconteceu antes, nestes mesmos degraus. Lembro do zum-zum indistinto das vozes e de uma ou outra palavra mais discernível: "caiu", "vizinha", "alguém", "doida". Mas agora, nada.

Braço enlaçado no pescoço de alguém. Cabelos grossos roçam meu rosto. Pés arrastados pelo chão, pela cerâmica de um piso; agora estou dentro de casa, no frio do corredor, no calor da sala.

DOZE

– Você levou um tombo!

As imagens vão se definindo aos poucos, como uma foto feita em Polaroid. Estou olhando para o teto; uma única lâmpada embutida me encara feito um olho esbugalhado.

– Vou buscar alguma coisa para você tomar... só um segundo...

Deixo a cabeça rolar para o lado. Um ruído aveludado zumbe no meu ouvido. A chaise-longue da sala: o sofá dos desmaios. Ah.

– Só um segundo, só um segundo...

Na pia da cozinha está uma mulher, de costas para mim, com cabelos escuros deslizando nuca abaixo.

Ergo as mãos e as coloco junto do rosto, cobrindo nariz e boca. Inspiro, expiro. Calma. Calma. Os lábios doem.

– Eu estava indo para casa aí ao lado quando vi os pestinhas jogando ovo – explica ela. – Falei para eles: "Estão fazendo o que aí, seus pestes?" Depois você meio que... *tropeçou* porta afora e se esborrachou no chão feito um saco de...

Ela não termina a frase. Talvez fosse dizer um palavrão. Volta para a sala com dois copos nas mãos, um de água, outro com um líquido acobreado, mais denso. Rezo para que seja conhaque.

– Nem sei se conhaque realmente *funciona* – diz a mulher.

– É como se eu estivesse em *Downton Abbey*. Sou a sua Florence Nightingale!

– Você é a mulher do outro lado do parque – resmungo, as palavras cambaleando boca afora feito bêbados saindo de um bar.

"Sou uma guerreira." Patético.

– O que você disse?

– Você é Jane Russell – respondo, não me contendo.

Ela para, enrubesce, me olha com espanto e depois ri, os dentes brilhando à meia-luz.

– Como é que você sabe?

– Você falou que estava indo para a casa ao lado? – Quase não consigo falar a frase. Minha língua parece estar travada. – Seu filho esteve aqui.

Observo a mulher. Ela é o que Ed chamaria de "um mulherão": ancas grandes, lábios carnudos, peitões, pele alva, aspecto feliz, olhos de um azul fogo de maçarico. Está vestindo jeans e um suéter preto decotado, um relicário de prata pendurado em uma correntinha. Trinta e muitos anos, calculo. Devia ser criança quando teve o filho.

Gosto dela imediatamente, do mesmo modo que gostei do garoto.

Ela se aproxima da chaise, trombando os joelhos nos meus.

– Acho melhor você se sentar. Caso tenha sofrido uma concussão.

Apesar das dores e da tonteira, obedeço. Ela deixa os copos na mesinha e se senta à minha frente, no mesmo lugar onde o filho se sentou ontem. Vira para a televisão, surpreende-se com o que vê.

– O que você está vendo? Um filme em preto e branco?

Pego o controle remoto e desligo a televisão.

– Está escuro aqui – observa Jane.

– Você pode acender a luz? – peço. – Estou me sentindo meio...

Não consigo terminar.

– Claro – responde ela, acendendo o abajur de pé.

A sala se ilumina. Inclino a cabeça para trás, olho para o teto de gesso. *Inspira, dois, três, quatro.* Já passou da hora de dar um jeito nesse teto. Vou pedir a David. *Expira, dois, três, quatro.*

– Então – diz Jane, os cotovelos fincados nos joelhos, os olhos grudados em mim. – O que aconteceu lá fora?

Fecho os olhos.

– Um ataque de pânico.

– Puxa... Como você se chama?

– Anna. Fox.

– Anna. Eram só uns pivetes bobocas.

– Não, o problema não foram eles. O problema é que não consigo sair de casa.

Baixo os olhos, pego o conhaque.

– Mas você *saiu* – observa ela. E, quando me vê entornar o copo goela abaixo, acrescenta: – Epa, devagar com isso.

– Eu não devia. Ter saído.

– Por que não? Por acaso é uma vampira?

"Praticamente", penso, olhando a brancura dos meus braços.

– Sou... agorafóbica?

Ela crispa os lábios.

– Você está me perguntando?

– Não, só não sabia se você conhecia a palavra.

– Claro que conheço. Você não gosta de espaços abertos.

Novamente fecho os olhos, faço que sim com a cabeça.

– Mas eu achava que agorafobia significava apenas que a pessoa não conseguia... sei lá, acampar no mato, fazer caminhadas, essas coisas.

– Não consigo ir a lugar algum.

Ela inspira através dos dentes.

– Há quanto tempo isso acontece?

Sugo as últimas gotas do conhaque.

– Dez meses.

Jane não leva o assunto adiante. Respiro fundo, começo a tossir.

– Precisa de um inalador ou algo assim?

– Não. O inalador só piora as coisas. Acelera o coração.

Ela reflete um instante.

– E essa história de soprar num saco?

Volto com o copo para a mesa, bebo da água.

– Não. Bem, às vezes funciona, mas agora não. Obrigada por me trazer para dentro de casa. Estou morrendo de vergonha.

– Bobagem.

– Juro que estou. Mas não vai se repetir, prometo.

Jane crispa os lábios outra vez. Uma boca irrequieta, percebo. Provavelmente é fumante, embora cheire a manteiga de carité.

– Quer dizer então que... já aconteceu outras vezes? Você tenta sair e...

– Primavera passada. Pedi ao entregador do mercado para deixar minhas compras na escada. Achei que não teria dificuldade para sair e pegar.

– Mas não conseguiu.

– Pois é, não consegui. Mas tinha um monte de gente passando na hora. As pessoas olhavam para mim e ficavam confusas, sem saber se eu era uma doida ou uma sem-teto.

Jane corre os olhos pela sala.

– Teto é o que não falta para você. Este lugar é... uau. – Ela admira a casa mais um pouco, depois confere o celular, fica de pé e diz: – Preciso ir.

Tento me levantar também, mas as pernas não colaboram.

– Seu filho é muito gentil – digo a ela. – Veio trazer isto aqui. Muito obrigada.

Ela olha para a vela sobre a mesa e toca a correntinha que traz pendurada ao pescoço.

– Ele é mesmo um bom menino. Sempre foi.

– E muito bonito.

– Sempre foi!

Ela abre o relicário da correntinha e se inclina, deixando o pingente balançar diante do meu rosto. Quer que eu veja o conteúdo dele. É intimidade demais, uma desconhecida debruçada sobre mim, minha mão na correntinha dela. Ou talvez eu é que tenha perdido o costume do contato humano.

Dentro do relicário está a foto minúscula de um garotinho de uns 4 anos, cabelos louros e desgrenhados, dentinhos desalinhados, uma cicatriz na sobrancelha. Sem sombra de dúvida, é Ethan.

– Quantos anos ele tem aqui?

– Cinco. Mas parece mais novo, você não acha?

– Eu daria uns 4.

– Exatamente.

– Quando foi que ele espichou tanto? – pergunto, largando o relicário.

Ela o fecha com cuidado, depois ri e diz:

– Em algum momento entre o dia dessa foto e agora. – E de supetão: – Tudo bem se eu for embora? Você não vai começar a hiperventilar, vai?

– Não, não vou começar a hiperventilar.

– Quer que eu traga mais um pouco de conhaque? – oferece ela, inclinando-se na direção do copo.

Só então vejo um álbum de fotografia sobre a mesa, um álbum que nunca vi antes. Decerto foi ela quem trouxe.

Jane recolhe seu álbum, o aperta debaixo do braço e aponta para o copo.

– Acho que vou ficar na água – minto.

– Ok. – Ela se cala e fica olhando para a janela. – Ok – repete. – Para sua informação, um homem *muito* bonito está vindo aí. – Jane olha para mim. – É seu marido?

– Não, não. É David. Meu inquilino do porão.

– Seu inquilino? – Ela ri. – Quem dera *eu* tivesse um inquilino desses!

A CAMPAINHA NÃO TOCOU ESSA NOITE, nem uma única vez. É possível que as luzes apagadas tenham espantado as crianças do Halloween. Ou a gema seca nas vidraças da porta.

Subo cedo para a cama.

Lá pela metade do meu curso de pós-graduação, conheci um garoto de 7 anos que sofria de uma síndrome chamada delírio de Cotard, um fenômeno em que a pessoa acredita estar morta. É uma doença rara, ainda mais em crianças. O tratamento recomendado é o uso de antipsicóticos ou, nos casos mais graves, uma terapia eletroconvulsiva. Mas consegui curar o garoto apenas com conversa, e esse foi meu grande sucesso. Grande o bastante para chamar a atenção de Wesley.

O garoto já deve ser um adolescente agora, quase da idade de Ethan. É nele que penso enquanto olho para o teto, me sentindo morta também. Uma morta-viva que vê a vida acontecer a seu redor, incapaz de participar dela.

> SEGUNDA-FEIRA,
>
> *1º de novembro*

TREZE

AO DESCER PARA A COZINHA DE MANHÃ, encontro um bilhete passado por debaixo da porta do porão. Nele está escrito "ovos". Fico confusa. Será que David quer ovos para o café? Depois, virando o bilhete, vejo o resto da mensagem acima da dobra do papel: "Já limpei os".

Pensando bem, ovos até que são uma boa ideia, então quebro três na frigideira e frito sem virá-los, deixando a gema bem molinha. Passados alguns minutos, já estou no computador do escritório, raspando o prato e navegando no Ágora.

As manhãs são concorridas no site: os agorafóbicos costumam ter crises de ansiedade ao acordar. Portanto, não me surpreendo quando deparo com o congestionamento de hoje. Passo duas horas oferecendo consolo e apoio; recomendo comprimidos diferentes para diferentes usuários (os de imipramina são os meus prediletos ultimamente, embora o Xanax nunca saia de moda); intermedeio uma discussão sobre os (indiscutíveis) benefícios da terapia de aversão; vejo, a pedido de Dimples2016, o vídeo de um gato tocando bateria.

Estou quase indo embora, e mudando para o xadrez em busca de vingança para as derrotas do sábado, quando uma mensagem pipoca na tela.

DiscoMickey: Mais uma vez obrigado pela ajuda que você me deu outro dia.

O ataque de pânico. Fiquei quase uma hora teclando com DiscoMickey enquanto ele "surtava" (palavra dele).

thedoctorisin: Disponha. E aí, melhorou?
DiscoMickey: Muito.
DiscoMickey: Chamei pq estou teclando com uma senhora recém-chegada ao site que está perguntando se tem algum profissional por aqui. Mandei pra ela seu manual de perguntas frequentes.

Mais um paciente recomendado. Confiro as horas no relógio.

thedoctorisin: Talvez eu não tenha muito tempo hoje, mas pode encaminhá-la pra mim.
DiscoMickey: blz.

DiscoMickey saiu do chat.

Pouco depois aparece uma segunda caixa de diálogo. GrannyLizzie. Clico no nome e examino o perfil de usuário. Idade: 70. Residência: Montana. Inscrição: dois dias atrás.

Dou mais uma olhada no relógio. No caso de uma senhora de 70 anos, o xadrez pode esperar.

Uma linha de texto na parte inferior da página informa que "GrannyLizzie está digitando". Espero um segundo, depois outro; ou ela está redigindo uma mensagem comprida ou estamos diante de mais um caso de senilidade digital. Tanto minha mãe quanto meu pai catavam milho no teclado, digitando apenas com os indicadores; eram mais hesitantes do que dois flamingos que não sabem onde estão pisando. Levavam mais de meio minuto para produzir um simples olá.

GrannyLizzie: Opa! Bom dia!

Simpática. Antes que eu possa responder, ela emenda:

GrannyLizzie: Disco Mickey me passou seu nome. Preciso
desesperadamente de alguns conselhos!
GrannyLizzie: E de chocolate também, mas isso já é outro
assunto...

Fico esperta e, antes que ela prossiga, digito:

thedoctorisin: Bom dia pra vc também! É nova por aqui?
GrannyLizzie: Sim, sou!
thedoctorisin: Espero que tenha sido bem recebida pelo
DiscoMickey.
GrannyLizzie: Muito bem recebida!
thedoctorisin: Em que posso ajudá-la?
GrannyLizzie: Bem, no caso do chocolate, acho que você não
vai poder me ajudar. Infelizmente!

Fico me perguntando se ela é animada assim mesmo ou se
só está nervosa. Deixo que continue.

GrannyLizzie: O problema é que...
GrannyLizzie: Não é fácil dizer, mas...

Suspense.

GrannyLizzie: Faz um mês que não consigo sair de casa.
GrannyLizzie: Então ESTE é o problema!
thedoctorisin: Sinto muito. Posso chamar vc de Lizzie?
GrannyLizzie: Claro que pode!
GrannyLizzie: Moro em Montana. Primeiro sou avó, depois
professora de artes!

Mais tarde falamos disso. Por enquanto o mais importante é:

thedoctorisin: Lizzie, aconteceu alguma coisa em particular no mês passado?

Pausa.

GrannyLizzie: Meu marido morreu.
thedoctorisin: Entendo. Como ele se chamava?
GrannyLizzie: Richard.
thedoctorisin: Meus sentimentos, Lizzie. Meu pai também se chamava Richard.
GrannyLizzie: Ele já morreu?
thedoctorisin: Ele e minha mãe morreram 4 anos atrás. Ela de câncer, ele de um AVC, cinco meses depois. Mas sempre acreditei que todos os Richard são gente boa.
GrannyLizzie: Menos o Nixon!

Ótimo, estamos desenvolvendo uma relação.

thedoctorisin: Por quanto tempo vocês foram casados?
GrannyLizzie: Quarenta e sete anos.
GrannyLizzie: A gente se conheceu no trabalho. AMOR À PRIMEIRA VISTA!
GrannyLizzie: Ele dava aula de química. Eu, de artes. Os opostos se atraem!
thedoctorisin: Excelente! Vocês têm filhos?
GrannyLizzie: Dois filhos homens e três netos, homens também.
GrannyLizzie: Meus filhos até que são bonitinhos, mas os netos são lindos!
thedoctorisin: Muitos homens na sua vida.
GrannyLizzie: Nem me diga!
GrannyLizzie: As coisas que já tive que ver nessa vida!
GrannyLizzie: As coisas que já tive que cheirar!

Observo seu jeito de escrever, sempre enérgico, sempre pra

cima. O registro é informal, mas seguro; a pontuação é correta; os erros quase não existem. Lizzie é inteligente, extrovertida. Também é meticulosa: prefere escrever os números por extenso, nunca escreve "vc" no lugar de "você". Mas isso talvez tenha a ver com a idade. De qualquer modo, é uma pessoa adulta com a qual posso trabalhar.

GrannyLizzie: Mas e VOCÊ? É um homem?
GrannyLizzie: Se for, desculpe. É que as mulheres às vezes são médicas também! Mesmo aqui em Montana!

Acho graça no comentário dela. Gostei de Lizzie.

thedoctorisin: Já que você quer saber, sou mulher.
GrannyLizzie: Ótimo! Precisamos de mais mulheres na medicina!
thedoctorisin: Mas então, Lizzie, me conta: como tem sido esse último mês sem Richard?

Contar, ao que parece, é o que Lizzie mais gosta de fazer. Ela conta do medo que sentiu logo depois do enterro, quando recebeu amigos e parentes em casa e nem sequer conseguiu acompanhá-los até o carro. Conta da sensação que teve nos dias seguintes ("Era como se o lado de fora estivesse tentando entrar pelas janelas") e das cortinas que fechou por causa disso. Conta dos filhos que moram longe, da preocupação deles, da dificuldade que eles têm para entender.

GrannyLizzie: Vou lhe dizer uma coisa: brincadeiras à parte, tudo isso tem sido muito difícil para mim.

Hora de arregaçar as mangas.

thedoctorisin: Vc disse que ainda não se desfez das coisas de Richard, o que é compreensível. Mas eu

gostaria que vc pelo menos começasse a pensar
no assunto.

Silêncio.
E então:

GrannyLizzie: Olhe, fico muito grata por ter conhecido você.
Muito, muito, muito.
GrannyLizzie: Isso é algo que meus netos vivem repetindo.
Esse "muito, muito, muito". Ouviram em Shrek.
GrannyLizzie: Espero poder falar de novo com você muito em
breve. Será que posso?
thedoctorisin: Claro, claro, claro.

Não me contive.

GrannyLizzie: Também sou muito muito (!!) grata a Disco
Mickey pela recomendação dele. Você é um anjo.
thedoctorisin: Que nada, foi um prazer.

Espero ela sair, mas ela ainda está digitando.

GrannyLizzie: Só agora me dei conta. Ainda não sei o seu
nome!

Fico na dúvida. Nunca revelei meu nome no Ágora, nem
mesmo para Sally. Não quero que ninguém me encontre.
Não quero que juntem meu nome com minha profissão e
descubram quem sou, que me desvendem. No entanto, algo
na história de Lizzie toca meu coração: uma senhora de certa
idade, sozinha, ainda chorando a morte do marido, posando
de valente sob a imensidão dos céus. Por mais piadas que
faça, ainda é uma pessoa ilhada em casa, e isso é horrível.

thedoctorisin: Meu nome é Anna.

Já estou me preparando para fazer o *logout* quando uma última mensagem surge na tela.

GrannyLizzie: Obrigada, Anna.

GrannyLizzie saiu do chat.

Sinto o sangue correndo nas veias. Acabei de ajudar uma pessoa. Fiz uma conexão. "Basta se conectar!" Onde foi que já ouvi isso antes?

Mereço um drinque.

QUATORZE

No TRAJETO ATÉ A COZINHA, deixo a cabeça pender para trás, fazendo estalarem os ossos da nuca. Algo chama minha atenção quando olho para o alto: apesar da distância de três andares e da pouca luz, vejo uma mancha escura no teto, que parece me encarar de volta. Uma mancha em torno do alçapão que dá acesso ao telhado, bem ao lado da claraboia.

Bato à porta de David e ele abre segundos depois. Está descalço; veste uma camiseta larga e amarrotada e calça jeans também amarrotada. Parece ter acabado de levantar.

– Desculpe. Acordei você?

– Não.

Mentira.

– Você pode dar uma olhada numa coisa para mim? Acho que vi uma mancha de mofo no teto.

Subimos juntos até o último andar. Passamos direto pelo escritório e pelo meu quarto e vamos para o corredor que fica entre o quarto de Olivia e o segundo quarto vago.

– Claraboia enorme – diz David.

Não sei se é um elogio.

– É original – digo, mas só por dizer.

– Oval.

– Pois é.

– Não existem muitas assim por aí.

– Ovais?

Mas o diálogo para por aí. Ele analisa a mancha.

– Realmente é mofo – declara a meia-voz, como um médico dando a má notícia para o paciente.

– É só limpar, não é?

– Só limpar não resolve.

– Então o que resolve?

David bufa.

– Antes preciso dar uma olhada no terraço.

Ele destrava e empurra a tampa do alçapão. Uma escadinha desce rangendo na nossa direção. O sol invade a casa. Para me desviar da claridade, dou um passo para o lado. Devo ser uma vampira mesmo.

David firma a escada e começa a subir por ela, as calças apertando o traseiro. E logo some de vista.

– Alguma coisa aí? – grito.

Nenhuma resposta.

– David?

Ouço um barulho metálico. Um fio d'água escorre pelo buraco do alçapão, cintilando contra a luz do sol. Recuo rapidamente.

– Foi mal – diz David. – Derrubei o regador.

– Tudo bem. Encontrou alguma coisa?

Um momento de silêncio. Depois, num tom quase reverente, ele fala:

– Está uma selva aqui em cima.

A ideia foi de Ed, quatro anos atrás, logo depois que mamãe morreu. Ele meteu na cabeça que eu precisava de um "projeto". Então resolvemos transformar o terraço num jardim: canteiros de flores, uma pequena horta, uma cerquinha viva. Mas a atração principal (ou *pièce de résistance*, como diria o nosso corretor) era a pérgula de madeira com quase dois metros de largura e o dobro de comprimento, repleta de trepadeiras que floresciam na primavera e no verão, um túnel de sombra. Quando papai teve um AVC pouco depois, Ed colocou sob a pérgula um banquinho com uma placa memorial em que se lia *Ad astra per aspera*. Apesar das adversidades, rumo às estrelas. Nas noites de calor, sob a luz dourada que atravessava o verde da folhagem, eu costumava me sentar nesse banco para ler um livro ou bebericar alguma coisa.

Fazia tempo que nem me lembrava da existência desse jardim. Realmente deve estar uma bagunça.

– Tudo precisa ser podado – confirma David. – Uma floresta.

Seria mais fácil se ele descesse.

– Isto aqui é tipo uma pérgula? – pergunta ele. – Com uma lona em cima?

Todo outono a gente cobria a pérgula com uma capa. Esqueço de responder, perdida em minhas lembranças.

– Preste muita atenção quando subir. Para não pisar na claraboia.

– Não tenho a menor intenção de subir aí – declaro.

O vidro estremece quando David pisa nele de leve, só para testar.

– Muito frágil. Se um galho cair em cima, pode quebrar a claraboia inteira. – Ele se cala um instante e depois diz: – Muito impressionante. Quer que eu tire uma foto?

– Não precisa, obrigada. Mas... e a umidade, o que a gente faz?

David ressurge na beira do alçapão e começa a descer.

– Vamos ter que chamar um profissional – informa, já guardando a escada. – Para impermeabilizar o piso. Enquanto isso, posso tirar um pouco do mofo com um raspador de tinta. – Ele fecha o alçapão. – Ou com uma lixa. Depois a gente pinta por cima com tinta antimofo.

– Você tem tudo isso?

– Vou buscar a lixa e a tinta. Mas seria ótimo se a gente pudesse ventilar o ambiente um pouco mais.

Epa.

– Como assim?

– Abrir umas janelas. Não precisa ser aqui em cima.

– Não vou abrir janela alguma. Nem aqui em cima nem lá embaixo.

– Ajudaria bastante.

Volto para a escada e ele vem atrás de mim. Descemos sem dizer uma palavra.

– Obrigada por ter limpado aquela lambança que fizeram lá fora – digo ao chegar à cozinha, mas só para dar fim ao silêncio.

– Quem fez aquilo?

– Uns garotos.

– Você os conhece?

– Não. – Pausa. – Por quê? Você se disporia a dar um corretivo neles?

Ele pisca, assustado com a pergunta. Então prossigo:

– Você continua bem instalado lá no porão, espero.

Faz dois meses que ele alugou o espaço, desde que o Dr. Fielding sugeriu que um inquilino poderia ser útil no meu caso: alguém que, em troca de um bom desconto no aluguel, se encarregasse de alguns serviços, como retirar o lixo, ajudar na manutenção da casa, etc. David foi o primeiro a responder ao anúncio que postei no Craigslist. Lembro que achei o e-mail dele sucinto demais, quase lacônico, até que o conheci e desfiz a má impressão. Vi que ele até gostava de um bom papo. Havia acabado de mudar de Boston, tinha experiência em serviços gerais, não fumava e possuía sete mil dólares no banco. Fechamos nosso acordo naquela mesma tarde.

– Algum motivo especial para essa escuridão toda? Algum problema de saúde? – questiona ele, correndo os olhos pelas lâmpadas embutidas no gesso.

Sinto o rosto queimar.

– Muitas pessoas na minha... – Qual seria a melhor palavra? – Muitas pessoas na minha situação se sentem expostas quando há luz demais. – Aponto para as janelas. – Além disso, luz natural é o que mais tem nesta casa.

David reflete um instante e assente com a cabeça.

– E a luz no porão, também é boa? – pergunto.

– Sim.

– Se você encontrar mais alguma das plantas de Ed, me avise. Estou guardando todas.

Ouço o rangido da portinhola às minhas costas. Punch entra por ela.

– Fico muito grata por tudo o que você faz por mim – continuo, mas vejo que David já vai se encaminhando para o porão. – O lixo que você tira... os consertos na casa... Você é a minha salvação – acrescento, na falta de coisa melhor.

– Valeu.

– Se você não se incomodar de procurar alguém para cuidar lá do terraço...

– Claro.

Punch sobe na ilha da cozinha e deixa cair algo da boca: um rato morto.

Dou um pulo para trás. Por sorte David ainda está presente. É um rato pequeno, mas com uma gosma na pelagem e um rabo que mais parece uma minhoca preta. O corpo está bem machucado. Punch olha para nós dois, orgulhoso de si mesmo.

– *Não!* – digo, brava, mas o gato apenas inclina a cabeça.

– Puxa, esse rato deve ter passado por maus bocados – diz David.

Inspeciono o morto.

– Foi você que fez isso? – pergunto, antes de lembrar que estou interrogando um gato.

Punch salta para o chão.

– Olha só – sussurra David.

Ergo a cabeça. Do outro lado da ilha, Punch está inclinado para a frente, os olhos escuros brilhando.

– O que a gente faz? Enterra em algum lugar? – pergunto.
– Não quero nenhum rato apodrecendo no lixo.

David pigarreia e fala:

– Sempre tiro o lixo às terças, mas posso tirar agora mesmo. Tem jornal aí?

– Por acaso alguém ainda tem jornal em casa? – A resposta saiu mais incisiva que o previsto. Rapidamente acrescento: – Podemos usar um saco plástico.

Tiro um saco da gaveta. David estende a mão para pegá-lo, mas acho que posso fazer isso eu mesma. Viro o saco pelo avesso, cubro a mão com ele e, com muita cautela, recolho o cadáver. Sinto um calafrio na espinha. Depois reviro o plástico e dou um nó na fitinha da borda. David toma o pacote da minha mão, abre o cesto que fica debaixo da ilha e joga o rato dentro. Descanse em paz.

Ele ainda está retirando o saco de lixo de dentro do cesto quando o encanamento começa a cantar no porão e as paredes começam a conversar umas com as outras. Alguém abriu o chuveiro.

Olho para David, mas ele nem pisca. Em vez disso, joga o saco nas costas e vai saindo enquanto diz:

– Vou jogar lá na caçamba.

Não que eu fosse perguntar o nome da garota.

QUINZE

– Adivinhe quem é.

– Mãe.

Deixo passar.

– E aí, meu anjo, como foi o seu Halloween?

– Bom.

Ela está mastigando algo. Espero que Ed lembre que precisa ficar de olho no peso dela.

– Ganhou muitos doces?

– *Muitos.* Nunca ganhei tanto doce na vida.

– Qual é o seu predileto?

M&M's de amendoim, claro.

– Snickers.

Perdão. Não vou mais errar.

– Eles são pequenininhos – explica ela. – São filhotinhos de Snickers.

– Mas e no jantar, o que você comeu? Comida chinesa ou Snickers?

– As duas coisas.

Preciso trocar uma palavrinha com Ed.

Quando nos falamos, ele fica na defensiva.

– É a única noite do ano em que ela come porcaria na hora do jantar – informa.

– Não quero que ela tenha problemas mais tarde, só isso.

Silêncio.

– Com os dentes?

– Com o *peso.*

– Sei cuidar muito bem da minha filha – diz ele bufando.

Bufo também.

– Não estou dizendo que não sabe.

– Foi o que pareceu.

– É que ela está com 8 anos – digo, meio impaciente. – É muito comum as crianças sofrerem um significativo ganho de peso nessa idade. Sobretudo as meninas.

– Vou ficar atento.

– Não esquece que ela já passou por uma fase mais gordinha.

– Você quer o quê? Que ela seja um palito?

– Não, isso seria tão ruim quanto. Quero que ela seja saudável.

– Tudo bem. Hoje à noite vou dar um beijinho de baixa caloria nela. Uma bicota dietética.

Sorrio. Mesmo assim, é sempre difícil quando nos despedimos.

> ## TERÇA-FEIRA,
> ### *2 de novembro*

DEZESSEIS

Lá pelo meio de fevereiro, após quase seis semanas trancafiada dentro de casa, e percebendo que não estava melhoran-
do, entrei em contato com um psiquiatra a cuja palestra ("Os
antipsicóticos atípicos e a síndrome de estresse pós-traumático") tive a oportunidade de assistir durante um congresso
em Baltimore cinco anos atrás. Na época ele não me conhecia. Agora conhece.

Os que não têm muita familiaridade com terapias costumam achar que os terapeutas são pessoas invariavelmente
solícitas e delicadas, que falam baixinho; você entra no
consultório, se espalha no divã feito manteiga no pão e
depois derrete. Mas nem sempre é assim. Prova disso? O
Dr. Julian Fielding.

Para início de conversa, com ele não tem essa história de
divã. Nossas conversas são sempre às terças-feiras na biblioteca de Ed, ele numa poltrona de couro ao lado da lareira,
eu em outra, junto da janela. E, embora fale baixinho, quase
feito uma porta que range, ele é bastante incisivo e preciso,
como deve ser um bom psiquiatra. "É o tipo de cara que sai
do chuveiro para mijar na privada", disse Ed, mais de uma vez.

– Vamos lá – diz Fielding. Uma flecha da luz da tarde
espeta o rosto dele, transformando os óculos em dois pequenos sóis. – Quer dizer então que você e Ed discutiram sobre
Olivia ontem? Essas conversas... você acha que elas são úteis?

Olho através da janela para a casa dos Russells. O que será
que Jane está fazendo neste exato momento? Um vinhozi-

nho agora cairia bem. Corro o dedo pelo pescoço e olho para Fielding.

Ele me encara de volta, sério, dois sulcos profundos entre as sobrancelhas. Talvez esteja cansado. Eu estou. Contei da minha crise de pânico (ele pareceu ficar preocupado), do meu contato com David (não deu muita confiança) e das minhas conversas com Ed e Olivia (preocupado de novo).

Distraída, sem pensar no que estou fazendo, olho para os livros de Ed. Dois volumes sobre Napoleão. Uma história sobre a agência de detetives de Allan Pinkerton. *Bay Area Architecture*. Um leitor eclético, esse meu marido. Esse meu ausente marido.

– Me parece que essas conversas estão produzindo efeitos ambivalentes em você – diz Fielding.

Expressões típicas da nossa profissão: "Me parece..."; "O que estou ouvindo é..."; "Acho que o que você está dizendo é..." Somos intérpretes. Somos tradutores.

– Às vezes fico... – começo a dizer, as palavras brotando na boca sem terem sido chamadas. – Às vezes fico pensando naquela viagem. Na verdade, ela não me sai da cabeça. Foi ideia minha. E isso é horrível.

Da poltrona à minha frente não vem nada, muito embora (ou talvez por causa disso) ele conheça essa história pelo avesso, pois já a escutou um milhão de vezes.

– Queria que a ideia não tivesse sido minha, mas de Ed. Ou de outra pessoa qualquer. Ou de ninguém. Que a gente nunca tivesse viajado – digo, estalando os dedos. – Óbvio.

– Mas vocês viajaram. Você organizou uma viagem de férias em família. Ninguém deveria se sentir culpado por causa disso – explica ele delicadamente.

Sinto um aperto no peito.

– Uma viagem para Vermont, no *inverno*.

– Muitas pessoas vão para Vermont no inverno.

– Foi uma estupidez.

– Foi uma boa intenção.

– Foi uma grande estupidez – insisto.

Fielding não diz nada.

– Se não tivéssemos ido, ainda estaríamos juntos.

– Talvez – declara ele, dando de ombros.

– Tenho certeza.

O olhar dele recai sobre mim feito um peso.

– Ontem ajudei uma pessoa – conto. – Uma mulher de Montana. Uma avó. Faz um mês que não sai de casa.

Fielding está acostumado às minhas guinadas súbitas, ou "saltos sinápticos", como ele costuma chamar, mesmo sabendo que minha intenção é apenas mudar de assunto. Então falo sobre GrannyLizzie e confesso haver revelado a ela meu nome real.

– O que levou você a fazer isso?

– Achei que ela estava tentando estabelecer uma conexão. Não é isso que... Não é isso que E. M. Forster nos pede para fazer? "Apenas se conecte!" *Retorno a Howards End*, o título escolhido pelo clube do livro para o mês de julho.

– Eu quis ajudá-la, só isso. Me tornar mais acessível.

– Um ato de generosidade da sua parte – diz Fielding.

– Acho que sim.

Ele se reacomoda na poltrona.

– Me parece que você está tentando se colocar num lugar onde possa encontrar as pessoas nas condições delas, não apenas nas suas próprias condições.

– Pode ser.

– Isso é um progresso.

Punch, que já tinha entrado no cômodo, começa a rodear meus pés, pedindo com os olhos para subir no meu colo. Cruzo as pernas.

– E a fisioterapia, como vai? – pergunta Fielding.

Escorrego as mãos pelas pernas e pelo tronco como se fosse uma assistente de palco mostrando o prêmio de um *game show* qualquer: "Você também pode ganhar este corpinho pouco usado de 38 anos!"

– Já vi dias melhores – digo, e antes que ele me corrija: – Sei que o objetivo não é emagrecer.

Mesmo assim ele me corrige:

– Emagrecer não é o único objetivo.

– Pois é, eu sei.

– Então, está indo bem?

– Estou curada. Muito melhor agora.

Ele continua me encarando.

– Juro. A coluna está boa, as costelas já colaram, não estou mais mancando.

– Eu reparei.

– Mas quero continuar me exercitando. Gosto da Bina.

– Ela se tornou uma amiga.

– De certo modo, sim – admito. – Uma amiga que eu pago.

– Ela tem vindo às quartas, certo?

– Geralmente sim.

– Ótimo – diz ele, como se quarta-feira fosse um dia especialmente adequado para as atividades físicas.

Fielding nunca viu Bina. Nem sequer consigo imaginá-los juntos; eles não parecem ocupar a mesma dimensão.

A sessão já está acabando. Não preciso olhar para o relógio em cima da lareira para saber; Fielding também não. Depois de anos de prática, ambos somos capazes de cronometrar mentalmente cinquenta minutos com uma precisão quase absoluta.

– Quero que você continue com o betabloqueador na mesma dosagem. Você está tomando o Tofranil de 150mg. Tendo em vista a nossa conversa de hoje, vou aumentar para 250 – informa Fielding, sério. – Acho que vai ajudar a equilibrar seu emocional.

– Já fico meio zonza do jeito que está.

– Zonza?

– Meio... sem foco.

– Sem foco como? Na visão?

– Não, não é isso. É mais...

Já falamos sobre isso antes, será que ele não se lembra? Ou será que não falamos? Zonza. Sem foco. Puxa, um vinho agora seria perfeito.

– Às vezes fico pensando em muitas coisas diferentes ao mesmo tempo. É como se tivesse um cruzamento no meu cérebro e todo mundo estivesse tentando atravessar ao mesmo tempo. – Dou um risinho, meio desconcertada.

Fielding franze a testa e dá um suspiro.

– Bem, não se trata de uma ciência exata. Como você bem sabe.

– É, eu sei.

– Você está tomando várias medicações. Vamos ajustando cada uma até chegarmos à combinação correta.

– Ok.

Sei muito bem o que isso significa. Ele acha que estou piorando. Sinto um aperto no peito.

– Passe para 250, depois me diz o que achou. Se tiver algum problema, podemos procurar algo para ajudar você a focar.

– Um nootrópico?

Adderall. Quantas vezes tive que ouvir os pais dos meus pacientes perguntando se o Adderall não podia beneficiar seus filhinhos! Quantas vezes precisei ser firme com eles! E agora sou eu quem está de olho na coisa. *Plus ça change...*

– Vamos avaliando juntos as reações – diz ele.

Em seguida, escreve uma receita num bloco de papel, arranca a folha e estica o braço para me entregar. Noto que o papel treme nos dedos dele. Tremor essencial ou hipoglicemia? Torço para que seja qualquer coisa, menos um Parkinson precoce. Não é o caso de perguntar.

– Obrigada – digo assim que pego a receita. – Prometo fazer um ótimo uso dela.

Fielding fica de pé, ajeita a gravata.

– Então... até semana que vem. – Ele vai se encaminhando para a porta, mas, antes de sair, vira para trás e diz: – Anna?

– Sim?

– Por favor, não vá guardar essa receita na gaveta.

Assim que Fielding vai embora, peço o remédio pela internet. A farmácia promete fazer a entrega até as cinco da tarde. O que me dá tempo mais que suficiente para uma taça de vinho. Ou *deux*. Ou duas.

Mas não imediatamente. Antes preciso fazer uma coisa. Arrasto o mouse para um canto pouco usado do desktop e, com alguma hesitação, clico duas vezes sobre o ícone de uma planilha de Excel: "meds.xlsx".

É nessa planilha que mantenho um registro dos medicamentos que estou tomando, de todas as dosagens e instruções; ou seja, de todos os ingredientes do meu coquetel farmacológico. Constato que minha última atualização foi no mês de agosto.

Como sempre, Fielding está certo: estou tomando um monte de coisas. Preciso dos dedos de duas mãos para contar tantos remédios. E tenho plena consciência (sinto um frio na barriga ao pensar nisso) de que não estou utilizando esses medicamentos como e quando deveria. Pelo menos nem sempre. As doses duplas, as doses esquecidas, as doses misturadas com álcool... Fielding ficaria furioso. Preciso dar um jeito nisso. Não pretendo chutar o balde.

Command + Q, e tchau, Excel. Agora sim, vamos àquele vinho.

DEZESSETE

Com uma taça numa das mãos e a Nikon na outra, me sento num canto do escritório de onde posso ver tanto a janela que dá para o sul quanto a que dá para o oeste. Hora de bisbilhotar a vizinhança. Ou de fazer o meu controle de estoque, como Ed gosta de dizer. Lá está Rita Miller, voltando de sua aula de ioga, brilhando de suor, o celular colado à orelha. Ajusto a lente e fecho o zoom: ela está sorrindo. Será que está falando com o engenheiro? Ou com o marido? Talvez com nenhum dos dois.

No número 214, a Sra. Wasserman e seu Henry descem devagarzinho os degraus da frente. Saindo para distribuir sua luz e suas palavras de carinho.

Giro a câmera para o lado oeste. Na calçada, dois pedestres olham para as casas geminadas, um deles apontando para as janelas. "Belo imóvel", deve estar dizendo.

Meu Deus. Agora estou inventando conversas.

Com muita cautela – não quero ser pega bisbilhotando –, aponto minha lente para o outro lado do parque, para a casa dos Russells. Na cozinha não há ninguém, e as janelas estão com as persianas parcialmente fechadas, lembrando pálpebras semicerradas; mas, no andar de cima, na sala totalmente devassada, vejo Jane e Ethan sentados num sofazinho de listras vermelhas. Ela usa um suéter amarelo-manteiga decotado, os cabelos ladeando a fenda entre os seios como alpinistas na beira do desfiladeiro.

Giro a lente para ajustar o foco. Jane ri enquanto fala, gesticulando muito com as mãos. Ethan olha para as próprias pernas, mas com um daqueles seus sorrisos tímidos nos lábios.

Não contei a Fielding sobre os Russells. Como sou capaz de analisar a mim mesma, sei o que ele vai dizer: que encontrei nesse núcleo familiar (mãe, pai, filho único) um eco da minha própria família. Posso ver da minha janela, a poucos metros de distância, a família que um dia foi minha, a vida que um dia foi minha. Uma vida que eu julgava perdida para sempre, mas que agora está bem ali, do outro lado de um parque. "Mas e daí?", penso. Ou talvez tenha dito. Ultimamente nem sei direito se estou pensando ou falando.

Dou um gole no vinho, seco os lábios e ergo a Nikon outra vez. Olho através da lente.

Ela está olhando de volta para mim.

Deixo a câmera cair no colo.

Não há qualquer dúvida: mesmo a olho nu consigo discernir claramente o olhar fixo dela, os lábios entreabertos.

Ela ergue a mão e acena.

Minha vontade é sumir.

E agora, faço o quê? Aceno de volta? Desvio o olhar? Será que posso me fazer de boba e fingir que estava apontando a câmera para outro lugar, para alguma coisa nas imediações da casa dela? Fazer uma cara de "Puxa, não vi você aí"?

Não.

Levanto de um pulo e a câmera cai no chão.

– Deixa pra lá – digo (dessa vez eu tenho certeza), depois fujo do escritório em direção à escuridão da escada.

Nunca fui pega antes. Nem pelos Millers, nem pelos Takedas, nem pelos Wassermans, nem por qualquer componente da família Gray. Nem pelos Lords antes de eles irem embora, nem pelos Motts antes de eles se separarem. Nem pelos taxistas ou pedestres que passavam na rua. Nem mesmo pelo carteiro, que eu costumava fotografar diariamente enquanto ele ia de porta em porta. E durante meses eu ficava namorando essas fotos, revivendo cada um daqueles momentos, até o dia em que, enfim, percebi que não dava mais conta de acompanhar o mundo do outro lado das minhas janelas. Ainda abro algumas exceções, claro. Os Millers me interessam. Ou interessavam, antes da chegada dos Russells.

E meu zoom Opteka é melhor do que qualquer binóculo.

Mas, neste exato momento, sou um poço de vergonha. Fico pensando em todas as pessoas e coisas que capturei com minha lente: vizinhos, desconhecidos, beijos, brigas, gente roendo unha, deixando moedas cair na rua, tropeçando na calçada. O filho dos Takedas tocando seu violoncelo, de olhos fechados. Os Grays fazendo um brinde emocionado com suas taças de vinho. Os jovens Motts, nos estertores do casamento, gritando um com o outro em lados opostos da sua sala vermelho-paixão, tendo um vaso espatifado no chão entre eles.

Penso no meu disco rígido, lotado de imagens roubadas. Penso em Jane Russell me encarando de volta lá do outro lado do parque. Não sou invisível. Não morri. Estou viva para o mundo, à vista dele, e morrendo de vergonha.

Penso no Dr. Brulov de *Quando fala o coração*: "Minha querida, você não pode continuar batendo cabeça com a realidade e achando que ela não existe."

TRÊS MINUTOS DEPOIS, VOLTO AO ESCRITÓRIO. O sofazinho dos Russells está vazio. Ethan está no quarto, debruçado sobre o computador.

Cuidadosamente recolho a câmera do chão. Não quebrou.

E a campainha toca.

DEZOITO

– VOCÊ DEVE ESTAR MORRENDO DE TÉDIO – diz ela assim que abro a porta. Depois me abraça forte, tirando de mim um riso nervoso. – Aposto que já não aguenta mais esses filmes em preto e branco.

Ela entra, passando direto por mim. Eu ainda não disse uma palavra.

– Trouxe uma coisa para você – anuncia sorrindo, enquanto retira da bolsa uma garrafa de Riesling. – Está geladinho.

Começo a salivar. Faz tempo que não bebo vinho branco.

– Puxa, não precisava...

Mas ela já está marchando na direção da cozinha.

EM MENOS DE DEZ MINUTOS ESTAMOS com nossas taças na mão. Jane acende um Virginia Slim, depois outro, e não demora para que a fumaça contamine o ar da cozinha, espiralando sobre nossas cabeças, pairando sob as lâmpadas do teto. Meu Riesling fica defumado. Mas não me importo. O cheiro me faz lembrar dos meus dias de pós-graduação, dos botecos e das noites escuras de New Haven, do gosto de cigarro na boca dos homens.

– Merlot é o que não falta nesta casa – observa ela, olhando para as garrafas no balcão.

– Encomendo caixas inteiras – explico. – Adoro Merlot.

– De quanto em quanto tempo?

– Duas ou três vezes ao ano.

Pelo menos uma vez por mês.

Ela balança a cabeça, depois pergunta:

– Você está assim desde... desde quando mesmo? Seis meses?

– Quase onze.

– Onze meses... – fala Jane, fechando os lábios em forma de U. – Finge que acabei de assobiar. Porque nunca consegui. – Em seguida, ela apaga o cigarro numa tigela de cereal, junta as mãos como se fosse rezar e inclina-se para a frente. – Mas e então? O que você *faz* o dia todo?

– Aconselho pessoas – respondo com firmeza, altiva.

– Quem?

– Pessoas on-line.

– Ah.

– Também estudo francês pela internet. E jogo xadrez.

– On-line?

– On-line.

Ela corre um dedo pela borda da taça de vinho.

– Quer dizer então que a internet é tipo... sua janela para o mundo.

– Não só a internet, mas essa outra aí também – digo, apontando para o janelão às costas dela.

– Sua luneta de espiã – afirma ela, e percebe que me fez corar. – Foi só uma *brincadeira*!

– Desculpe a minha falta de...

Ela abana a mão no ar e acende mais um cigarro.

– Esquece – diz, a fumaça escapando dos lábios. – Você tem um tabuleiro de xadrez de verdade?

– Você joga?

– Costumava jogar. – Ela apoia o cigarro na tigela. – Vamos lá, quero ver se você é boa nisso.

Nossa primeira partida já vai longe quando a campainha toca. Cinco em ponto: entrega da farmácia. Jane faz as honras da casa.

– Drogas em domicílio! – grita da porta, e volta para a cozinha. – São das boas?

– Estimulantes – explico, já abrindo uma segunda garrafa, mas de Merlot.

– Agora, sim, a festa está completa.

Enquanto bebemos e jogamos, vamos conversando. Ambas somos mães de um filho só, como eu já sabia; ambas gostamos de velejar, como eu não sabia. Jane prefere os barcos individuais; quanto a mim, prefiro dividir as velas com mais alguém. Ou preferia.

Conto a ela sobre minha lua de mel com Ed: o Alerion de 33 pés que alugamos na Grécia, o tour que fizemos pelas ilhas, o vaivém entre Santorini, Delos, Naxos e Mikonos.

– Só nós dois – relembro –, navegando de um lado para outro no Egeu.

– Igualzinho a *Terror a bordo* – diz Jane.

Dou um gole no vinho.

– Acho que em *Terror a bordo* eles estavam no Pacífico.

– Bem, tirando esse detalhe, é igualzinho a *Terror a bordo*.

– Além disso, eles foram velejar para se recuperar de um acidente.

– Ok, tudo bem.

– Depois resgataram um psicopata que tentou matá-los.

– Você vai me deixar terminar ou não vai?

Enquanto ela pensa em sua próxima jogada, vasculho a geladeira em busca de uma barra de Toblerone, depois pico o chocolate com uma faca de cozinha. Vamos comendo e jogando. Doce para o jantar. Exatamente como Olivia.

MAIS TARDE...

– Você recebe muitas visitas? – pergunta ela, após pensar um instante e arrastar seu bispo no tabuleiro.

– Não – respondo, tomando mais um gole de vinho. – Até agora, só você e seu filho.

– Por quê? Ou por que não?

– Sei lá. Meus pais já se foram, e eu trabalhava demais, não tinha tempo para amigos.

– Ninguém do trabalho?

Penso em Wesley.

– Éramos apenas duas pessoas no consultório – explico. – Portanto ele agora está duas vezes mais ocupado.

Ela me encara e diz:

– Isso é muito triste.

– Nem me diga.

– Mas um telefone você tem, *não tem*?

Aponto para o aparelho fixo, esquecido num canto da cozinha, depois para o celular no meu bolso.

– Tenho esse iPhone também. É jurássico, mas funciona. Caso o meu psiquiatra ligue. Ou qualquer outra pessoa. Meu inquilino, por exemplo.

– Seu inquilino bonitão.

– Meu inquilino bonitão.

Bebo vinho e capturo a dama dela.

– Traiçoeira... – diz Jane, e bate as cinzas do cigarro.

Depois cai na gargalhada.

TERMINADA NOSSA SEGUNDA PARTIDA, ela pede para conhecer a casa. Fico na dúvida, mas só por um segundo; a última pessoa que examinou o lugar de cima a baixo foi David, e antes dele... na realidade, nem me lembro. Bina nunca passou do primeiro andar; Fielding só conhece a biblioteca. A simples ideia de subir com outra pessoa me parece um ato de grande intimidade, como se eu estivesse levando comigo um amante.

Mas eu aprovo a ideia e vou mostrando a casa para ela, andar por andar, cômodo por cômodo.

No lavabo vermelho:

– Parece que estou presa numa artéria.

Na biblioteca:

– Quantos livros! Você leu isso tudo? Leu pelo menos *um*?

No quarto de Olivia:

– Meio pequeno, você não acha? Pequeno demais. Ela precisa de um quarto em que possa crescer dentro, como o quarto do Ethan.

Mas no meu escritório:

– Uau! – exclama. – Aqui, sim, dá para fazer muita coisa!

– Bem, aqui eu geralmente jogo xadrez ou converso com outros enclausurados como eu. Não diria que é "muita coisa".

– Olhe! – Ela deixa a taça de vinho no parapeito da janela, enterra as mãos nos bolsos traseiros e aproxima o rosto da vidraça. Depois aponta para a casa do outro lado do parque e diz baixinho, numa voz quase gutural: – Lá está ela...

Até esse momento ela vinha se comportando com tanta informalidade, fazendo tantas piadinhas, que fico assustada ao vê-la assim tão séria, como se a agulha tivesse derrapado no disco de vinil.

– Sim, é ela – digo.

– Linda, você não acha?

– Acho.

Ela continua na janela por mais um minuto, depois voltamos para a cozinha.

Mais tarde ainda...

– Você usa aquilo ali? – pergunta Jane, olhando à sua volta enquanto espera minha próxima jogada.

O sol está descendo rapidamente. Sob a luz frágil do anoitecer, e com o amarelo do suéter que está vestindo, ela mais parece um espectro, flutuando na minha casa. Está apontando para o guarda-chuva que vê a seu lado, apoiado na parede feito alguém que bebeu demais.

– Mais do que você imagina – respondo.

Recosto na cadeira e conto sobre minha terapia com o Dr. Fielding no quintal, sobre a dificuldade que é atravessar aquela porta e descer os degraus, a proteção que busco no nylon do guarda-chuva, a estranheza que sinto diante da claridade e das correntes de vento do jardim.

– Interessante – afirma Jane.

– Acho que a palavra correta é "ridículo".

– Mas funciona?

– Mais ou menos.

– Bem – diz ela, fazendo um carinho no cabo do guarda--chuva como se fosse um cachorro –, então é isso.

– E O SEU ANIVERSÁRIO, QUANDO É?

– Por quê? Vai me dar um presente?

– Também não vamos exagerar.

– Na realidade, é daqui a pouco.

– O meu também.

– Onze de novembro.

Ela abre a boca, chocada.

– O meu também!

– Está brincando...

– Não, não estou. Onze do onze.

Ergo minha taça para um brinde:

– Ao onze do onze!

– TEM PAPEL E CANETA POR AÍ?

Pego as duas coisas numa gaveta e deixo na frente dela.

– Sente aí – ordena ela – e faça uma cara linda.

Faço o que posso para obedecer.

Ela começa a rabiscar o papel com traços rápidos e precisos. Meu rosto vai surgindo aos poucos: os olhos fundos, as faces um tanto flácidas, o maxilar quadrado.

– Não esqueça de incluir o queixo pronunciado – digo.

Mas ela não me dá atenção. Continua desenhando por mais uns três minutos, duas vezes levando o vinho à boca.

– *Voilà* – diz afinal, mostrando o resultado.

Analiso o desenho por um segundo. A semelhança é incrível.

– Estou *impressionada*.

– Não é?

– Você consegue desenhar outros também?

– Além de você? Acredite se quiser: consigo.

– Não, não é isso. Estou falando de bichos, naturezas-mortas.

– Sei lá. Estou mais interessada em pessoas. Como você.

Com um gesto teatral, ela assina o desenho e então diz:

– Um original Jane Russell!

Guardo o presente numa das gavetas da cozinha, onde ficam as toalhas boas. Não quero que manche.

– Olhe só, quantos comprimidos...

Eles se espalham pela mesa feito pequenas pedras preciosas.

– Aquele ali, faz o quê?

– Qual?

– O rosa. Octogonal. Não, "seis-onal".

– Hexagonal.

– Isso.

– É o Inderal. Um betabloqueador.

Jane estreita os olhos, confusa.

– Mas isso não é para infarto?

– Para ataques de pânico também. Reduz os batimentos cardíacos.

– E aquele outro? O oval branquinho.

– Aripiprazole. Um antipsicótico atípico.

– Ui. Parece sério.

– Parece e é, pelo menos em alguns casos. No meu, é apenas um aditivo. Para me deixar mais lúcida. E mais gorda também.

– Sei. E aquele ali?

– Imipramina. Tofranil. Para depressão. E para incontinência urinária.

– Você faz xixi na cama?

– Hoje à noite, acho que vou fazer – digo, e dou um gole no vinho.

– E esse outro?

– Temazepam. Para dormir. Só vou tomar mais tarde.

– Mas não é perigoso misturar todos esses comprimidos com álcool?

Engulo em seco e então respondo:

– Não.

Os comprimidos já estão todos na minha goela quando lembro que já os tinha tomado pela manhã.

Jane inclina a cabeça para trás, soprando um jato de fumaça.

– *Por favor*, não diga "xeque-mate". – Ela ri e avisa: – Meu ego não vai aguentar três seguidos. Não se esqueça de que faz *anos* que não jogo.

– Dá para notar – digo.

Ela escancara a boca numa risada, deixando à mostra uma coleção de obturações escuras.

Dou uma olhada nos meus prisioneiros: duas torres, dois bispos, uma gangue de peões. Jane não capturou nada além de um único peão e um solitário cavalo. Ela percebe que estou olhando. Derruba um cavalo para o lado e diz:

– Cavalo ferido. Chame o veterinário.

– Adoro cavalos – conto a ela.

– Olhe só para isso. Recuperação milagrosa.

Jane reergue o cavalo, fazendo um carinho na crina de mármore. Sorrio e esvazio minha taça.

– Também adoro esses seus brincos – declaro.

Ela toca um deles, depois o outro: dois pequenos cachos de pérola, um em cada lóbulo.

– Presente de um ex-namorado – confidencia.

– Alistair não acha ruim que você use?

Ela reflete um instante e sorri. Acende mais um cigarro e diz:

– Duvido que ele saiba.

– Saiba o quê? Que você está usando o brinco ou que ganhou de outro?

Jane dá um trago, soprando a fumaça para o lado.

– Uma coisa ou outra. Ou as duas. Alistair às vezes é um cara difícil – afirma, batendo as cinzas na tigela. – Não me entenda mal. É um homem bom, um bom pai. Mas é controlador.

– Por quê?

– Dra. Fox, a senhora está me analisando? – pergunta em tom de brincadeira, mas com certa frieza no olhar.

– Se estou analisando alguém, não é você. É o seu marido.

Jane traga novamente, franzindo a testa.

– Ele sempre foi assim. Meio desconfiado. Pelo menos comigo.

– De novo: por quê?

– Ah, porque eu era uma maluquete – explica. – Como é mesmo a palavra usada por Alistair? "Dissoluta." Isso, eu levava uma vida dissoluta.

– Até conhecer Alistair?

– Mesmo depois. Levei um tempo para entrar nos trilhos.

Não pode ter sido tanto tempo assim, penso com meus botões. Pela aparência dela, devia ter uns 20 e poucos anos quando teve o filho.

Ela balança a cabeça, dizendo:

– Fiquei com um sujeito aí, durante um período.

– Quem era ele?

Jane dá um risinho.

– Exatamente: *era*. Mas não vale a pena falar disso. Todo mundo comete erros na vida.

Fico calada.

– São águas passadas, mas a minha vida familiar ainda é... problemática. Sim, essa é a palavra correta.

– *Le mot juste.*

– Essas aulas de francês estão dando resultado, hein? – comenta ela sorrindo, mas com o cigarro ainda preso entre os dentes.

– Mas por que você diz que sua vida familiar é problemática? – insisto.

Ela sopra a fumaça. Um anel quase perfeitamente circular vai se desmanchando aos poucos no ar.

– Faz de novo – peço, não me contendo.

Jane repete o truque. Eu me dou conta de que estou bêbada.

– Sabe... – explica ela, limpando a garganta – não é uma coisa só. É complicado. Alistair é problemático. Todas as famílias são problemáticas.

– Mas Ethan é um bom menino. E quem afirma isso é uma pessoa capaz de reconhecer um bom menino quando está diante de um.

Ela me olha nos olhos.

– Fico feliz que ache isso. Também acho Ethan um bom garoto. – Bate as cinzas do cigarro. – Mas e você? Imagino que sinta muita falta da *sua* família.

– Sinto. Muita. Mas falo com eles todo dia.

Jane assente com a cabeça. As pálpebras estão meio pesadas; deve estar bêbada também.

– Mas não é o mesmo que tê-los aqui com você, é?

– Não, claro que não.

Ela assente outra vez.

– Ok. Anna. Você já deve ter percebido que em nenhum momento perguntei o que deixou você desse jeito.

– Gorda? – digo. – Prematuramente grisalha?

É, realmente não estou bem.

– Agorafóbica – responde ela, bebendo do vinho.

– Bem... – Já que estamos trocando confidências, vamos lá: – Um trauma. Igual a todo mundo. – Reacomodo o corpo na cadeira. – Fiquei deprimida. Profundamente deprimida. Não gosto nem de lembrar.

– Claro, claro, eu entendo. Sei que não é da minha conta. E imagino que deva ser difícil para você fazer coisas como... sei lá... convidar pessoas para uma festa na sua casa. Mas acho que podemos pelo menos encontrar mais uns hobbies para você. Além do xadrez e dos filmes em preto e branco.

– E da espionagem.

– E da espionagem.

Penso um instante.

– Eu costumava tirar fotos.

– Pelo visto, ainda tira.

Isso merece um risinho.

– Tudo bem. Mas antes eu gostava de sair fotografando por aí. Gostava muito.

– Tipo aquele livro... *Humans of New York*?

– Não. Gostava mais de fotografar a natureza.

– Natureza em Nova York?

– Em Vermont. De vez em quando a gente ia para a Nova Inglaterra.

Jane vira para a janela.

– Olhe esse céu – diz, apontando para oeste.

Olho e vejo um magnífico pôr do sol, a silhueta de casas e prédios contra as cores múltiplas do anoitecer. Passarinhos circulam por perto.

– Isso é natureza, não é?

– Tecnicamente, sim – concordo. – Pedaços disso que está aí. Mas estou falando de...

– O mundo pode ser um lugar bonito – insiste Jane, séria; firme no olhar, firme na voz. – Não se esqueça disso. – Ela se recosta na cadeira e apaga o cigarro na tigela. – E não abra mão dele.

Pego meu telefone no bolso, tiro uma foto do crepúsculo e olho para ela.

– É isso aí, garota! – aprova Jane.

DEZENOVE

Já passa das seis quando acompanho Jane até a porta.

– Tenho coisas muito importantes para fazer – informa ela.

– Eu também.

Duas horas e meia. Quando foi a última vez que falei com uma pessoa, qualquer pessoa, por duas horas e meia? Vasculho os últimos meses para ver se encontro algo neles. Nada. Ninguém. Não desde minha primeira sessão com o Dr. Fielding, séculos atrás, em meados do inverno. Mesmo assim, nesse dia eu nem consegui falar por muito tempo: minha traqueia ainda estava machucada.

De repente me sinto mais jovem, quase alegre. Talvez seja o vinho, mas imagino que não. Querido diário, hoje fiz uma amiga.

Mais tarde nessa mesma noite, ainda meio tonta, estou vendo *Rebecca* quando a campainha toca.

Jogo o cobertor para o lado e vou me arrastando até a porta. "Por que você não vai?", ironiza Judith Anderson às minhas costas. "Por que não sai de Manderley?"

Confiro o monitor do interfone. Um homem alto, de ombros largos, cintura fina e o cabelo com duas entradas bem acentuadas na testa. Por um instante não o reconheço (estou acostumada a vê-lo somente em cores), mas depois me dou conta de que é Alistair Russell quem está à porta.

– Veio fazer o que aqui? – digo. Ou penso. Acho que digo.

Definitivamente ainda estou bêbada. Além disso, não devia ter tomado todos aqueles comprimidos mais cedo.

Aperto o botão para abrir a porta da rua. Ouço o *clec* da tranca se abrindo e o rangido da porta; fico esperando até ouvi-la bater.

Ao abrir a porta do corredor, deparo com o homem bem à minha frente, pálido e luminoso na penumbra. Está sorrindo. Dentes fortes saem de gengivas sadias. Olhos claros, rodeados por pés de galinha.

– Alistair Russell – apresenta-se. – Moro ali no 207, do outro lado do parque.

– Entre – digo, estendendo a mão. – Sou Anna Fox.

Ele dispensa o aperto de mão, ficando parado onde está.

– Realmente não quero incomodar. Aliás... desculpe se interrompi alguma coisa. Filminho na televisão?

Faço que sim com a cabeça.

Ele sorri novamente, radiante feito uma vitrine de Natal.

– Eu só queria saber se você recebeu alguma visita hoje cedo...

Estranho. Antes que eu possa responder, uma explosão acontece na televisão da sala: a cena da colisão do navio. "Navio encalhado!", gritam as pessoas na praia. "Todos para a baía!" Uma barulheira danada. Volto para a sala e pauso o filme.

Quando retorno para o corredor, encontro Alistair do lado de cá da porta. Sob a luz chapada do hall, ele mais parece um cadáver, duas sombras pretas no lugar das faces. Atrás dele a porta boceja como se fosse uma boca escura.

– Você se incomodaria de fechar isso aí? – peço, e ele fecha. – Obrigada.

Percebo que estou enrolando a língua para falar.

– Cheguei numa hora ruim?

– Não, não. Quer beber alguma coisa?

– Beber? Não, obrigado.

– Eu estava oferecendo água – explico.

Educadamente ele faz que não com a cabeça e então repete:

– Você recebeu alguma visita hoje?

Bem, Jane já havia alertado. Fisicamente ele não parece um homem controlador, desses que têm olhos esbugalhados e lábios finos. Faz mais o gênero paizão jovial, um leão já no outono da vida, barba grisalha, princípio de calvície. Acho até que ele e Ed poderiam ter sido amigos, desses que trocam tapinhas nas costas antes de ir para a sala beber seu uisquinho, dividir histórias de guerra. Mas as aparências...

Isso não é da minha conta, claro. Mesmo assim, não quero me colocar na defensiva.

– Não recebi nenhuma visita esta noite. Estou no meio de uma maratona de filmes.

– Qual é esse aí?

– *Rebecca*. Um dos meus prediletos. Você não...

Então percebo que ele está olhando para o interior da casa, sério, franzindo a testa. Viro para trás.

O tabuleiro de xadrez.

Já coloquei as taças na máquina de lavar, lavei a tigela, mas o tabuleiro ainda está lá, atulhado com seus vivos e mortos, o rei de Jane caído para o lado.

Volto a atenção para Alistair.

– Ah, aquilo ali. Meu inquilino gosta de jogar xadrez – explico. Displicentemente.

Ele olha para mim, desconfiado. Posso muito bem imaginar o que está pensando. Após dezesseis anos transitando pela cabeça das pessoas, até que é fácil. Mas talvez eu esteja meio enferrujada. Ou talvez seja o álcool. E os remédios.

– Você joga?

Ele não responde de imediato.

– Faz tempo que não – diz afinal. – Só você e o seu inquilino moram aqui?

– Não, eu... Sim. Sou separada do meu marido. Minha filha está com ele.

Alistair olha uma última vez para o tabuleiro, para a televisão, depois volta para a porta.

– Bem, já vou indo. Desculpe o incômodo.

– Incômodo nenhum. Ah, agradeça a sua mulher pela vela.

Ele para onde está, virando-se para mim.

– Foi Ethan que trouxe.

– Quando? – pergunta ele.

– Uns dias atrás. No domingo. – Espere aí... Que dia é

hoje? – Ou no sábado. – Fico irritada. Por que diabo esse homem precisa saber que dia foi? – Que diferença faz?

Ele me encara espantado. Depois abre um sorriso frouxo e vai embora sem dizer uma palavra.

ANTES DE CAIR NA CAMA, DOU UMA ESPIADA NO 207. Lá estão os Russells reunidos na sala: Jane e Ethan no sofá, Alistair sentado diante deles numa poltrona, falando sem parar. "Um homem bom, um bom pai."

Quem há de saber o que acontece numa família? Aprendi isso na pós-graduação.

– Você pode passar anos com um paciente e ainda se surpreender com ele – disse Wesley pouco depois de apertar minha mão pela primeira vez, os dedos encardidos de nicotina.

– Como assim? – perguntei.

Ele se dirigiu para a mesa, correu a mão pelo cabelo e disse:

– Você pode ouvir as confidências de uma pessoa, os medos dela, as carências, mas não se esqueça de uma coisa: tudo isso existe em meio aos medos e segredos de outras pessoas, as que dividem o mesmo teto com ela. Conhece aquela frase que diz que todas as famílias felizes são iguais?

– *Guerra e paz* – falei.

– *Anna Kariênina*. Mas não importa. O que importa é que está errado. Nenhuma família, feliz ou infeliz, é igual a outra. Aliás, Tolstói falou muita bobagem. Lembre-se disso.

E é disso que me lembro enquanto vou ajustando o foco da minha lente, buscando o melhor enquadramento. Um retrato de família.

Mas acabo deixando a câmera de lado.

QUARTA-FEIRA,
3 de novembro

VINTE

ACORDO COM WESLEY NA CABEÇA.

Wesley e uma merecida ressaca. Completamente zonza, como se estivesse atravessando uma neblina, desço para o escritório, mas preciso correr para vomitar no banheiro. Que maravilha.

Descobri que vomito com grande precisão. Ed costuma dizer que eu poderia me profissionalizar. Apenas um jato, e tudo vai embora. Lavo a boca, boto uma corzinha nas maçãs do rosto e volto para o escritório.

Do outro lado do parque, as janelas da família Russell estão vazias, os quartos estão escuros. Fico olhando para a casa, ela me olhando de volta. Constato que sinto falta deles.

Olho para o lado sul da vizinhança. Um táxi, caindo aos pedaços, vai descendo a rua. Uma mulher caminha pela calçada com seu copinho de café na mão e um vira-lata na coleira. Confiro as horas no celular: 10h28. Por que será que levantei tão cedo?

Claro, esqueci de tomar meu temazepam. Ou melhor: capotei antes que tivesse a oportunidade de lembrar. O temazepam me deixa inconsciente; eu apago.

Aos poucos vou me lembrando da noite de ontem, fiapos de lucidez rodopiando na cabeça feito o carrossel de *Pacto sinistro*. Foi isso mesmo que aconteceu? Sim: abrimos o vinho de Jane; falamos de barcos; devoramos uma barra de chocolate; tirei uma foto; falamos de nossas famílias; espalhei meus comprimidos em cima da mesa; bebemos mais um pouco. Não nessa ordem.

Três garrafas de vinho. Ou foram quatro? Bem, sou capaz de encarar até mais do que isso. *Já* encarei.

– Os comprimidos! – digo, mais ou menos como um detetive que grita "Eureka!".

A dosagem. Lembro que ontem tomei meus remédios duas vezes. Deve ser isso, os comprimidos. "Depois dessa você vai cair de quatro, aposto", disse Jane, rindo ao me ver abocanhar aquilo tudo com uma golada de vinho.

Minha cabeça roda, minhas mãos tremem. Encontro um frasco pequeno de Advil escondido no fundo da gaveta da escrivaninha e jogo três comprimidos garganta abaixo. A data de validade expirou nove meses atrás. Tempo suficiente para colocar uma criança no mundo. "Para criar vidas", reflito. Muitas vidas.

Tomo um quarto comprimido, só por garantia.

Depois... O que aconteceu depois? Ah, sim, Alistair chegou, perguntando pela mulher.

Movimento do outro lado da janela. É o Dr. Miller, saindo para o trabalho.

– Vejo você às três e quinze – digo a ele. – Não se atrase, hein?

Não se atrasar nunca. Essa era a regra de ouro de Wesley. "Para algumas pessoas, esses são os cinquenta minutos mais importantes da semana", dizia ele. "Portanto, o que quer que você faça ou deixe de fazer, pelo amor de Deus, não se atrase."

Wesley Brill, o Brilhante. Faz três meses desde a minha última pesquisa. Então acesso o Google. O cursor pulsa feito um coração no campo de busca.

E vejo que ele ainda ocupa a mesma cátedra de sempre, ainda publica seus artigos no *Times* e nos diversos periódicos especializados. E ainda está clinicando, claro, embora no verão tenha mudado o consultório para Yorkville. Lá trabalham apenas Wesley, sua recepcionista Phoebe e o leitor de cartão de crédito que ela usa para receber os pagamentos. Ah, e a poltrona Eames também. Wesley adora aquela poltrona.

Mas nunca adorou muito mais do que isso. Nunca se casou. A vida de professor era sua grande paixão; os pacientes, seus filhos. "Nem pense em ficar com dó do pobre Dr. Brill", disse a mim certo dia. Lembro perfeitamente: Central Park, cisnes com um ponto de interrogação no lugar do pescoço, sol a pino do outro lado da copa rendada dos olmos. Wesley tinha acabado de me convidar para dividir o consultório com ele. "Minha vida está cheia *demais*", relatou. "Por isso preciso de você, ou de alguém como você. Juntos, vamos poder ajudar um número ainda maior de crianças."

Ele estava certo. Como sempre.

Clico sobre a aba de imagens do Google. Entre as fotos que se abrem não encontro nenhuma mais recente ou na qual ele esteja especialmente bem.

– Não sou muito fotogênico – declarou certa vez, mas não em tom de reclamação, a fumaça do charuto espiralando para o alto, as unhas manchadas e ressequidas.

– Não é mesmo – devolvi à queima-roupa.

Erguendo uma das sobrancelhas peludas, ele falou:

– Verdadeiro ou falso: você é igualmente severa com seu marido.

– Não necessariamente.

Ele riu com sarcasmo.

– Nada é "necessariamente" verdadeiro ou falso – disse ele. – Ou é verdadeiro ou não é. Ou é falso ou não é.

– Tem razão.

VINTE E UM

– Adivinhe quem é – diz Ed.

Eu me acomodo na cadeira.

– Quem fala isso sou eu.

– Você está com uma voz péssima, campeã.

– Não é só a voz.

– Está doente?

– *Estava.*

Não deveria contar sobre a noite de ontem, eu sei, mas não resisto. Quero ser honesta com Ed. Ele merece isso.

Mas não fica nem um pouco satisfeito depois de ouvir minha confissão.

– Você *não* pode fazer uma coisa dessas, Anna! Misturar remédio e vinho?

– Eu sei.

A esta altura já começo a achar que falei mais do que devia.

– *Francamente.*

– Eu sei, eu sei.

– Você tem recebido muitas visitas ultimamente – diz depois, menos exaltado. – Muita agitação. – Pausa. – Esse pessoal que mora do outro lado do parque...

– Os Russells.

– ... talvez seja melhor eles deixarem você em paz por um tempo.

– Fique tranquilo, vão deixar. Desde que eu não desmaie mais no meio da rua.

– Eles não têm que se meter na sua vida.

"Nem você na deles." Aposto que é isso que ele está pensando.

– O que foi que o Dr. Fielding falou? – prossegue Ed.

Tenho a leve impressão de que Ed pergunta isso sempre que não sabe ao certo o que dizer.

– Ele está mais interessado na minha relação com você.

– Comigo?

– Com vocês dois.

– Ah.

– Ed, morro de saudades de você. – Minha intenção não era dizer aquilo. Nem tinha me dado conta de que estava pensando nisso. Subconsciente sem filtros. – Desculpe... É o id falando.

Ele permanece calado por um instante, depois diz:

– Bem, agora é o *Ed* falando.

Morro de saudades disso também, dos trocadilhos infames dele. Ed costumava dizer que fui eu quem colocou o "Anna" em "psicanalista". "Essa é horrível", eu retrucava, sempre fazendo o possível para não rir. "Mentira, você adora", insistia ele, coberto de razão.

Mais silêncio.

– Quando você diz que tem saudades... do que exatamente sente falta?

Por essa eu não esperava.

– Sinto falta de... – começo a dizer, rezando para que a frase se complete por iniciativa própria. E as palavras vão saindo com a força de uma torrente, um aguaceiro que jorra da calha ou de uma represa que explodiu. – Sinto falta do seu jeito de jogar boliche. – Uma idiotice, eu sei, mas é a primeira coisa que me vem à língua. – Sinto falta da sua incompetência na hora de amarrar um nó de marinheiro. Sinto falta das manchas vermelhas no seu rosto recém-barbeado. Sinto falta das suas sobrancelhas.

De repente me vejo subindo as escadas, rumo ao quarto.

– Sinto falta dos seus sapatos. Sinto falta de você me pedindo café de manhã cedo. Sinto falta daquele dia que você usou meu rímel e todo mundo notou. Sinto falta daquele outro dia em que você teve a audácia de me pedir para costurar alguma coisa. Sinto falta da sua delicadeza com os garçons.

Agora na cama, na nossa cama.

– Sinto falta dos ovos que você fazia. – Sempre mexidos, mesmo quando a intenção era apenas fritar. – Sinto falta das histórias que você inventava para nossa filha. – As heroínas sempre rejeitavam o príncipe, optando pela universidade. – Sinto falta da sua imitação de Nicolas Cage. – Bem mais estridente, depois de *O sacrifício*. – Sinto falta daquele tempão que você levou para descobrir que a pronúncia correta da palavra "inexorável" não era *"inecsorável"*. Que palavrinha mais besta.

Morro de rir quando me lembro.

– Sinto falta das suas piadinhas infames. Sinto falta da sua mania de partir a barra em vez de cravar os dentes direto na merda do chocolate.

– Agora você fala palavrão?

– Desculpe.

– Além disso, o chocolate fica bem melhor quando a gente parte a barra antes.

Pausa.

– Sinto tanto a sua falta...

Outra pausa.

– Amo tanto você... – Respiro fundo para não engasgar. – Amo vocês dois.

Não há nenhum padrão estabelecido aqui, pelo menos que eu perceba (e olha que sou treinada para perceber padrões). Apenas sinto falta dele. Apenas amo Ed. Amo *os dois*.

Silêncio. Longo e profundo. Respiro.

– Mas, Anna – diz ele, delicadamente –, se...

Ouço um barulho lá embaixo. Apenas um som baixinho e grave. Provavelmente é a casa se reacomodando em suas estruturas.

– Só um segundo – peço a Ed.

Então escuto, com clareza, uma tosse seca, um resmungo. Alguém está na minha cozinha.

– Preciso ir.

– O que foi que...?

Mas já estou correndo para a porta com o telefone na mão e digitando o número da emergência, o polegar pairando acima do botão de ligar. Lembro da última vez que chamei a emergência. Na realidade, já chamei mais de uma vez, ou tentei chamar. Dessa vez alguém há de atender.

Desço a escada com cautela, o corrimão escorregando sob

os dedos, os degraus invisíveis no escuro. Mudando de direção no patamar, deparo com a luz que vem de baixo. Pé ante pé, sigo para a cozinha. O telefone treme na minha mão.

Um homem está diante da lava-louça, de costas para mim. As costas são largas.

Ele vira. Aperto o botão de ligar.

VINTE E DOIS

– OLÁ – DIZ DAVID.

Porra! Respiro aliviada. Rapidamente cancelo a chamada e coloco o telefone no bolso.

– Desculpe – acrescenta ele. – Toquei a campainha uma meia hora atrás, mas acho que você estava dormindo.

– Devia estar no chuveiro – digo.

David não reage. Provavelmente está envergonhado por mim; meus cabelos não estão exatamente molhados.

– Então subi pelo porão. Espero que isso não seja um problema.

– Problema nenhum, claro. Pode subir quando quiser. – Ando até a pia e encho um copo d'água. Meus nervos estão à flor da pele. – Precisa de alguma coisa?

– Estou procurando por um X-Acto.

– X-Acto?

– Um estilete X-Acto.

– Desses de cortar papelão?

– Exatamente.

X-Acto-mente – faço uma piadinha com o nome do produto. Onde estou com a cabeça?

– Procurei debaixo da pia – continua ele, graças a Deus – e naquela gaveta perto do telefone. Aliás, seu telefone não está plugado. Acho que está mudo.

Nem me lembro da última vez que usei meu telefone fixo.

– Deve estar mesmo.

– Talvez seja uma boa ideia dar um jeito nisso.

"Não precisa", penso, já voltando para a escada.

– Tem um estilete no depósito lá de cima – digo, mas ele já vem subindo atrás de mim.

Abro a porta do closet que faz as vezes de depósito. Está um breu dentro dele. Puxo a correntinha para acender a luz. O espaço é estreito e fundo, parece um sótão. Cadeiras de praia se apoiam na parede, latas de tinta se enfileiram como vasos. Contrariando todas as expectativas, as paredes são revestidas de um papel estampado com pastorinhas e lordes no campo, aqui e ali uma criancinha descamisada. A caixa de ferramentas de Ed ainda está na prateleira, intacta. "Não levo jeito para consertar coisas, e daí?", diria ele. "Com um corpinho desses, nem preciso."

Abro a caixa, vasculho o conteúdo.

– Ali – fala David, apontando para a lâmina que escapa de um estojo de plástico cinza. – Cuidado.

– Não vou cortar você.

Entrego a ele o estilete, a lâmina virada para mim.

– É você que eu não quero cortar – diz ele.

Sinto certo prazer ao ouvir essas palavras.

– Afinal de contas, o que você pretende fazer com isso?

Puxo a correntinha, anoitece outra vez no depósito. David não se mexe.

Ali no escuro, eu de roupão e ele com seu estilete, de repente me dou conta de que nunca estive tão próxima assim do meu inquilino. Ele poderia me beijar se quisesse. Ou me matar.

– Um vizinho me pediu para ajudar numa parada. Abrir umas caixas, guardar coisas.

– Que vizinho?

– O que mora do outro lado do parque. Russell.

David volta para a escada, vai descendo por ela.

– Como foi que ele encontrou você? – pergunto, descendo atrás.

– Andei distribuindo uns panfletos pela vizinhança. Talvez ele tenha visto na cafeteria ou em algum outro lugar. Você conhece ele?

– Não. Esteve aqui ontem, só isso.

Voltamos para a cozinha.

– Ele precisa abrir algumas caixas e montar uns móveis que ainda estão no porão da casa dele. Devo voltar lá pelo meio da tarde.

– Acho que eles não estão em casa.

Ele olha para mim, surpreso.

– Como você sabe?

Porque espiono a casa deles.

– Parece que não tem ninguém em casa – digo, apontando através da janela para o outro lado do parque.

Nesse mesmo instante alguém acende uma luz na sala dos Russells. Lá está Alistair, telefone espremido entre o rosto e o ombro, cabelos bagunçados de quem acabou de levantar.

– Foi ele que me chamou – diz David, e vai se dirigindo para a porta do hall. – Volto mais tarde. Valeu pelo estilete.

VINTE E TRÊS

Minha intenção é voltar para Ed. "Adivinhe quem é", me preparo para dizer, porque agora é minha vez, mas alguém bate à porta segundos depois de David sair. Ele deve ter esquecido alguma coisa. Vou lá ver o que é.

É uma mulher de olhos grandes, muito esguia. Bina, a fisioterapeuta. Confiro as horas no telefone: meio-dia em ponto.

– David deixou a porta aberta para mim – explica. – Cada vez mais gato. Onde é que isso vai parar?

– Acho que você devia fazer alguma coisa a respeito.

– Acho que você devia ficar na sua e se preparar para a nossa sessão. Tirar esse roupão, vestir uma roupa de verdade.

Subo para me trocar, depois volto e desenrolo meu tapetinho ali no chão da sala. Faz quase dez meses que Bina entrou na minha vida – quase dez meses que saí do hospital, a coluna machucada, a garganta ferida –, e durante esse tempo acabamos ficando próximas. Talvez até amigas, como quer o Dr. Fielding.

– O dia está lindo hoje. – Bina coloca um peso na minha lombar, meus cotovelos pulam. – Que tal a gente abrir uma janela?

– Sem chance.

– Você está perdendo.

– Muito mais do que você imagina.

Uma hora depois, já encharcada de suor, fico de pé com a ajuda dela.

– Quer tentar o truque do guarda-chuva? – sugere.

Faço que não com a cabeça, os cabelos grudados na nuca.

– Hoje não. E não é um truque.

– O dia está perfeito para esse tipo de exercício. Um solzinho gostoso.

– Não. É que eu... Não.

– Você está de ressaca.

– Isso também.

Um rápido suspiro, depois:

– Você tentou com o Dr. Fielding esta semana?

– Sim – minto.

– E como foi que se saiu?

– Muito bem.

– Até onde conseguiu chegar?

– Treze passos.

Bina me encara desconfiada.

– Tudo bem. Para uma velhinha da sua idade, até que não está mau.

– Daqui a pouco, mais velhinha ainda.

– Por quê? Quando é o seu aniversário?

– Semana que vem. Dia onze. Onze do onze.

– Vou ter que dar para você o desconto da terceira idade. – Ela recolhe os pesos do chão, guarda na mochila. – Vamos comer alguma coisa.

Nunca fui muito de cozinhar – Ed era o chef –, e agora minha comida é entregue em casa pela Fresh-Direct: pratos congelados, refeições de micro-ondas, sorvete, vinho. Muito vinho. Também costumo comprar alguma coisa do grupo das proteínas magras e das frutas, pelo bem de Bina. E pelo meu próprio também, ela diria.

Nossos almoços não têm hora para acabar. Ao que parece, Bina gosta da minha companhia.

– Eu não deveria estar pagando a você por isso? – perguntei a ela certa vez.

– Você já está cozinhando para mim – respondeu.

– Será que a gente pode chamar isso de cozinhar? – retruquei, colocando no prato dela um peito de frango completamente esturricado.

Mas o cardápio de hoje é melão com mel e fatias de bacon.

– Tem certeza que esse bacon é não curado?

– Absoluta.

– Muito gentil da sua parte, senhora. – Ela leva à boca um pedaço da fruta, limpa o mel dos lábios com o dorso da mão. – Outro dia li um artigo sobre as abelhas. Elas podem se afastar até 10 quilômetros da colmeia em busca de pólen.

– Onde foi que você leu isso?

– Na *Economist*.

– Uau, na *Economist*.

– Não é impressionante?

– É deprimente, isso sim. Não consigo nem sair de casa.

– O artigo não era sobre você.

– Não era mesmo.

– E elas também dançam. Tem até um nome...

– Dança das abelhas.

Ela parte uma fatia de bacon.

– Onde foi que você aprendeu?

– Numa exposição sobre abelhas que vi no Pitt Rivers de Oxford, quando estive lá. É o museu de história natural da cidade.

– Uau, Oxford.

– Lembro dessa dança porque a gente tentou imitar. Zumbindo muito, sacudindo os braços. Mais ou menos como os nossos exercícios aqui.

– Vocês estavam bêbados?

– Não estávamos sóbrios.

– Tenho sonhado com abelhas desde que li esse artigo na revista – conta ela. – O que você acha que isso significa?

– Não sou freudiana. Não interpreto sonhos.

– Mas e se fosse?

– Se fosse, diria que as abelhas representam a necessidade urgente de você parar de me perguntar o que os seus sonhos significam.

– Me aguarde – diz ela, mastigando. – Da próxima vez vou fazer você sofrer.

Comemos em silêncio.

– Já tomou os comprimidos de hoje?

– Já.

Mentira. Vou tomar assim que ela for embora.

Pouco depois, o encanamento da casa estremece no interior das paredes. Bina olha na direção da escada.

– Foi o banheiro?

– Foi.

– Tem mais alguém em casa?

– Não. – Mastigo minha comida e digo: – Deve ser alguma amiguinha do David que passou a noite aqui.

– Que galinha...

– David não é nenhum santo.

– Você conhece a garota?

– Não, nunca conheço nenhuma delas. Está com ciúmes?

Ela arremessa uma migalha de bacon contra mim.

– Na próxima quarta não vou poder vir outra vez. Mesma coisa da semana passada.

– Sua irmã.

– Pois é. Voltou. Na quinta está bem para você?

– As chances são grandes.

– Oba. – Ela mastiga mais um pouco e toma um gole d'água. – Você está com um aspecto cansado, Anna. Tem dormido direito?

Faço que sim com a cabeça, depois que não.

– Bem... sim, mas é que... ando com muita coisa na mente nos últimos tempos. É difícil para mim, entende? Tudo isso... – digo, apontando de modo vago para a casa à minha volta – é muito difícil.

– Imagino. Quer dizer, *sei*.

– Esses seus exercícios também são muito difíceis.

– Você está indo muito bem, acredite em mim.

– A terapia também é difícil para mim. Não é fácil estar do outro lado do divã.

– Posso imaginar.

Respiro fundo. Não quero perder o controle. Só mais uma coisa:

– Morro de saudades de Livvy e de Ed.

Bina deixa o garfo sobre a mesa.

– O que é mais do que compreensível... – diz.

E o sorriso dela é tão carinhoso que preciso me conter para não chorar.

VINTE E QUATRO

GrannyLizzie: Olá, Dra. Anna!

A mensagem surge na tela com um bipe. Deixo minha taça de lado e interrompo a partida de xadrez. Já venci outras três desde que Bina foi embora. Uma façanha histórica.

thedoctorisin: Oi, Lizzie! E aí, como está?

GrannyLizzie: Bem melhor agora, graças a você.

thedoctorisin: Que bom.

GrannyLizzie: Doei todas as roupas do Richard pra nossa igreja.

thedoctorisin: Eles devem ter ficado muito felizes.

GrannyLizzie: Ficaram. E é isso que o Richard teria querido.

GrannyLizzie: E meus alunos da turma de terceiro ano mandaram um cartão que eles mesmos fizeram, desejando melhoras. Um cartão enorme. Purpurina e bolinhas de algodão por todo lado.

thedoctorisin: Que bonitinho...

GrannyLizzie: Pra ser sincera, eu daria uma nota 7 pra eles, mas é a intenção que conta.

Dou uma risada. Digito "KKK", mas depois apago.

thedoctorisin: Eu também trabalhava com crianças.

GrannyLizzie: Jura?

thedoctorisin: Psicologia infantil.

GrannyLizzie: Às vezes penso que eu era psicóloga também...

Outra risada.

GrannyLizzie: Puxa, eu quase ia esquecendo!

GrannyLizzie: Hoje de manhã consegui sair para uma pequena caminhada! Um ex-aluno passou por aqui e conseguiu me tirar de casa.

GrannyLizzie: Foi só um minutinho, mas valeu a pena.

thedoctorisin: Parabéns! Daqui pra frente só vai ficando mais fácil.

Isso talvez não seja verdade, mas, pelo bem de Lizzie, espero que seja.

thedoctorisin: E que maravilha, esses alunos que gostam tanto de você!

GrannyLizzie: Esse que veio aqui é o Sam. Nunca levou muito jeito pra arte, mas era uma criança adorável. E hoje é um homem muito correto.

GrannyLizzie: Mas acabei esquecendo de levar a chave de casa.

thedoctorisin: É natural!

GrannyLizzie: Fiquei um tempinho trancada do lado de fora.

thedoctorisin: Espero que não tenha sofrido muito.

GrannyLizzie: O susto foi grande, mas sempre deixo uma cópia da chave no vaso da frente. Minhas violetas estão lindas, todas em flor.

thedoctorisin: Em Nova York não temos esse luxo!

GrannyLizzie: KKKKK

Quem ri sou eu. Ela ainda não entendeu direito o espírito da coisa.

GrannyLizzie: Agora preciso preparar o almoço. Uma amiga está vindo pra cá.

thedoctorisin: Vai lá. Que bom que você tem amigos.

GrannyLizzie: Obrigadu!

GrannyLizzie: :)

Ela sai do site, e eu fico radiante. "É possível que eu faça algum bem antes de morrer." – *Judas, o obscuro*, Parte Seis, Capítulo 1.

CINCO HORAS E TUDO CORRE BEM. Termino minha partida (4x0!), bebo o resto do vinho e desço para ver televisão. "Hoje vamos ter uma sessão dupla de Hitchcock", penso ao abrir a gaveta de DVDs; talvez *Festim diabólico* (subestimado) e *Pacto sinistro* (bingo!). Ambos estrelados por um ator gay. Fico me perguntando se foi por isso que escolhi os dois títulos. Ainda não deixei a psicanalista de lado.

– Bingo! – digo a mim mesma.

Ultimamente ando falando sozinha com frequência. Não posso esquecer de comentar isso com Fielding.

Talvez seja melhor assistir a *Intriga internacional.*

Ou *A dama ocul...*

Um grito de horror, desses que saem das profundezas do ser, ecoa no ar!

Viro e olho na direção das janelas da cozinha.

O silêncio agora é total. Meu coração dispara.

De onde exatamente veio esse grito?

O céu lá fora é de um dourado cor de mel; a brisa balança a copa das árvores. Será que veio da rua ou...

Outro grito, desesperado e delirante, rasga o silêncio à minha volta. Vindo do outro lado do parque. Na casa dos Russells, as janelas da sala estão abertas, as cortinas irrequietas com o vento. "Um solzinho gostoso lá fora", dissera Bina. "Que tal a gente abrir uma janela?"

Fico olhando para a casa, ora para a cozinha, ora para a sala, ora para o quarto de Ethan, e novamente para a cozinha.

Será que Alistair está atacando a mulher? "Muito controlador."

Não tenho o número de telefone deles. Minhas mãos estão tão trêmulas que deixo o celular cair ao tentar tirá-lo do bolso.

– Droga!

Recolho o aparelho e ligo para o número de auxílio à lista telefônica.

– Endereço? – pergunta a atendente, mal-humorada.

Passo o endereço e dali a pouco uma voz robótica recita os dígitos, depois se oferece para repeti-los em espanhol. Desligo e disco o número repassado.

Um primeiro sinal ronrona no meu ouvido.

E o segundo.

O terceiro.

O quar...

– Alô?

É Ethan. Abalado, murcho. Corro os olhos pela fachada lateral da casa, mas não consigo localizá-lo.

– Aqui é a Anna, sua vizinha.

Uma fungada.

– Oi.

– O que está acontecendo por aí? Ouvi um grito.

– Ah. Não, não... – Ele tosse. – Está tudo bem.

– Ouvi alguém gritar. Onde está sua mãe?

– Está tudo bem – repete o garoto. – Ele perdeu a calma, só isso.

– Você precisa de ajuda?

Silêncio.

– Não.

Um sinal zumbe no meu ouvido. Só então percebo que ele desligou.

Do outro lado do parque, a casa olha para mim como se nada tivesse acontecido.

David... Ele disse que trabalharia lá nos Russells hoje. Será que já voltou? Bato na porta do porão, chamando por ele. Por um instante receio que alguma garota abra a porta, com cara de sono, dizendo que ele deve chegar daqui a pouco, pedindo licença para voltar para a cama, obrigada, volte mais tarde.

Ninguém atende.

Será que ele ouviu? Será que *viu*? Ligo para o número dele.

Quatro sinais, longos e preguiçosos, depois um recado genérico gravado: "O número que você discou..." Voz de mulher. Sempre uma voz de mulher. Talvez as vozes femininas sejam mais reconfortantes.

Cancelo a ligação. Corro os dedos pelo celular como se tivesse nas mãos uma lâmpada mágica de onde pudesse sair um gênio para dispensar sua sabedoria, realizar meus desejos.

Jane gritou. Duas vezes. O filho disse que estava tudo

bem. Não posso chamar a polícia; se o garoto não quis se abrir comigo, dificilmente se abriria com um policial uniformizado.

Minhas unhas estão fincadas na palma da mão.

Preciso falar com ele outra vez. Ou melhor, falar com *ela*. Verifico o registro de ligações recentes e pressiono o número dos Russells. Sou atendida quase imediatamente por Alistair e sua agradável voz de tenor.

– Sim?

Respiro fundo.

Olho pela janela. Lá está ele, na cozinha, o celular grudado à orelha. Na outra mão, um martelo. Ele não me vê.

– Aqui é Anna Fox, do 213. Você esteve aqui ont...

– Sim, eu me lembro. Como vai, Anna?

– Bem – respondo, já arrependida de ter ligado. – Ouvi um grito agora há pouco, só queria saber se...

Dando as costas para mim, ele deixa o martelo na bancada da cozinha. O martelo. Teria sido isso que assustou Jane? Alistair leva a mão à nuca como se precisasse fazer um carinho em si mesmo.

– Desculpe, você ouviu o quê? – pergunta ele.

Por essa eu não esperava.

– Um grito? – Não, assim não está bom. Preciso ser mais incisiva. – Um grito. Agora há pouco.

– Um *grito*?

Ele ressalta a palavra com estranheza, como se se tratasse de outro idioma. *Sprezzatura. Shadenfreude. Grito.*

– Sim.

– Onde?

– Na sua casa.

Anda, vira para a janela. Quero ver o seu rosto.

– Deve ter sido... Bem, aqui em casa é que não foi, pode acreditar.

Vejo quando ele abafa um risinho, recostando na parede.

– Mas eu ouvi.

"E seu filho confirmou", penso, mas não vou dizer isso a ele. Talvez isso o deixe exaltado, agressivo.

– Você deve ter ouvido outra coisa. E em outro lugar.

– Não. Tenho certeza que ouvi um grito, vindo daí.

– Só eu e meu filho estamos aqui agora. Eu não gritei. E tenho certeza que ele também não.

– Mas eu *ouvi*...

– Bem, desculpe, mas preciso desligar. Estou esperando outra ligação. Fique tranquila, está tudo bem por aqui. Ninguém gritou, juro.

– Você...

– Tenha um bom dia. Aproveite o sol.

Alistair desliga o telefone, pega o martelo de volta e some com ele no interior da casa.

Atônita, fito o meu celular, como se esperasse dele algum tipo de explicação.

E então, quando olho novamente para a casa dos Russells, vejo Jane descendo os degraus para sair à rua. Ela para um instante e, feito um animal intuindo a presença de predadores, fica observando os dois lados da rua. Só então vai para a calçada e segue caminhando na direção oeste, rumo à avenida, os cabelos brilhando à luz do anoitecer.

VINTE E CINCO

Ele se apoia no batente da porta, a camisa e os cabelos encharcados de suor e apenas um dos fones no ouvido.

– Hein?

– Você escutou aquele grito na casa dos Russells? – repito.

Ouvi quando ele chegou agora há pouco, menos de meia hora após Jane surgir à porta. Nesse meio-tempo, minha Nikon ficou pulando de janela em janela na casa dos Russells, como um perdigueiro farejando o solo em busca de raposas.

– Não, saí há meia hora e fui comer um sanduíche na esquina. – David leva uma ponta da camisa ao rosto e enxuga o suor, deixando à mostra o abdômen definido. – Você ouviu um grito?

– Dois gritos. Sonoros e horríveis. Por volta das seis.

Ele confere as horas no relógio.

– De repente eu até estava lá e não ouvi – diz, apontando para o fone no ouvido. O outro balança junto da perna. – Por causa do Springsteen.

Acho que é a primeira vez que ele revela alguma de suas preferências pessoais, mas o timing não é dos melhores. Continuo com minha investigação.

– O Sr. Russell disse que você não estava lá. Falou que estava sozinho em casa com o filho.

– Então eu já devia ter saído.

– Liguei para você – insisto, quase suplicando.

Ele estranha a informação. Tira o telefone do bolso, confere as chamadas e franze a testa como se o aparelho o tivesse decepcionado.

– Está precisando de alguma coisa?

– Quer dizer então que você não ouviu ninguém gritando?

– Não, não ouvi ninguém gritando.

Me viro para sair.

– E aí, está precisando de alguma coisa? – repete.

Mas já estou a caminho da janela, armada com a minha câmera.

ELE VAI SAIR. A PORTA DA FRENTE SE ABRE E LÁ ESTÁ ELE, descendo rápido os degraus da escada. Na calçada, vira para a esquerda e vem marchando apressadamente na direção da minha casa.

Quando a campainha toca, já estou aguardando junto do interfone. Aperto o botão e ouço quando ele deixa a porta da rua bater às suas costas e atravessa o corredor. Abro a porta interna e deparo com ele ali, no escuro do corredor, os olhos caídos e vermelhos de choro.

– Desculpe – diz Ethan.

– Não precisa se desculpar. Entre.

Ele se dirige para o sofá da sala quando, de repente, resolve seguir para a cozinha.

– Quer comer alguma coisa? – pergunto.

– Não, obrigado. Não posso demorar – responde, o rosto molhado de lágrimas.

Duas vezes esse menino esteve na minha casa; duas vezes ele chorou. Bem, estou acostumada com as birras infantis: o chororô, o berreiro, a criança que esmurra a boneca, a que rasga o livro. Mas, antes, era apenas Olivia que eu podia abraçar. Agora abro os braços para Ethan e, meio desajeitadamente, o garoto se joga neles.

Por um instante, tenho a sensação de que estou abraçando minha filha outra vez: no seu primeiro dia de aula, na piscina durante as férias em Barbados, no silêncio de uma nevasca; o coraçãozinho dela batendo contra o meu, dois instrumentos de percussão ligeiramente descompassados.

Ethan resmunga algo contra o meu ombro.

– Hein?

– Falei que sinto muito – repete ele, desvencilhando-se e secando o nariz com a manga da camiseta. – Sinto muito mesmo...

– Já disse que não precisa se desculpar. – Afasto uma mecha de cabelo que cai sobre meus olhos, depois faço o mesmo por ele. – O que está acontecendo?

– Papai... – Ele se cala. Olha para sua casa através da janela. – Papai estava gritando muito; eu precisava sair de casa.

– E sua mãe, onde está?

Ele funga, seca o nariz mais uma vez.

– Sei lá. – Respirando fundo, olha nos meus olhos e diz: – Desculpe. Ela saiu, não sei para onde foi. Mas está bem.

– Tem certeza?

O garoto espirra e baixa os olhos para o chão. Punch passa entre as pernas dele, roçando suas canelas. Ethan espirra outra vez.

– Desculpe. – Outra fungada. – É o gato. – Ele olha em torno de si, como se estivesse surpreso ao se ver na minha cozinha. – Preciso ir. Papai vai ficar bravo.

– Parece que ele já está bravo.

Afasto uma das cadeiras da mesa, sinalizando para que ele se sente.

Ethan olha para a cadeira, reflete um instante e então volta os olhos para a janela.

– Preciso ir. Aliás, nem devia ter vindo. Eu só...

– Você só precisava sair de casa – termino por ele. – Eu compreendo. Mas você acha que é seguro voltar?

Para minha surpresa, ele dá uma risada, curta e entrecortada.

– Ele fala grosso, só isso. Não tenho medo dele.

– Mas sua mãe tem.

Ele permanece calado.

Até onde posso ver, Ethan não apresenta nenhum dos sintomas mais óbvios de abuso doméstico: não tem marcas de espancamento no rosto nem nos braços; é um garoto extrovertido e aparentemente feliz (embora tenha chorado *duas* vezes, não vamos esquecer); a higiene está em dia. Mas isso é apenas uma impressão, um exame superficial. Afinal, o garoto está aqui na minha cozinha, observando, muito nervoso, a sua casa do outro lado do parque.

Recoloco a cadeira sob a mesa.

– Quero que fique com o meu número de celular – digo.

Ele assente com a cabeça. Um tanto a contragosto, acho, mas tudo bem.

– Você anota para mim? – pede.

– Você não tem um telefone?

– Papai... não deixa. – Fungada. – Também não tenho e-mail.

O que não chega a ser surpreendente. Pego uma receita velha dentro da gaveta e anoto o número no verso. Lá pelo quarto dígito, percebo que estou anotando o número do meu antigo consultório, a linha de emergência que eu reservava para os meus pacientes. "0800-ANNA-AGORA", Ed costumava brincar.

– Desculpe, número errado.

Depois de anotar o correto, ergo a cabeça e encontro Ethan parado à porta da cozinha, olhando para sua casa.

– Você não tem que voltar para lá.

Ele vira para trás. Hesita. Balança a cabeça e diz:

– Preciso ir.

Ele guarda no bolso o papel com o número do meu celular.

– Pode ligar quando quiser. E passe esse número para sua mãe também, por favor.

– Ok.

Ele segue em direção à porta com os ombros empinados, a coluna ereta. Preparando-se para a guerra, acho.

– Ethan?

Ele olha para mim, já com a mão na maçaneta.

– É sério. Ligue quando quiser.

Ele faz que sim com a cabeça e vai embora.

Volto para a janela e fico observando o garoto. Ele atravessa o parque, sobe os degraus até a porta, encaixa a chave na fechadura. Faz uma pausa, enche os pulmões. Depois some dentro de casa.

VINTE E SEIS

DUAS HORAS DEPOIS, APÓS BEBER o que ainda resta do vinho, deixo a garrafa na mesinha de centro e, lentamente, tento levantar do sofá. Quando me vejo de pé, percebo que oscilo um pouco, como o ponteiro de segundos de um relógio.

"Melhor subir para o quarto", penso. "Tomar um banho."

Debaixo do chuveiro, as lembranças dos últimos dias vão inundando meu cérebro: Ethan chorando no sofá; Fielding com seus óculos de alta voltagem; Bina, apertando minha coluna com o joelho; o turbilhão da noite em que Jane veio me visitar. A voz de Ed no meu ouvido. David com o estilete. Alistair: um homem bom, um bom pai. Aqueles gritos.

Derramo um pouco de xampu na palma da mão e esfrego a cabeça automaticamente. A maré vai subindo nos meus pés.

E os comprimidos. Meu Deus, os comprimidos. Fielding já havia alertado desde o início, quando eu ficava meio zonza com os analgésicos: "São psicotrópicos muito fortes, Anna. Use com responsabilidade."

Apoiando as mãos na parede, baixo a cabeça sob a água e deixo o rosto sumir na caverna escura dos cabelos. Algo está acontecendo comigo, através de mim, algo perigoso e novo. Uma planta venenosa que já criou raízes e agora está crescendo, se expandindo, enroscando-se na minha cintura, apertando meus pulmões e meu coração.

– Os comprimidos – digo, a voz abafada pela água como se falasse durante um mergulho.

Uso os dedos para desenhar hieróglifos no vidro embaçado do boxe. Limpo os olhos, me afasto um pouco e vejo que escrevi, de cima a baixo na porta, o nome de Jane Russell.

QUINTA-FEIRA,
4 de novembro

VINTE E SETE

ELE ESTÁ DEITADO DE COSTAS. Corro um dedo sobre os pelos pretos que dividem seu torso, desde o umbigo até o peito.

– Gosto do seu corpo – confesso.

Ele suspira. Depois sorri e diz:

– Pare com isso.

E, enquanto minha mão passeia pelas curvas do seu pescoço, ele vai catalogando cada um dos seus defeitos: a pele ressecada que transforma as costas numa lixa; a verruga entre as escápulas, solitária feito um esquimó perdido na imensidão do Ártico; a unha torta do polegar; os ossos salientes dos punhos; a cicatriz minúscula e esbranquiçada que parece desenhar um hífen entre as narinas.

Faço um carinho nela e o mindinho escorrega para dentro do nariz. Ele ri.

– Essa cicatriz... como é que ela foi parar aí? – pergunto.

Enroscando uma mecha dos meus cabelos nos dedos, ele conta:

– Um primo.

– Nem sabia que você tinha um primo.

– Tenho dois. Esse era Robin. Ele encostou uma gilete no meu nariz, falando que ia cortar para que eu ficasse com uma narina só. Quando fiz que não com a cabeça, me feri com a gilete.

– Santo Deus.

– Pois é. Se eu tivesse feito que sim com a cabeça, essa cicatriz não estaria aí.

– Quantos anos você tinha? – questiono, rindo.

– Ah, isso foi terça-feira passada.

Dou uma sonora gargalhada. Ele também.

Quando acordo, o sonho me escapa. Na verdade, a memória do sonho me escapa. Tento pegá-la de volta, mas já é tarde.

Passo a mão pela testa na esperança de que isso tenha algum efeito sobre a ressaca. Jogo as cobertas para o lado e vou despindo a camisola enquanto caminho para a cômoda. No relógio da parede, um bigode preto com as pontas espetadas para cima informa: 10h10. Dormi doze horas seguidas.

No dia de ontem aconteceu uma briga doméstica; algo desagradável, mas não incomum. Foi isso que ouvi. Ou melhor, entreouvi. E nada disso é da minha conta. "Talvez Ed tenha razão", penso enquanto desço para o escritório.

Claro que Ed tem razão. "Muita agitação", disse ele. É verdade. Agitação *demais*. Tenho dormido demais, bebido demais, pensado demais. Tudo demais. *Trop*. Será que também me envolvi tanto assim com os Millers quando eles chegaram, no último mês de agosto? Bem, eles nunca vieram me visitar, mas ainda assim eu estudava a rotina deles, observava seus movimentos e os rastreava como se fossem tubarões em alto-mar. Portanto, não é que os Russells sejam particularmente interessantes. É que eles estão particularmente próximos.

Estou preocupada com Jane. E com Ethan. "Ele perdeu a calma, só isso." Se é que um dia esse homem teve alguma calma para perder. Mas não posso chamar, por exemplo, o Serviço de Proteção à Criança e ao Adolescente; não tenho prova de nada. A esta altura dos acontecimentos, isso atrapalharia mais do que ajudaria. Disso eu sei.

Meu telefone toca.

É tão raro isso acontecer que por um instante fico confusa. Olho pela janela como se tivesse ouvido um passarinho piar. O celular não está no bolso do roupão; ouço quando ele se manifesta novamente em algum lugar lá em cima. Quando enfim subo para o quarto e encontro o aparelho jogado no meio das cobertas, na cama, a pessoa já desligou.

O identificador de chamadas informa: Julian Fielding. Ligo de volta.

– Alô?

– Bom dia, Dr. Fielding. Você acabou de me ligar.

– Oi, Anna.

– Oi, bom dia.

Minha cabeça lateja com a profusão de cumprimentos.

– Liguei porque... Espere só um minuto. – A voz some, depois volta bruscamente no meu ouvido. – Estou num elevador. Liguei apenas para saber se você mandou fazer a sua receita.

Receita? Que receita? Ah, sim, a entrega que Jane recebeu por mim quando estava aqui.

– Fique tranquilo. Mandei, sim.

– Ótimo. Espero que não esteja brava comigo por eu ficar assim no seu pé, como se você fosse uma criança.

Claro que estou.

– Claro que não.

– Daqui a pouco você vai começar a sentir os efeitos.

Sinto na sola dos pés a aspereza do sisal que reveste os degraus da escada.

– Resultados rápidos. Ótimo.

– Eu diria "efeitos", mais do que "resultados".

"O tipo do cara que sai do chuveiro para mijar na privada", diria Ed.

– Não se preocupe – digo, descendo para o escritório. – Vou dando notícias.

– Fiquei preocupado depois da nossa última sessão.

Silêncio.

– Eu...

Não. Não sei o que dizer.

– Minha esperança é que essa mudança no seu medicamento seja benéfica.

Continuo calada.

– Anna?

– Claro, claro, tomara que sim.

A voz dele some outra vez.

– Alô?

Segundos depois ela volta, altíssima:

– Esses comprimidos não podem ser misturados com álcool, ok?

VINTE E OITO

Na cozinha, engulo meus remédios com uma taça de Merlot. Entendo a preocupação de Fielding, juro que entendo; sei perfeitamente que o álcool é um agente depressivo, portanto pouco recomendado para os deprimidos. Aliás, até já *escrevi* sobre o assunto: "Efeitos do consumo excessivo de álcool sobre a depressão juvenil", *Journal of Pediatric Psychology* (volume 37, número 4), coautoria de Wesley Brill. Se necessário, posso até citar nossas conclusões. Como dizia Bernard Shaw: "Frequentemente cito a mim mesmo; isso torna a conversa mais interessante." Dele também: "O álcool é um anestésico que nos permite enfrentar a cirurgia da vida." O velho e sábio Shaw.

Assim sendo, Fielding que me desculpe. Esses remédios não são antibióticos. Além disso, faz quase um ano que misturo todos eles com álcool, e olha só como estou.

Meu laptop toma o seu solzinho na mesa da cozinha. Levanto a tampa dele e entro no Ágora. Encaminho dois novos recrutas para a minha listinha de primeiros socorros, depois dou os meus pitacos em mais uma discussão sobre os medicamentos em circulação no mercado. ("Nenhum deles deve ser misturado com álcool", alerto.) A certa altura, olho rapidamente para a casa dos Russells. Lá está Ethan, debruçado sobre o computador (entretido com algum game, suponho, ou escrevendo algo; seja lá o que for, não está navegando na internet), e na sala está Alistair, sentado com um tablet no colo. Uma família do século XXI. Nenhum sinal de Jane, mas tudo bem. Nada disso é da minha conta. Agitação demais.

– Tchauzinho, família Russell – digo, voltando minha atenção para a televisão.

À meia-luz – Ingrid Bergman, mais linda do que nunca, gradualmente perdendo a sanidade mental.

VINTE E NOVE

Lá pelo meio da tarde, estou novamente no Ágora quando entra GrannyLizzie: o ícone ao lado do nome dela se transforma num *smiley face*, como se participar desse fórum fosse um grande prazer, uma grande diversão. Dessa vez, sou eu quem vai puxar conversa.

thedoctorisin: Olá, Lizzie.
GrannyLizzie: Dra. Anna! Olá!
thedoctorisin: Como está o tempo aí em Montana?
GrannyLizzie: Chuvoso. O que não é nada mau pra quem gosta de ficar em casa como eu!
GrannyLizzie: E o tempo em Nova York, como está?
GrannyLizzie: Será que é muito caipira da minha parte escrever Nova York em vez de NYC?
thedoctorisin: Escreva o que quiser! Aqui está ensolarado. Como você tem passado?
GrannyLizzie: Pra falar a verdade, hoje está mais difícil do que ontem. Pelo menos até agora.

Tomo um gole de vinho e o deixo rodopiar na boca.

thedoctorisin: É normal. O progresso raramente se dá em linha reta.

GrannyLizzie: Já deu pra notar! Os vizinhos agora estão trazendo minhas compras de mercado.

thedoctorisin: Que bom que você tem pesoas tão prestativa por perto pra te ajudar.

Dois erros de digitação. Mais de duas doses de vinho. Até que não está mau, concluo. Dou mais um gole e digo:

– Nada mau, Anna Fox.

GrannyLizzie: MAS: A grande novidade é que... meus filhos vêm me visitar no sábado. Tomara que eu consiga sair com eles, pelo menos um pouco. Isso seria muito, muito bom.

thedoctorisin: Não seja muito severa com você mesma. Se não conseguir dessa vez, vai conseguir da próxima.

Pausa.

GrannyLizzie: Sei que a palavra não é apropriada, mas é difícil eu não ficar me sentindo uma "aberração".

Realmente a palavra não é apropriada, e pesa no meu coração. Esvazio a taça na boca, arregaço as mangas do roupão e... mãos à obra.

thedoctorisin: Você NÃO É uma aberração. É uma vítima das circunstâncias. Não é nada fácil, isso que você está passando. Faz dez meses que estou t rancada em casa, sei como é difícil. Me promete uma coisa: NUNCA pense em você como uma aberração, como umafracassada ou como qualquer outra coisa que não seja uma guerreira, uma pessoav alente o bastante pra pedir ajuda. Seus filhos devem ter ogrulho de você. Aliás, você também.

Fin. Não é exatamente poesia. Nem mesmo uma prosa decente. Por mais que os dedos escorregassem no teclado, fui sincera em cada palavra digitada. Absolutamente sincera.

GrannyLizzie: Isso é maravilhoso.
GrannyLizzie: Obrigada.
GrannyLizzie: Não é à toa que você é psicóloga. Sabe direitinho o que dizer, e como dizer.

Sinto o sorriso brotar nos meus lábios.

GrannyLizzie: Você tem uma família também?

O sorriso vai embora.

Antes de responder, me sirvo de mais uma taça de vinho e quase deixo transbordar. Preciso baixar a cabeça para dar o primeiro gole sem derramar. Um fiapo da bebida escorre pelo meu queixo, caindo no roupão, e a coisa só piora quando esfrego a mancha no tecido felpudo. Ainda bem que Ed não está por perto para ver. Ainda bem que ninguém está por perto.

thedoctorisin: Tenho sim, mas não moramos juntos.
GrannyLizzie: Por que não?

Boa pergunta. Por que não, Anna? Por que sua família não mora com você? Levo a taça à boca, volto com ela para a mesa. A cena se desdobra à minha frente como um leque japonês: os amplos descampados de neve, o hotelzinho tipo cartão-postal, a antiquíssima máquina de fazer gelo.

E, para minha grande surpresa, começo a contar minha história.

TRINTA

Havíamos decidido nos separar dez dias antes. Esse é o começo de tudo, o era-uma-vez. Bem, para sermos justos, ou sinceros, Ed havia decidido, e eu, a princípio, concordado. Confesso que jamais tinha imaginado que isso pudesse mesmo acontecer, nem quando ele chamou o corretor. Levei um susto.

Quanto ao porquê, isso não é nada que Lizzie precise se preocupar. Ou como insistiria Wesley: nada *com* que Lizzie precise se preocupar. Wesley era muito rigoroso com as regências verbais. Imagino que ainda seja. Mas o porquê não é importante, pelo menos não aqui. Quanto ao onde e ao quando, tudo bem, isso eu posso contar.

Vermont e dezembro passado, respectivamente, quando acomodamos Olivia no banco traseiro do Audi e caímos na estrada, saindo de Manhattan pela Henry Hudson Bridge. Duas horas depois, já atravessando o norte do estado de Nova York, deixamos a autoestrada para seguir viagem pelas "estradinhas vicinais", como Ed gostava de dizer. "Com muitas lanchonetes e panquecas no meio do caminho", prometeu ele a Olivia.

– Minha mãe não gosta de panqueca – disse ela.

– Mas pode comprar alguma coisa nas lojinhas de artesanato.

– Esta mãe aqui não gosta de artesanato – informei.

Mas, para nossa surpresa, quase não há lanchonetes com lojinhas de artesanato nas vicinais de Nova York. Na mais litorânea delas, finalmente encontramos uma IHOP, a tradicional rede americana de panquecas, onde Olivia quase afogou seus waffles em xarope de bordo (caseiro, se acreditarmos no cardápio) enquanto Ed e eu trocávamos farpas com o olhar. Do lado de fora, uma nevezinha fina começava a cair, os flocos investindo contra o vidro das janelas feito camicases, Olivia maravilhada, apontando para eles com o garfo.

– Vai ter muito mais lá em Blue River – falei, baixando o garfo dela com o meu.

Blue River era nosso destino final, uma estação de esqui no meio de Vermont que uma amiguinha de Olivia já havia visitado. Na realidade, uma colega de escola, não uma amiga.

De volta ao carro, de volta à estrada. Ed e eu quase não falávamos nada. Ainda não tínhamos contado a Olivia sobre a separação. Eu argumentara que não era o caso de estragar as férias dela com uma notícia daquelas, e ele concordara. Pelo bem da menina, seguraríamos as pontas por mais um tempo.

Portanto foi nessa mudez que seguimos adiante, passando por um sem-fim de campos e bosques, por riachinhos semicongelados e vilarejos perdidos no mapa, encarando até mesmo um princípio de nevasca na fronteira com Vermont. Lá pelas tantas, Olivia começou a cantarolar "Over the Meadow and Through the Woods" e eu fiz o que pude, embora sem grande sucesso, para contribuir com uma segunda voz.

– Você não vai cantar, papai? – disse ela, mais implorando do que perguntando.

Ela sempre foi mais de pedir que de ordenar. O que é incomum em se tratando de uma criança. De adultos também, aliás.

Ed limpou a garganta e começou a cantar.

Foi apenas quando chegamos às Green Mountains (escápulas enormes brotando do chão) que ele começou a relaxar um pouco. Olivia mal podia acreditar nos próprios olhos.

– Nunca vi *nada* igual! – exclamou ela, ofegante.

Fiquei me perguntando onde ela poderia ter ouvido essas palavras.

– Você gosta de montanhas? – perguntei.

– Parecem um cobertor amarrotado.

– Parecem mesmo.

– Como a cama de um gigante.

– A cama de um gigante? – repetiu Ed.

– É. Como se tivesse um gigante dormindo debaixo do cobertor. Por isso é que ele está amarrotado.

– Amanhã você vai esquiar numa dessas montanhas – prometeu Ed, fazendo uma curva fechada. – A gente sobe, sobe, sobe de teleférico, depois desce, desce, desce esquiando na montanha.

– Sobe, sobe, sobe – repetiu ela.

– É isso aí.

– Desce, desce, desce.

– Isso.

– Aquela ali parece um cavalo. Está vendo as orelhas? – disse ela, apontando para dois picos salientes no horizonte.

Olivia estava naquela idade em que tudo lembrava um cavalo.

– Liv, se você tivesse um cavalo, que nome ia dar a ele? – perguntou Ed, rindo.

– Mas nós *não vamos* comprar um cavalo – fui logo explicando.

– Chamaria ele de Vixen.

– Mas *vixen* é uma raposa – observou Ed.

– Porque ele ia ser rápido que nem uma raposa.

Bem pensado.

– E você, mãe, ia dar que nome?

– Você não prefere me chamar de "mamãe"?

– Ok.

– Ok?

– Ok, mamãe.

– Eu chamaria meu cavalo de Of Course, Of Course.

Olhei para Ed. Nada.

– Por quê? – perguntou Olivia.

– É de uma canção da TV.

– Que canção?

– De um programa antigo, sobre um cavalo que falava.

– Um cavalo que falava? – estranhou ela, franzindo o narizinho. – Muito bobo.

– Concordo.

– Papai, que nome você ia dar?

Ed olhou pelo espelho retrovisor e disse:

– Também gosto de Vixen.

– Uau! – disse Olivia, assim que olhou pela janela.

Porque agora estávamos ladeando um abismo, um grande vazio escavado na terra com um tapete de pinheiros na base e fiapos de neblina pairando no ar. Íamos tão próximos da borda que a impressão era a de que estávamos flutuando. Ou de que estávamos no topo do mundo.

– Quantos metros até lá embaixo? – quis saber Olivia.

– Muitos – respondi. E para Ed: – Dá para reduzir um pouquinho?

– Reduzir o quê?

– A velocidade, ora.

Ele desacelerou ligeiramente.

– Mais um pouco, pode ser?

– Não precisa, não tem perigo.

– Mas dá medo – falou Olivia, choramingando e tapando os olhos com as mãos.

Ed enfim diminuiu a velocidade. Virando para trás, falei para Olivia:

– Não olhe para baixo, meu amor. Olhe para a mamãe.

Ela obedeceu, me encarando com os olhos arregalados. Apertei a mãozinha dela entre as minhas e disse:

– Não precisa ter medo, filha. Basta olhar para a mamãe.

Nossa reserva era em um hotelzinho chamado Fisher Arms, nas imediações de Two Pines, a cerca de meia hora da estação de esqui. "O melhor entre os albergues históricos de toda Vermont", era o que estava orgulhosamente escrito no site do hotel. E belas fotos mostravam muitas lareiras acesas, muitas janelas salpicadas de neve.

Deixamos o carro no pequeno estacionamento. Línguas de gelo desciam dos beirais do telhado. O saguão tinha a decoração rústica da Nova Inglaterra: pé-direito alto, móveis elegantemente velhos, chamas dançando numa das fotogênicas lareiras do site. A recepcionista, uma loura gordinha chamada Marie, nos entregou a ficha de hóspedes e ficou arrumando as íris de um vaso sobre o balcão enquanto preenchíamos as informações pedidas. Logo, logo perguntaria se tínhamos vindo para esquiar.

– Vieram para esquiar?

– Viemos – respondi. – Em Blue River.

– Que bom que conseguiram chegar – observou a moça, sorrindo para Olivia. – Tem uma nevasca vindo por aí.

– Uma Nor'easter? – perguntou Ed, tentando ostentar sua familiaridade com a região.

Marie abriu um sorriso duro, então explicou:

– Na verdade, senhor, Nor'easter é um ciclone sem áreas litorâneas.

Ed só faltou cavar um buraco no chão para sumir dentro dele.

– Ah – foi só o que ele disse.

– O que vem por aí é só uma tempestade normal. Mas vai ser das grandes. Não esqueçam de travar as janelas antes de dormir.

Antes que eu pudesse perguntar por que diabo as janelas ainda não estavam travadas, uma semana antes do Natal, Marie nos entregou a chave do quarto e nos desejou uma boa estadia.

Arrastamos nossas malas corredor afora (entre as "muitas cortesias" oferecidas pelo Fisher Arms não estavam incluídos os serviços de um carregador) e entramos na nossa suíte. Gravuras de faisão ladeavam a lareira. Cobertores se empilhavam ao pé das camas como bolos de muitas camadas. Olivia foi direto para o banheiro, deixando a porta aberta; tinha medo de ficar sozinha em banheiros que não conhecia.

– É bonito aqui – falei.

– E o banheiro, Liv? – quis saber Ed. – É bom?

– É frio.

– Qual das camas você prefere? – perguntou-me ele.

Nas viagens de férias, costumávamos dormir em camas separadas para que Olivia não nos espremesse quando viesse dormir do nosso lado, como sempre fazia. Havia noites em que ela pulava de uma cama para outra, alternando entre a mãe e o pai. Nessas ocasiões, Ed costumava chamá-la de Pong, uma singela homenagem àquele jogo de Atari em que uma bola era rebatida por dois traços.

– Pode ficar com essa aí, perto da janela – respondi. – Não esquece de travar antes de dormir.

Abri minha mala e comecei a desfazê-la. Ed jogou a dele na cama e, tão mudo quanto eu, foi tirando suas coisas. Do outro lado da janela, cortinas de neve dançavam de um lado para outro, cinzentas ou brancas contra a luz do anoitecer.

A certa altura, Ed arregaçou uma das mangas da camisa, coçou o antebraço e começou a dizer:

– Sabe...

Antes que ele pudesse continuar, Olivia deu descarga na privada e voltou saltitando para o quarto.

– Que horas a gente vai esquiar?

O JANTAR SE RESUMIRIA AOS SANDUÍCHES e sucos de caixinha que eu havia trazido de casa. Também trouxera uma garrafa de Sauvignon Blanc, mas àquela altura era bem provável que o vinho já tivesse esquentado entre as blusas de lã onde estava alojado. Ed gostava de vinho branco sempre "muito seco e muito gelado", como costumava dizer aos garçons. Liguei para a recepção e pedi gelo.

– Tem uma máquina de gelo no corredor, logo depois do quarto em que vocês estão – disse Marie. – Se a tampa estiver emperrada, é só forçar um pouquinho.

Peguei o balde de gelo em cima do minibar que ficava debaixo da televisão, saí para o corredor e não demorei para localizar a máquina Luma Comfort que ronronava alguns passos à minha direita.

"Isso é nome de colchão", falei com meus botões.

A tampa realmente estava emperrada, mas bastou um empurrão mais forte para que ela deslizasse para cima e deixasse escapar uma nuvem gelada, tão branca e densa quanto o hálito das pessoas em comerciais de chiclete de hortelã. Não havia nenhuma pá à vista, então fui obrigada a encher o balde com minhas próprias mãos, o gelo grudando nos dedos e queimando a pele. Nada confortável para algo que tinha Comfort no nome.

Foi assim que Ed me encontrou, as duas mãos enterradas no gelo.

Ele surgiu de repente ao meu lado e se recostou na parede. Por um instante fingi que não o tinha visto: continuei olhando para a máquina como se fascinada por ela, retirando meu gelo. Queria que ele fosse embora dali. Queria que ele me desse um abraço.

– Está se divertindo aí?

Só então virei para trás, mas não me dei o trabalho de fingir susto ou surpresa.

– Escute... – prosseguiu ele.

Completei a frase mentalmente: "Escute, que tal repensarmos essa história de separação?" Ou até mesmo: "Acho que me precipitei."

Mas o que ele realmente disse foi:

– Não quero fazer as coisas dessa maneira.

– Fazer o quê? – perguntei, jogando mais um punhado de gelo no balde, o coração saltando dentro do peito. – Fazer o quê? – repeti.

– *Isto* – respondeu, quase com raiva, apontando para o hotel à nossa volta. – Essa farsa toda... a família feliz viajando de férias... abrindo presentes na manhã de Natal...

Faltava pouco para que meu coração parasse por completo. Os dedos queimavam.

– O que você quer? Contar para ela agora mesmo?

Ele não disse nada.

Com o balde apoiado na cintura, tentei baixar a tampa da máquina, mas ela emperrou no meio do caminho. Ed se adiantou para ajudar e deu o puxão que estava faltando, mas com isso deixei o balde cair no chão, espalhando gelo por todo o carpete do corredor.

– Droga!

– Deixa pra lá. Não quero beber nada – declarou ele.

– Eu quero.

Ajoelhei para recolher as pedras de gelo e Ed ficou olhando.

– O que você pretende fazer com esse gelo sujo? – questionou.

– O que você quer? Que eu deixe tudo aqui? Derretendo no tapete?

– Sim.

Fiquei de pé, deixei o balde em cima da máquina.

– Tem certeza de que quer conversar agora?

Ed suspirou e disse:

– Não vejo motivo para a gente...

– Porque já estamos *aqui* – falei, apontando para a nossa suíte. – E já que estamos...

– Fiquei pensando nisso.

– Você anda pensando muito ultimamente.

– Pensei que... – começou a dizer, mas se calou de repente.

Uma porta se abriu às minhas costas no corredor. Ao me virar, deparei com uma mulher caminhando na nossa direção. Ela deu um sorriso tímido ao se aproximar, depois desviou o olhar e seguiu rumo ao saguão, tomando cuidado para não pisar nos cubos de gelo espalhados pelo chão.

– Pensei que talvez você preferisse iniciar o processo de cura imediatamente. Isso é o que você falaria para os seus pacientes.

– Não faça isso. Não venha me dizer o que eu falaria para os meus pacientes.

Ele permaneceu calado.

– Eu jamais falaria isso para uma criança.

– Mas para os pais, sim.

– *Por favor*, Ed. *Não* me diga o que eu falaria ou deixaria de falar.

Mais silêncio.

– Além disso, até onde ela é capaz de compreender as coisas, não há nada para ser curado.

Ed suspirou de novo e ficou brincando com o balde a seu lado.

– A verdade é que... não vou segurar essa onda por muito tempo – declarou.

Eu podia ver o peso nos olhos dele, podia notar sua fisionomia carregada. Então baixei os olhos para o chão, para o gelo que já começava a derreter. Ficamos mudos. Mudos e imóveis. Eu não sabia o que dizer. Até que ouvi minha própria voz falando baixinho:

– Depois não vá me culpar quando ela ficar arrasada.

Silêncio.

– A culpa é sua, sim, Anna – sussurrou ele, ainda mais baixo que eu. Respirou fundo. – Antes eu via você como uma pessoa meiga...

Me preparei para o que estava por vir.

– Mas, neste exato momento, mal consigo olhar para você.

Fechei os olhos, inalando o cheiro de carpete molhado. E o que me veio à cabeça não foi o dia do nosso casamento nem o dia do nascimento de Olivia, mas aquela manhã em que colhemos cranberries nos mangues de Nova Jersey – Olivia gritando e gargalhando no seu macacãozinho impermeável, lambuzada de filtro solar; vento nenhum para nos refrescar, o sol de setembro castigando nossas cabeças; um oceano de frutinhas vermelhas à nossa volta. Ed com as mãos cheias e os olhos brilhando de tanta alegria; eu puxando nossa filha pela mãozinha suada. Lembro da água que batia na nossa cintura, e para mim era como se ela se misturasse ao sangue em minhas veias para inundar meu coração e meus olhos.

Ergui a cabeça e fitei Ed e aqueles seus olhos escuros. "Não vejo nada de mais nos meus olhos", disse ele no nosso segundo encontro como namorados. Mas para mim eles eram lindos. Ainda são.

Ele me encarou de volta, a máquina de gelo zumbindo entre nós.

Depois fomos juntos conversar com Olivia.

TRINTA E UM

thedoctorisin: Depois fomos juntos conversar com Olivia.

Pausa para reflexão. O que mais ela gostaria de saber? Até onde vou conseguir continuar com isso, com este confessionário? Meu coração já está doendo.

Um minuto se passa sem nenhuma resposta de Lizzie. Fico me perguntando se não reabri alguma ferida dela com minha história. Eu aqui, falando de separação quando ela perdeu o marido para a morte. Também cogito se...

GrannyLizzie saiu do chat.

Fico olhando para a tela do computador.

Agora vou ter que relembrar sozinha o resto da história.

TRINTA E DOIS

"Você não se sente muito sozinha aqui?"

A pergunta me arranca do sono. Uma voz masculina, monocórdia. Tento descolar as pálpebras.

"Já nasci sozinha, acho."

Agora uma mulher. Um contralto aveludado.

Luzes e sombras tremulam à minha frente. Um filme: *Prisioneiro do passado*. Bogie & Bacall sentados de frente um para o outro, trocando olhares lânguidos.

"É por isso que você gosta de frequentar tribunais de justiça?"

Na mesinha de centro ainda estão os resquícios do meu jantar: duas garrafas vazias de Merlot, quatro frascos de comprimido.

"Não. Fui ao julgamento porque o seu caso é muito parecido com o do meu pai."

Dou um tapa acidental no controle remoto ao meu lado.

"Sei que não foi ele quem matou minha madrast..."

A televisão apaga, a sala fica escura.

Será que bebi além da conta? Claro. Duas garrafas inteiras. Sem contar as do almoço. Isso é... muito além da conta. Não há como negar.

Mais os remédios. Será que tomei a dosagem correta hoje de manhã? Será que tomei a *medicação* correta? Sei que ando meio displicente. Não é à toa que o Dr. Fielding acha que estou piorando.

– Que *vergonha*, mulher – digo a mim mesma.

Dou uma olhada nos frascos. Um deles está quase vazio: apenas duas cápsulas idênticas jazem no fundo, duas balas de revólver, uma de cada lado.

Meu Deus. Estou completamente bêbada.

Ergo a cabeça e olho pela janela. Está escuro na rua, a noite já vai longe. Olho em volta à procura do celular, mas não o encontro. O relógio de chão parece me vigiar do canto da sala, tiquetaqueando como se quisesse chamar minha atenção. Dez para as dez.

– Dez pras dez... – digo em voz alta. Não dá muito certo. Tento "nove e cinquenta". – Nove e cinquenta. – Bem melhor. – Obrigada – digo para o relógio, e ele me encara de volta, todo metido a besta.

Vou tropeçando na direção da cozinha. "Você tropeçou porta afora..." Não foi assim que Jane Russell me descreveu, se referindo ao dia em que os pestinhas me atacaram com ovos? Tropeço. O mordomo compridão de *A Família Addams*. Olivia adora a musiquinha de abertura. *Tanananã, snap, snap.*

Diante da pia, aproximo a cabeça da bica, abro a torneira e abocanho o jato d'água para saciar a sede. Seco o rosto com a mão, depois me arrasto de volta para a sala.

Meus olhos escorregam na direção da casa de Jane Russell: lá está o halo fantasmagórico do computador de Ethan, o garoto debruçado em sua escrivaninha. Lá está a cozinha vazia. Lá está a sala deles, radiante e iluminada. E lá está Jane em seu pequeno sofá, o branco-neve da blusa contrastando com as listras vermelhas do estofamento. Aceno um olá com a mão. Ela não me vê. Aceno de novo.

De novo ela não me vê.

Um pé, o outro, depois o primeiro. Depois o outro... não vamos nos esquecer do outro. Desabo no sofá, deixo a cabeça pender sobre o ombro. Fecho os olhos.

O que será que deu em Lizzie? Será que eu disse algo que não devia? Sinto a testa franzir.

O mangue de cranberries reaparece na minha frente, cintilante, vago. Olivia segura minha mão.

O balde de gelo despenca para o chão.

Vou ver o resto do filme.

Abro os olhos, desenterro o controle remoto das profundezas do sofá. Os alto-falantes sopram a música de um órgão, e lá está Bacall, olhando com ar de ironia por sobre o ombro.

"Tudo vai dar certo", afirma ela. "Fique tranquilo, cruze os dedos." A cena da cirurgia plástica. Bogie dopado na mesa, lembranças circulando em torno dele feito fantasmas num carrossel macabro. O órgão continua chorando. O médico diz: "A anestesia já está em sua corrente sanguínea." Agnes Moorehead bate na lente da câmera: "Me deixe entrar! Me deixe entrar!" O taxista acende seu isqueiro: "Fogo?"

Olho de novo para a janela, para a casa dos Russells. Jane ainda está na sala, agora de pé, gritando algo que não dá para ouvir.

Sento no sofá. Agora vêm as cordas, muitas delas sobre a base do órgão. Não consigo ver a pessoa com quem ela está gritando: a fachada da casa esconde o resto do cômodo.

"Fique tranquilo, cruze os dedos."

Ela realmente está gritando, o rosto está vermelho. Minha Nikon espera na bancada da cozinha.

"A anestesia já está em sua corrente sanguínea."

Fico de pé, pego a câmera e vou para a janela.

"Me deixe entrar! Me deixe entrar! *Me deixe entrar!*"

Recosto na vidraça, ergo a câmera para o olho. Um borrão escuro e então Jane ressurge na lente, meio embaçada. Ajusto o foco, e agora a enxergo com muita nitidez, vejo até o reflexo da luz em seu pingente de ouro. Os olhos estão apertados, a boca escancarada. Ela fura o ar com o dedo em riste. "Fogo?" Mais um golpe do dedo. Uma mecha dos cabelos escorregou para o rosto, cobrindo uma das faces.

Dou um zoom, mas de repente ela vai para a esquerda e some de vista.

"Fique tranquilo."

Viro para a televisão. Bacall de novo, quase ronronando.

– Cruze os dedos – digo junto com ela.

Novamente olho para a janela e ergo a Nikon. Jane está lá outra vez, mas agora pisando de um jeito estranho, hesitante. A blusa branca tem uma mancha escura na altura do peito, uma mancha vermelha que aos poucos vai crescendo e se espalhando pela barriga. Jane fecha as mãos junto ao tórax. Algo parecido com o cabo de uma faca escapa delas.

É o cabo de uma faca.

O sangue agora mancha o pescoço dela também. A boca amolece. Jane franze a testa como se estivesse confusa, depois solta uma das mãos do cabo da faca, erguendo-a na direção da janela.

Está apontando diretamente para mim.

Deixo a câmera cair e ela bate na lateral da minha perna, a alça apertando meus dedos.

Jane apoia o antebraço na vidraça da janela, suplicando ajuda com os olhos arregalados, dizendo algo que não consigo ouvir nem ler nos lábios dela. O tempo parece congelar quando ela apoia a mão na janela e aos poucos vai caindo de joelhos no chão, deixando um rastro de sangue no vidro.

Congelo junto com o tempo. Não consigo me mexer.

Tudo é silêncio à minha volta. Tudo é silêncio no mundo.

E de repente o tempo volta a correr. Rapidamente me desvencilho da câmera e corro para a cozinha. Bato com o quadril na quina da mesa, tropeço até o telefone fixo da bancada e ligo o aparelho. Mas ele está mudo. Completamente mudo. Tenho a vaga lembrança de que David já havia alertado: "Ele não está nem plugado..."

David.

Largo o telefone e corro para a porta do porão. Grito o nome dele, uma, duas, três vezes. Balanço a porta, girando a maçaneta sem parar.

Nada.

Disparo escada acima para buscar o celular; esbarro na parede, tropeço no último degrau e vou engatinhando até o escritório. Vasculho minha mesa. Nenhum celular à vista. Posso jurar que o tinha deixado ali.

Skype.

Com as mãos trêmulas, agito o mouse para ressuscitar o computador. Dois cliques no ícone do Skype, mais dois cliques, espero o sinal da linha, disco o número da emergência. Um triângulo vermelho aparece na tela: O SKYPE NÃO FAZ LIGAÇÕES DE EMERGÊNCIA. NÃO É UM SUBSTITUTO PARA OS SERVIÇOS NORMAIS DE TELEFONIA.

– Skype desgraçado! – grito.

Corro de volta ao corredor, corro escada abaixo, corro para o quarto.

Na mesinha de cá da cama: taça de vinho, porta-retratos; na mesinha de lá: dois livros, óculos de leitura.

Minha cama... Será que deixei a porcaria do celular na cama outra vez? Agarro as cobertas com ambas as mãos, puxando-as com toda a força.

O aparelho alça voo feito um míssil.

Salto para pegá-lo, mas ele escapa da minha mão e vai parar debaixo da poltrona. Deito para pegá-lo, depois digito a senha. Ele estremece. Senha errada. Tento outra vez. O dedo está suado, escorregando sobre o monitor. Finalmente consigo abrir o menu de aplicativos. Clico sobre o ícone do telefone, abro o teclado, ligo para a emergência.

– Serviço de emergência, em que posso ajudar?

– Minha vizinha... – digo, imóvel pela primeira vez nos últimos noventa segundos. – Ela foi... esfaqueada. Meu Deus... Por favor, venham depressa.

– Calma, senhora – pede o atendente com um sotaque sulino, calmíssimo do outro lado da linha, talvez para dar o exemplo. Chega a ser aflitivo. – O seu endereço, por favor.

Preciso espremer o cérebro para tirar o maldito endereço de lá. Pela minha janela posso ver a sala iluminada dos Russells, o arco de sangue desenhado na janela deles parecendo uma pintura de guerra.

Ele repete o endereço.

– Isso, isso.

– A senhora disse que sua vizinha foi esfaqueada?

– *Sim!* Depressa, ela está sangrando...

– Hein?

– *Venha depressa!*

Por que será que ele não está cooperando? Respiro pela boca, engasgando com o ar.

– O socorro já está a caminho. Mas a senhora precisa se acalmar. Seu nome, por favor?

– Anna Fox.

– Ok, Anna. O nome da sua vizinha?

– Jane Russell. Haja paciência...

– A senhora está ao lado dela neste momento?

– Não. Ela está do outro... está na casa que fica do outro lado do parque.

– Anna, por acaso foi...

As palavras dele vão gotejando com a lentidão do mel. Que serviço de emergência é esse que contrata um atendente tão lerdo? Olho para baixo quando algo varre minhas canelas. É Punch, o gato, roçando minhas pernas.

– Hein?

– Foi a senhora que esfaqueou sua vizinha?

No reflexo da vidraça posso ver meu queixo caído.

– *Não!*

– Ok.

– Eu estava olhando pela janela e *vi quando ela foi esfaqueada.*

– Certo. Sabe dizer quem esfaqueou sua vizinha?

Continuo olhando para a casa dos Russells. A sala agora está um andar abaixo de onde estou, mas não vejo nada no chão que não seja o tapete de estampa floral. Firmo as pernas para não desabar, estico o pescoço para ver melhor.

Nada.

Dali a pouco, no entanto, uma mão surge no parapeito da janela, a cabeça que um soldado ergue cautelosamente para espiar acima da trincheira. Os dedos tateiam o vidro, abrindo riscos na mancha de sangue.

Jane ainda está viva.

– Senhora?

Mas a esta altura já estou longe, o celular caído no chão, o gato miando atrás de mim.

TRINTA E TRÊS

O GUARDA-CHUVA ESTÁ LÁ NO CANTO, espremido contra a parede como se temesse a aproximação de algum perigo. Fecho os dedos em torno do cabo, frio e escorregadio em contato com o suor da minha mão.

A ambulância ainda não chegou, mas eu estou aqui, a poucos passos de distância. Para além destas paredes, do outro lado destas duas portas, um dia ela veio me socorrer. E agora ela está lá, com aquela faca espetada no peito. Meu juramento de psicoterapeuta: *"Primum non nocere.* (Primeiramente, não prejudicar.) Em seguida, promover a cura e o bem-estar das pessoas, sempre colocando os interesses delas acima dos meus próprios."

Jane está do outro lado do parque, talvez ainda com a mão no sangue na janela.

Abro a primeira porta e atravesso a escuridão pesada do corredor. Paro diante da porta da rua e abro o guarda-chuva. Sinto o deslocamento de ar que ele provoca, os aros que arranham as paredes feito pequenas garras.

Um. Dois.

Pouso a mão na maçaneta.

Três.

Giro a maçaneta. O metal está frio.

Quatro.

Não consigo me mexer.

Sinto o lado de fora tentando entrar. Não foi assim que Lizzie falou outro dia? O mundo externo inflando na rua, flexionando os músculos, arranhando a madeira da porta. Posso ouvir sua respiração, o vapor que ele sopra pelas narinas, o ranger dos dentes. Um monstro prestes a me atropelar, a me rasgar em duas, a me devorar.

Encosto a cabeça na porta e respiro. Um. Dois. Três. Quatro.

A rua é um cânion, profundo e largo. Aberto demais. Não vou conseguir.

Ela está logo ali. Do outro lado do parque.

Do outro lado do parque.

Com guarda-chuva e tudo, recuo e vou para a cozinha. Lá está, ao lado da lava-louça, a porta lateral que dá para o parque. Trancada há mais de um ano. Na frente dela há uma lata de lixo reciclável, de cuja borda os gargalos das garrafas escapam feito dentes quebrados.

Arrasto a lata para o lado (um coro de garrafas batendo umas nas outras) e giro a tranca.

Mas... e se a porta fechar às minhas costas? E se eu não conseguir entrar de volta? Olho para a chave pendurada ao lado do batente da porta. Tiro-a do gancho, guardo no bolso do roupão.

Coloco o guarda-chuva à minha frente: minha arma secreta, espada e escudo ao mesmo tempo. Ergo o braço, giro a maçaneta.

Abro a porta.

Sou atropelada por uma corrente de ar fria e incisiva. Fecho os olhos.

Silêncio. Escuridão.

Um. Dois.

Três.

Quatro.

Atravesso a porta.

TRINTA E QUATRO

MEU PÉ ERRA O PRIMEIRO DEGRAU DA ESCADA e cai pesado no segundo, fazendo com que eu perca o equilíbrio na escuridão, o guarda-chuva dançando na minha mão. O outro pé desce como pode, escorregando para o seguinte, e lá vou eu, escorregando também para a grama, as panturrilhas arranhando os degraus inferiores.

Fecho os olhos o mais forte possível. Minha cabeça roça o nylon do guarda-chuva que agora me encobre feito uma tenda.

Encolhida ali, estico o braço para trás e vou tateando os degraus até encontrar o mais alto deles. Dou uma espiada. Lá está a porta escancarada, a cozinha do outro lado, reluzindo feito ouro. Estico o braço ainda mais, como se pudesse pegar essa luz e trazê-la para mim.

Jane está morrendo logo ali.

Volto a cabeça para o guarda-chuva. Quatro quadrados pretos, quatro linhas brancas.

Apoiada nos tijolos duros da escada, reúno minhas forças e lentamente vou ficando de pé.

Ouço galhos estalando nas árvores, bebo do ar frio em goles pequeninos. Já tinha até me esquecido do frio.

Um, dois, três, quatro... Começo a andar, cambaleando como se estivesse alcoolizada. Bem... eu *estou* alcoolizada.

Um, dois, três, quatro.

...

No meu terceiro ano de residência, conheci uma criança que, na sequência de uma cirurgia de epilepsia, passou a apresentar uma série de comportamentos curiosos. Antes da lobotomia, pelo menos até onde sabíamos, era uma criança normal de 10 anos, aparentemente feliz apesar dos episódios de epilepsia (ou "epilepisódios", como diziam os mais engraçadinhos); mas depois ela se tornou arredia com a família, ignorando o irmão mais novo, repelindo os pais quando eles se aproximavam.

De início, houve uma suspeita de abuso sexual, mas então alguém observou que a menina tinha se tornado muito mais afável com as pessoas que mal conhecia, ou até mesmo com as que *nunca* tinha visto na vida: abraçava os médicos, estendia a mão para quem passasse a seu lado, conversava com as vendedoras de loja como se fossem velhas amigas. Ao mesmo tempo, ignorava os familiares que amava. Ou que tinha amado um dia.

Nunca chegamos a determinar as causas, mas chamamos o quadro clínico dessa criança de "distanciamento emocional seletivo". Até hoje me pergunto por onde ela andará, o que estarão fazendo os seus familiares.

É nela que penso (em seu carinho com os desconhecidos) enquanto atravesso o parque para salvar a vida de uma mulher com quem estive apenas duas vezes. E é nela que ainda estou pensando quando meu guarda-chuva/escudo bate num obstáculo, interrompendo minha travessia.

É UM BANCO.

É *o* banco; o único do parque, uma coisinha frágil com ripas de madeira, braços ornamentados e uma placa parafusada atrás, *in memoriam* de alguém. Eu costumava ficar observando lá do alto do meu terraço quando Ed e Olivia se sentavam nesse banco, ele com um tablet nas mãos, ela com um livrinho de histórias, e uma vez ou outra trocavam seus brinquedos um com o outro. Depois eu perguntava a ele: "E aí, está gostando do livro?" E ele respondia: "*Expelliarmus!*"

A ponta do guarda-chuva fica presa entre as ripas do banco. Puxo com cuidado até conseguir soltá-la, e então me dou conta, ou melhor, me lembro de uma coisa: a casa dos Russells não tem porta na fachada lateral que dá para o parque. Não há como entrar nela sem passar pela rua.

Eu não tinha pensado nisso.

Um. Dois. Três. Quatro.

Agora estou mais ou menos na metade do parque de mil metros quadrados, protegida apenas pelo nylon e pelo esqueleto metálico de um guarda-chuva, indo para a casa de uma mulher que acabou de ser esfaqueada.

Ouço a noite rosnando por perto. Sinto quando ela começa a rodear meus pulmões, já lambendo os beiços.

"Vou conseguir", digo a mim mesma quando os joelhos ficam bambos. Vamos lá, Anna. Coragem. Um, dois, três, quatro.

Dou um primeiro passo adiante. Um passinho tímido e medroso, mas que não deixa de ser um passo. E sigo caminhando com os olhos voltados para os chinelos, para a grama que eles vão amassando. "Promover a cura e o bem-estar das pessoas."

Agora a noite aperta meu coração entre suas garras. Falta pouco para que ele estoure. Para que *eu* estoure junto com ele.

"Sempre colocando o interesse delas acima dos meus próprios."

Jane, estou chegando. Arrasto um pé para a frente, o corpo cada vez mais pesado. Um, dois, três, quatro.

Sirenes choram ao longe feito carpideiras num velório. Feixes de luz vermelha inundam o meu guarda-chuva. Não me contendo, olho na direção do barulho.

O vento uiva. Faróis me ofuscam.

Um, dois, três...

> ## SEXTA-FEIRA,
> *5 de novembro*

TRINTA E CINCO

– A GENTE DEVIA TER TRANCADO A PORTA – resmungou Ed ao ver a menina fugir para o corredor.

– O que você esperava? – perguntei.

– Nunca achei que...

– O que você achou que fosse acontecer? O que eu *disse* que iria acontecer?

Sem esperar pela resposta, saí do quarto e Ed veio atrás de mim. No saguão, Marie veio ao nosso encontro, visivelmente preocupada.

– Tudo bem com vocês?

– Não – respondi.

– Sim – respondeu Ed.

Encontramos Olivia numa das poltronas junto da lareira. Seu rosto coberto de lágrimas refletia o fogo. Ed e eu nos ajoelhamos a seu lado, as chamas crepitando às minhas costas.

– Livvy... – começou Ed.

– Não – disse ela, flexionando a cabeça para a frente e para trás.

Ed tentou novamente, agora num tom de voz ainda mais brando:

– Livvy...

– *Vai pro inferno!* – berrou ela.

Ambos levamos um susto. Por pouco não caí dentro da lareira. Marie já havia voltado para sua mesa e fazia o possível para ignorar a conversa dos hóspedes.

– Onde foi que você aprendeu a falar assim? – perguntei.

– Anna – disse Ed.

– *Comigo* é que não foi.

– Agora não é hora para isso.

Ele tinha razão.

– Livvy, meu anjo – falei, acariciando os cabelos dela. – Livvy...

Ed tentou tomar a mão da menina nas suas, mas ela o repeliu. Ele olhou para mim, desconsolado.

"Uma criança está chorando no seu consultório. O que você faz?" Primeiro curso de psicologia pediátrica, primeiro dia de aula, primeiros dez minutos. Resposta: você espera passar. Fica com as antenas ligadas, claro. Procura entender, consola, diz a ela para respirar fundo. Mas espera passar.

– Respire, meu amor – sussurrei, ainda acariciando seus cabelos.

Os soluços sacudiam seu peito. E assim ficou por mais um tempo.

Apesar da lareira, estava frio no saguão.

De repente, Olivia afundou o rostinho molhado numa almofada e resmungou algo que não conseguimos entender.

– O que você disse, filha? – perguntou Ed.

Ela reergueu a cabeça, olhou para a janela e disse:

– Quero voltar para casa.

Fiquei olhando para a menina, para os lábios que tremiam, o narizinho que escorria; depois olhei para Ed, para as rugas na testa dele, as olheiras profundas.

Seria eu a responsável por tudo aquilo?

Do outro lado da janela, nevava. A vidraça refletia nossa imagem: eu, meu marido e minha filha, os três reunidos junto ao fogo.

Um breve silêncio.

Então me levantei e fui até o balcão da recepção. Marie interrompeu o que fazia e deu um sorriso forçado. Sorri também, dizendo:

– Essa nevasca que está vindo aí...

– Sim?

– Ela ainda vai demorar? Você acha que é seguro a gente pegar a estrada agora?

Ela voltou para o computador, consultou alguma coisa.

– Está prevista para daqui a algumas horas, mas...

– Então podemos... – interrompi. – Desculpe.

– É que essas tempestades de inverno são meio traiçoeiras, não dá para confiar muito nas previsões. – Ela olhou de relance para Ed e Olivia. – Vocês estão pensando em ir embora?

Virei para trás e olhei para eles.

– Acho que sim.

– Nesse caso – disse Marie –, é melhor saírem imediatamente.

– Ok. Pode fechar nossa conta, por favor?

Marie ainda disse algo, mas àquela altura eu só tinha ouvidos para os uivos do vento, os estalos da lareira.

TRINTA E SEIS

Os estalos de uma fronha excessivamente engomada.

Passos por perto.

Depois silêncio. Mas um tipo diferente de silêncio. Um silêncio estranho.

Meus olhos abrem por conta própria.

Estou deitada de lado, virada para o aquecedor.

Acima do aquecedor, uma janela.

Do outro lado da janela, uma fachada de tijolos aparentes, o zigue-zague de uma escada de incêndio, as costas quadradas dos aparelhos de ar condicionado.

Outro prédio.

Estou deitada numa cama larga. As cobertas me apertam contra o colchão. Preciso fazer certa ginástica para me livrar delas e recostar no travesseiro. Olho à minha volta. O quarto é pequeno. Os móveis são simples e escassos: uma cadeira de plástico encostada à parede, uma mesinha lateral de nogueira. Sobre ela há apenas uma caixa de lenços de papel, um abajur e um vaso magrinho sem flores. O piso é de um linóleo sem graça. A porta é de fórmica clara e está fechada. Lâmpadas fluorescentes riscam o teto de gesso.

Amasso o lençol entre os dedos.

Pronto, já vai começar.

A parede à minha frente desliza para o lado e a porta some. As paredes laterais vão se afastando uma da outra. O teto estremece, range, depois se eleva como a tampa de uma lata de sardinha, voando como se levado por um furacão. O ar voa junto, esvaziando meus pulmões. O chão ruge. A cama trepida.

Cá estou eu, neste colchão arfante, neste quarto escalpelado, nenhum ar para respirar. Estou me afogando na cama, morrendo na cama.

– Socorro... – tento gritar, mas o que vem é um sussurro, escalando minha garganta na ponta dos pés, chapinhando na língua. – So-*corro*! – tento outra vez, agora com mais vigor, faíscas saindo da boca como se ali houvesse um fio desencapado, minha voz acendendo feito um pavio, explodindo.

Grito.

Ouço um vozerio. Vultos se espremem para atravessar a porta distante, irrompem na minha direção e, com passos impossivelmente ágeis, atravessam o sem-fim do quarto.

Grito de novo. Os vultos se espalham como um rebanho, cercando minha cama.

– *Socorro* – suplico, tirando do corpo o último fôlego que encontro.

E logo uma agulha é espetada no meu braço. Profissionalmente espetada. Quase não dói.

Uma onda cresce acima da minha cabeça, silenciosa e elegante. Estou suspensa na água, flutuando em um abismo luminoso, frio e profundo. Palavras correm de cá para lá como peixinhos de um cardume.

– Já está voltando... – murmura alguém.

– ... estável – diz outra pessoa.

E então, como se tivesse subido à tona e tirado a água dos ouvidos, ouço:

– Ainda bem.

Viro a cabeça, que cai mole em cima do travesseiro.

– Porque eu já estava quase indo embora.

Agora consigo vê-lo, pelo menos em parte. Demoro um pouco para captar a imagem inteira, não só porque estou completamente dopada (sou experiente o bastante para saber disso), mas também porque o homem, azulado de tão negro, parece uma montanha: duas rochas no lugar dos ombros, uma cordilheira no lugar do peito, uma maçaroca de cabelos pretos. O paletó o cobre com uma espécie de desespero, ciente de que não está à altura da tarefa, mas dando tudo de si para cumpri-la.

– Olá – diz ele com delicadeza. – Sou o detetive Little.

Pisco. Ao lado dele, quase na altura dos cotovelos, está uma enfermeira baixinha e peituda feito uma pomba.

– Você consegue entender o que estamos dizendo? – pergunta ela.

Pisco novamente, faço que sim com a cabeça. Sinto o ar se deslocando à minha volta como se fosse uma matéria viscosa, como se eu ainda estivesse debaixo d'água.

– Você está no Morningside. A polícia ficou esperando a manhã inteira para falar com você – explica a moça, mais ou menos como uma pessoa que dá uma bronca na outra por não ter atendido à campainha da porta.

– Qual é o seu nome? Pode nos dizer como se chama? – questiona o detetive Little.

Abro a boca para responder, mas não consigo. A garganta

está seca demais. Tenho a sensação de que acabei de tossir uma nuvem de poeira.

A enfermeira contorna a cama e se aproxima da mesinha lateral. Meus olhos seguem o movimento dela, a cabeça girando devagar. Ela me entrega um copinho d'água e eu bebo. Água morna.

– Você está sedada – explica ela, bem mais doce do que antes, quase pedindo desculpas. – Estava um pouco agitadinha quando chegou.

A pergunta do detetive paira no ar sem resposta. Volto minha atenção para o Monte Little.

– Anna – digo, as sílabas tropeçando boca afora como se a minha língua fosse um quebra-molas.

Que diabo eles me deram para tomar?

– E o sobrenome, Anna, qual é?

Dou mais um gole na água.

– Fox.

Acho que enrolei a língua.

– Ok. – Ele tira um bloco do bolso interno do paletó, confere suas anotações. – Pode me dizer seu endereço?

Dou o nome da rua e o número.

– Perfeito – diz Little. – Sabe onde foi encontrada ontem à noite, Sra. Fox?

– Doutora... – digo.

– Os médicos vão chegar daqui a pouco – fala a enfermeira.

– Não é isso. Sou da área médica também. Dra. Fox.

Um sorriso desponta no rosto de Little feito o sol do amanhecer. Os dentes ofuscam de tão brancos.

– *Doutora* Fox – ele se corrige, erguendo o bloco e repetindo: – A senhora sabe onde foi encontrada ontem à noite?

Bebo água e analiso o rosto dele. A enfermeira é apenas uma mancha indistinta ao meu lado.

– Encontrada por quem? – pergunto.

Isso mesmo. Também vou fazer minhas perguntas. Pelo menos até onde a língua permitir.

– Pelos paramédicos. – E, antes que eu possa dizer qualquer coisa, ele acrescenta: – Encontraram a senhora no Hanover Park. Estava inconsciente.

– Inconsciente – ecoa a enfermeira, caso eu não tivesse ouvido da primeira vez.

– A senhora chamou o serviço de emergência por volta das dez e meia. Encontraram a senhora de roupão com isto aqui no bolso. – Ele abre a mão imensa para mostrar a chave que apertava entre os dedos. A chave da minha casa. – E isto aqui estava do lado – diz, apontando para o guarda-chuva sobre os joelhos.

A lembrança brota em algum lugar das minhas entranhas, passa ao largo dos pulmões, atropela o coração, escala a garganta e se espreme através dos dentes.

– Jane...

– Como? – diz Little, franzindo a testa.

– Jane – repito.

A enfermeira olha para o detetive. Solícita como sempre, traduz:

– Ela disse "Jane".

– Minha vizinha. Foi esfaqueada, eu vi.

As palavras levam uma eternidade para se formar, derretendo na boca até que eu consiga cuspi-las.

– Eu sei – confirma Little. – Ouvi a gravação da sua chamada.

Isso. Minha chamada para a emergência, o atendente com sotaque sulino. Depois o calvário da cozinha para o parque, as árvores balançando à minha volta, as luzes vermelhas rodopiando no guarda-chuva como uma poção diabólica num caldeirão. De repente minha visão fica turva, preciso respirar fundo.

– Procure se acalmar – ordena a enfermeira.

Tento encher os pulmões outra vez, engasgo com o ar.

– Calma – diz a moça, nada calma.

Planto os olhos sobre Little, que declara:

– Ela está bem.

Da minha boca sai algo parecido com um balido, seguido de muitos chiados. A cabeça deixa o travesseiro, o pescoço endurece, os lábios vão sorvendo o ar em goles frenéticos. Os pulmões parecem ter encolhido, mas nem por isso deixo de ficar intrigada: como é que *ele* sabe quem eu sou? Um policial que acabei de conhecer. Um *policial*. Até onde me lembro, nunca falei com um policial antes. A não ser com um ou outro guarda de trânsito, no momento de uma multa.

A luz parece latejar, faixas negras cruzando minha visão feito as listras de um tigre. O detetive me encara sem nenhum pudor, mesmo quando meu olhar escala seu rosto e em seguida desce escorregando como um alpinista amador. As pupilas do homem são absurdamente grandes. Os lábios são carnudos e gentis.

E, à medida que estudo as feições do detetive e meus dedos afrouxam em torno das cobertas, percebo que meu corpo já começa a relaxar, o peito está mais sereno, a visão mais nítida. O que quer que tenham me dado para tomar, funcionou. Realmente me sinto bem.

– Ela está bem – repete Little.

A enfermeira dá tapinhas carinhosos na minha mão como se dissesse: "É assim que eu gosto."

Afundo a cabeça no travesseiro, fecho os olhos. Estou exausta. Tenho a impressão de que fui embalsamada.

– Minha vizinha foi esfaqueada – sussurro. – O nome dela é Jane Russell.

Ouço a cadeira de Little reclamar quando ele se inclina para dizer:

– A senhora viu quem a esfaqueou?

– Não.

Preciso fazer um esforço para levantar as pálpebras, duas janelas emperradas. Little está debruçado sobre suas anotações, balançando a cabeça e franzindo a testa ao mesmo tempo, o que me deixa confusa.

– Mas a senhora viu sangue na sua vizinha?

– Vi.

Não aguento mais essa língua que não me obedece. Não aguento mais o interrogatório.

– A senhora estava bebendo?

Muito.

– Só um pouquinho – confesso. – Mas isso... – De repente sinto uma corrente de pânico atravessar meu corpo de cima a baixo. – Vocês têm que ir lá ajudá-la. Ela está... pode até ser que já tenha morrido.

– Vou chamar a médica – informa a enfermeira, saindo do quarto.

Little assente outra vez.

– Na sua opinião, quem teria motivos para esfaquear sua vizinha? A senhora suspeita de alguém?

Hesito um instante.

– O marido dela.

Lá vai ele de novo, balançando a cabeça, franzindo a testa, flexionando o pulso. Subitamente sério, fecha o bloco e diz:

– Anna Fox, o negócio é o seguinte: hoje de manhã estive na casa dos Russells.

– Ela está bem?

– Gostaria que a senhora me acompanhasse mais tarde para dar um depoimento.

A MÉDICA É RELATIVAMENTE JOVEM, com traços hispânicos, tão linda que fico sem ar outra vez. Mas não é bem por isso que ela me dá uma injeção de lorazepam.

– Tem alguém a quem a senhora queira avisar que está internada? – pergunta.

Por muito pouco não digo o nome de Ed. Bobagem.

– Bobagem.

– Hein?

– Não, não precisa avisar ninguém. Nem tenho... Estou bem – digo, esculpindo com cuidado cada palavra como se montasse um origami. – Mas...

– Nenhum parente? – pergunta a médica, olhando para a aliança no meu dedo.

– Não – respondo, cobrindo de forma discreta a mão esquerda com a direita. – Meu marido... Eu não... Nós não estamos mais juntos.

– Amigos?

Amigos? Para quem ela poderia ligar? David? Não. Wesley? Seguramente não. Bina? Talvez, mas na verdade estou bem. Jane não está.

– Algum médico?

– Julian Fielding – respondo de modo automático, sem pensar. – Não. Ele não.

Vejo quando ela troca olhares com a enfermeira, que depois troca olhares com o detetive, que depois troca olhares com a médica. Parecem estar num duelo de filme mexicano. Quero rir, mas não consigo. Jane.

– Como já deve saber – prossegue a médica –, você foi encontrada inconsciente num parque. Os paramédicos não conseguiram identificá-la, então trouxeram você para o Morningside. Quando chegou aqui, você teve um ataque de pânico.

– Daqueles bem graves – diz a enfermeira.

– Sim – concorda a médica, depois examina o prontuário. – Hoje pela manhã você teve outra crise. Pelo que está escrito aqui, a senhora é médica também?

– Sou da área médica.

– Faz o que exatamente?

– Sou psicóloga. Trabalho com crianças.

– Por acaso tem...

– Uma mulher foi esfaqueada – declaro, aflita, em tom alto o bastante para assustar a enfermeira, que recua como se eu ameaçasse esmurrá-la. – Por que diabo ninguém faz nada?

A médica olha de relance para Little, depois para mim.

– Você tem algum histórico de ataques de pânico?

Bem, então vamos lá. Com o detetive empoleirado em

sua cadeira e a enfermeira andando de um lado para outro feito um beija-flor, conto à médica, ou melhor, conto aos três, sobre minha agorafobia, minha depressão, e sim, sobre minhas crises de pânico. Conto também sobre os remédios que ando tomando, sobre os dez meses de prisão domiciliar, sobre o Dr. Fielding e a terapia da aversão. A narrativa demora um pouco porque ainda estou falando como se tivesse um maço de algodão na boca e preciso parar de vez em quando para molhar a garganta, a água descendo de um lado e as palavras subindo do outro para escorregar boca afora.

Terminado o relato, deixo a cabeça cair no travesseiro e espero enquanto a médica consulta o prontuário outra vez.

– Tudo bem – diz ela, balançando lentamente a cabeça. Em seguida ergue os olhos e, de modo mais incisivo, declara: – Tudo bem. Agora preciso falar com o detetive. O senhor se incomodaria de... – Ela aponta para a porta do quarto.

Little fica de pé e a cadeira range de alívio. Ele sorri para mim antes de sair com a médica.

A ausência dele deixa um vácuo no quarto. Agora estou sozinha com a enfermeira.

– Beba mais um pouquinho d'água – sugere ela.

Os dois voltam alguns minutos depois. Ou talvez mais do que isso; não há relógios por perto.

– O detetive se ofereceu para levá-la para casa – informa a médica, e Little lança um sorriso radiante na minha direção. – Vou prescrever um Ativan para você tomar mais tarde, mas precisamos ter certeza de que não vai ter outra crise no meio do caminho. E o jeito mais rápido de fazermos isso é...

Sei muito bem qual é o jeito mais rápido. A enfermeira já está segurando uma seringa.

TRINTA E SETE

– Primeiro achamos que fosse um trote – explica ele. – Quero dizer, *eles* acharam. Tenho que dizer "nós", ou melhor, *temos* que dizer "nós" porque estamos trabalhando juntos. Sabe como é essa coisa de trabalho em equipe, não sabe? Trabalhar para o bem comum, como se costuma dizer, ou algo assim. – Ele continua: – Mas eu não achei que fosse trote. Não estava lá, não sabia de nada. Se é que você me entende.

Não, não entendo.

Estamos no carro dele, que não é uma viatura da polícia, mas um sedã. O sol da tarde vai entrando pelas janelas com a intermitência de uma pedra que saltita na superfície do lago. Minha cabeça vai batendo no vidro, refletindo-se nele. A gola do roupão roça minha nuca com a leveza de uma espuma. Little transborda do banco, roçando o cotovelo no meu.

Estou mole, desacelerada, tanto no corpo quanto no cérebro.

– Claro, depois viram você lá, caída na grama, toda encolhida. Foi isso que disseram, foi assim que descreveram a cena. Viram também que a porta da sua casa estava aberta, então pensaram que o incidente tinha acontecido lá dentro; mas foram até lá e não encontraram nada. Tiveram que entrar, sabe como é. Por causa de tudo aquilo que você disse ao telefone.

Faço que sim com a cabeça, porém não lembro exatamente o que disse naquela ligação.

– Tem filhos? – pergunta ele.

De novo respondo com a cabeça.

– Quantos?

Agora respondo com o dedo.

– Só um? Pois eu tenho quatro. Na verdade, vão ser quatro em janeiro. Um deles ainda está no forno – explica, e ri.

Em princípio eu teria de rir também, mas não consigo. Mal consigo mexer a boca.

– Quarenta e quatro anos e um quarto filho a caminho. Acho que quatro é meu número de sorte.

"Um, dois, três, quatro", penso. Inspiro, expiro. Sinto o lorazepam viajando nas minhas veias como uma revoada de pássaros.

Little dá umas pancadinhas na buzina, o carro da frente arranca às pressas.

– É sempre assim depois do almoço. Horário de pico.

Olho pela janela. Faz quase dez meses desde a última vez que estive nas ruas, ou num carro, ou num carro nas ruas. Dez meses desde que vi a cidade por outro ângulo que não fosse o das janelas da minha casa. É uma sensação estranha, como se eu estivesse explorando a superfície de outro planeta, como se estivesse observando uma civilização do futuro. Os prédios me parecem absurdamente altos, dedos que arranham o anil do céu acima deles. Placas e lojas vão passando ao meu lado numa explosão de cores: PIZZA DE MASSA FRESCA POR 99 CENTAVOS!!! Starbucks, Whole Foods (quando foi que *isso* entrou no mercado?), um antigo batalhão do corpo de bombeiros transformado em condomínio residencial (UNIDADES A PARTIR DE $1,99 MILHÃO). Becos escuros e frios, janelas espelhando a luz do sol. Uma sirene uiva aflita atrás de nós, Little muda de faixa para deixar passar uma ambulância.

Paramos num cruzamento. A luz vermelha do semáforo me parece o olho de uma criatura malévola. Pedestres atravessam na faixa à nossa frente: duas mães de jeans empurrando seus carrinhos de bebê, um velhinho já bem encurvado com sua bengala, meninas adolescentes com suas mochilas rosa-shocking, uma mulher embrulhada numa burca turquesa. Um balão verde se desprende da carrocinha de pretzels e vai serpenteando para o alto. Ruídos invadem o carro: um berro estridente, o barulho do trânsito à nossa volta, a buzina de uma bicicleta. Uma fúria de cores, um tumulto de sons. Tenho a impressão de que estou num recife de coral.

– Vamos lá – diz Little, e arranca com o carro.

Será que me reduzi a *isso*? A uma mulher adulta que fica perplexa com qualquer bobagem que vê à sua frente, um peixinho boquiaberto no aquário da cidade grande? Uma visitante de outro mundo, espantada com a abertura de um mercado novo? Nas profundezas do meu cérebro sedado, alguma coisa lateja de raiva, inconformada com sua derrota. Um rubor queima meu rosto. Foi nisso que me transformei. É isso que sou agora.

Não fosse pelas drogas, eu gritaria até estilhaçar o vidro das janelas.

TRINTA E OITO

– Pronto, chegamos – diz Little.

Dobramos uma última esquina e entramos na rua. Na minha rua.

Minha rua, tal como não a vejo há quase um ano. A cafeteria da esquina continua no mesmo lugar, provavelmente empurrando para a clientela o mesmo café aguado de sempre. A casa ao lado continua com seu vermelho vivo na fachada, as floreiras apinhadas de crisântemos. A igreja de Santa Dymphna, triste como de costume. Mas o antiquário do outro lado da rua fechou; uma placa na vitrine escura informa: aluga-se.

Ainda estamos descendo a rua, navegando sob uma pérgula de árvores secas, quando meus olhos ficam molhados. Minha rua, quatro estações do ano depois. "Muito estranho", penso.

– O que é estranho? – pergunta Little.

Acho que falei em voz alta.

Mais adiante, quase no fim da rua, respiro aliviada ao avistar nossa velha casa. Lá está ela: a porta preta com suas almofadas laterais de vidro jateado; o número 213 em dígitos de metal dourado; a aldrava logo abaixo deles; as duas luminárias com luz laranja; os quatro pavimentos com suas janelas olhando vagamente para a rua. A fachada está bem mais suja do que eu me lembrava: línguas pretas escorrem do peitoril das janelas como se elas estivessem chorando. No telhado, se vê um fragmento da pérgula já podre. Todas as vidraças precisam de uma boa limpeza; mesmo de longe posso notar a sujeira delas. "A casa mais bonita do quarteirão", Ed costumava dizer, e eu concordava.

Ficamos velhas, a casa e eu. Apodrecemos.

Passamos direto por ela, direto pelo parque.

– Era ali – digo ao detetive, apontando para trás. – A minha casa.

– Gostaria que você fosse comigo falar com os seus vizinhos – explica ele, já estacionando na rua.

– Não vai dar – falo, balançando a cabeça. Será que ele não entende? – Preciso ir para casa.

Tento desatar o cinto de segurança, logo percebo que não vou conseguir.

Little olha para mim. Corre os dedos pelo volante à sua frente.

– Como vamos fazer isso? – pergunta, mais para si mesmo do que para mim.

Não estou nem aí. Não quero nem saber. Quero apenas ir para casa. Você que vá com eles falar comigo. Eles e quem mais você quiser. Chame a droga da vizinhança inteira. Mas me leve para casa. Por favor.

Ele arregala os olhos, então me dou conta de que falei em voz alta outra vez. Baixo a cabeça, me encolho toda.

Alguém bate no vidro da janela. Ergo a cabeça para ver quem é: uma mulher de nariz afilado, pele meio esverdeada, vestindo uma blusa de gola rulê e um casaco comprido.

– Só um segundo – diz Little.

Ele começa a baixar a janela, mas para quando vê minha aflição, meu desespero. Então desce do carro, bate a porta devagarzinho e vai falar com a tal mulher.

Ambos estão logo ali, junto do capô. Consigo captar uma ou outra palavra da conversa ("esfaqueada", "confusão mental", "médicos") enquanto vou submergindo de olhos fechados para a calma e o silêncio do meu oceano pessoal. Deixo-me levar, ciente dos cardumes que transitam à minha volta ("psicóloga", "casa", "família", "sozinha"). Corro os dedos pelo tecido felpudo do roupão, depois deixo que eles escorreguem gola adentro, que belisquem os pneus da minha barriga.

Cá estou eu, ilhada num carro da polícia, beliscando minha própria gordura corporal. Será o fundo do poço?

Passado um minuto (ou será uma hora?), as vozes se calam. Abrindo apenas um dos olhos, vejo que a mulher me observa da rua com cara de poucos amigos. Fecho o olho rapidamente.

Ouço quando Little abre a porta do motorista. O ar frio invade o carro, lambe minhas pernas e rodopia no interior do carro, acomodando-se nele.

– A detetive Norelli é minha parceira – informa Little com seu vozeirão. – Contei a ela o que está acontecendo com você. Ela vai até sua casa com algumas pessoas. Pode ser?

Queixo para baixo, queixo para cima.

– Ok.

O carro balança quando o gigante se acomoda no banco. Fico me perguntando quanto ele pesa. Fico me perguntando quanto *eu* peso.

– Que tal você abrir os olhos? – sugere ele. – Ou prefere ficar assim?

De novo respondo com o queixo.

Little bate a porta, liga o carro, engata a ré e vai recuando, recuando, recuando. O carro atropela um buraco no asfalto, recupera o fôlego e para logo depois. Ele desliga o motor.

– Chegamos – anuncia.

Abro os olhos, espio pela janela.

Realmente chegamos. Minha casa está logo ali, imensa,

com aquela porta preta que mais parece uma bocarra aberta, a escadinha fazendo as vezes de língua. As cornijas das janelas lembram sobrancelhas. Olivia sempre enxerga rostos nesse tipo de casa, e agora entendo por quê, vendo a minha daqui.

– Uma bela casa – observa Little. – Bela e *grande*. São quatro andares? Aquilo ali é um porão?

Faço que sim com a cabeça.

– Então são *cinco* andares.

Um instante de silêncio. O vento sopra uma folha contra a janela do carro, vai embora com ela.

– E você mora sozinha nesse casarão todo?

– Inquilino – digo.

– Onde ele fica? No porão ou lá em cima?

– Porão.

– Será que ele está em casa agora?

Dou de ombros, dizendo:

– Pode ser.

Silêncio. Little batuca os dedos no console do carro. Viro na sua direção. Ele vê que estou olhando, abre um sorriso.

– Foi ali que encontraram você – revela, apontando com o queixo para o parque.

– Sei.

– Muito simpático, esse parquinho.

– Sim.

– A rua também é muito simpática.

– Sim, tudo é simpático.

Ele sorri de novo.

– Ok – diz, olhando para mim e em seguida para as janelas da casa. – Esta chave abre a porta da frente também, ou só a porta por onde entraram os paramédicos ontem à noite? – pergunta, a chave pendurada num dos dedos, o anel do chaveiro entalado em sua articulação.

– As duas – respondo.

– Ótimo. – Ele rodopia a chave no dedo. – Quer que eu carregue você?

TRINTA E NOVE

ELE NÃO ME CARREGA, MAS ME AJUDA a descer do carro, atravessa o portão comigo e me ajuda a subir os degraus da escada, meu braço passado sobre a imensidão daquelas costas que mais parecem um campo de futebol, os pés praticamente se arrastando pelo chão, o guarda-chuva pendurado ao pulso como se estivéssemos chegando de um passeio. Um passeio regado a muitas drogas.

O sol parece perfurar minhas pálpebras. No alto da escada, Little destranca e empurra a porta, e ela bate com tamanha força que o vidro chega a tremer.

Fico me perguntando se os vizinhos estão espiando. Fico me perguntando se a Sra. Wasserman está chamando a polícia agora mesmo, tendo visto um negro tamanho família entrando comigo em casa. Aposto que está.

Quase não há espaço para nós dois no corredor. Preciso me espremer contra a parede, colar o ombro nela. Little fecha a porta com o pé e tudo fica escuro. Fecho os olhos, recosto a cabeça no braço dele e fico esperando que ele abra a segunda porta.

E de repente sinto: o aconchego da minha sala.

E de repente farejo: o ar bolorento da minha casa.

E de repente ouço: os miados do meu gato.

Punch. Eu tinha me esquecido completamente dele.

Abro os olhos. Tudo está do mesmo jeito que deixei antes de sair: a porta da lava-louça continua aberta; o cobertor continua embolado no sofá; a TV continua ligada com o menu de *Prisioneiro do passado* congelado na tela; e lá estão as duas garrafas de vinho vazias sobre a mesinha de centro, incandescentes sob a luz do sol, acompanhadas dos quatro frascos de comprimido, um deles tombado como se tivesse caído de tanto beber.

Minha casa. Meu coração quase explode dentro do peito. Eu poderia chorar de tanto alívio.

O guarda-chuva escorrega do meu braço.

Little vai me conduzindo para a cozinha, mas abano a mão para a esquerda, sinalizando como uma motorista antes de desviarmos para o sofá da sala, lá onde agora está Punch, aninhado atrás de uma das almofadas.

– Proooonto – diz Little, ajudando-me a sentar.

O gato nos observa do seu canto. Espera o detetive se afastar, depois vem atropelando o cobertor, empaca ao meu lado e só então vira a cabeça para mostrar os dentes afiados para o meu acompanhante.

– Bom dia para você também – cumprimenta Little.

Recosto no sofá, sinto o coração desacelerar, ouço o sangue cantarolando baixinho nas minhas veias. Momentos depois, endireito o roupão, tentando me recompor. Estou em casa. Estou segura. Casa. Segurança.

O pânico vai escorrendo para fora do meu corpo como se fosse água.

– Por que os paramédicos entraram aqui? – pergunto ao detetive.

– Como?

– Você disse que os paramédicos entraram na minha casa.

Ele ergue as sobrancelhas.

– Encontraram você no parque. Viram a porta da cozinha aberta. Precisavam saber o que estava acontecendo. – Antes que eu possa dizer qualquer coisa, ele olha para a foto de Olivia na mesinha lateral e pergunta: – Sua filha?

– Sim.

– Ela está em casa?

– Com o pai – resmungo.

– Sei – resmunga ele também. Depois olha para a bagunça da mesa. – Alguém andou dando uma festinha por aqui?

Inspiro, expiro.

– Foi o gato – declaro.

Versos brotam de repente na minha cabeça: *"Goodness me! Why, what was that? Silent be, It was the cat."* ("Caramba! Ué, o que foi isto? Calado! Deve ter sido o gato.") Será que é Shakespeare? Não. Fofo demais para ser Shakespeare.

Aparentemente também sou fofa demais para o gosto do detetive, porque ele sequer esboça um sorriso.

– Bebeu tudo isso sozinha? – pergunta, inspecionando as garrafas. – Um bom Merlot.

Reacomodo o corpo no sofá, desconcertada feito uma criança na hora da bronca.

– Sim – confesso. – Mas...

Mas o quê? A coisa parece pior do que realmente é? A coisa é pior do que parece?

Little pega no bolso o frasco de Ativan receitado pela jovem e simpática médica e deixa sobre a mesinha. Resmungo um "Muito obrigada".

É então que algo se desprende das águas profundas do meu cérebro e é trazido à tona.

O corpo de Jane.

Jane.

Meu queixo cai.

Pela primeira vez noto o revólver que Little traz na cintura, dentro do coldre. Lembro do susto que Olivia levou, certo dia, ao se ver diante de um oficial da polícia montada no centro de Manhattan; ela já os encarava havia um tempo quando finalmente percebi que o interesse dela não estava nem no cavalo nem no policial, mas na arma dele. Achei graça naquilo, brinquei com ela. Pois agora me vejo na mesma situação, com um revólver ao alcance da mão, e não estou achando graça nenhuma.

Percebendo meu desconforto, de forma discreta Little cobre a arma com o paletó.

– E a minha vizinha? – pergunto. – O que aconteceu com ela afinal?

Little tira o celular do bolso, quase encosta o aparelho no nariz. Provavelmente é míope.

– Quer dizer então que você mora sozinha neste casarão?

– diz, andando para a cozinha. – Você e o seu inquilino – corrige, antes que eu o faça. – E esta porta aqui? É do porão?

– É. Mas... e a minha vizinha?

Ele confere o celular outra vez. Então para onde está e dobra o tronco enorme para pegar algo no chão. Quando o ergue outra vez, está com a vasilha de água do gato na mão direita e, na esquerda, o receptor do meu telefone fixo. Olha para uma coisa, depois para a outra, avaliando-as.

– Nosso amigo deve estar com sede – diz, já a caminho da pia.

Vejo o reflexo dele na tela da televisão, ouço o barulho da torneira. Numa das garrafas sobre a mesa ainda resta um dedinho de Merlot. Imagino se conseguiria entorná-lo na boca sem que ele visse.

Ouço quando ele põe a vasilha do gato no chão e vejo quando ele volta o telefone para a base e examina o aparelho.

– Está sem bateria – adverte.

– Eu sei.

– Só queria avisar. – Ele se aproxima da porta do porão. – Posso bater aqui?

Faço que sim com a cabeça.

Ele bate rapidinho na porta, um *toc-toc* displicente, depois fica esperando.

– Qual é o nome do seu inquilino?

– David.

Ele bate de novo. Nada.

– Dra. Fox, onde está seu telefone, afinal? – pergunta.

– Hein? Meu telefone?

– O celular. – A título de ilustração, ele agita seu próprio aparelho. – A senhora possui um?

Faço que sim com a cabeça.

– É que... não encontraram nenhum celular nos seus bolsos. A maioria das pessoas vai direto pro telefone depois de passar uma noite inteira no hospital.

– Não sei. – Onde estará a porcaria do celular? – Não uso muito.

Little permanece calado.

Minha paciência já se esgotou. Finco os pés no carpete, me levanto como posso. A sala rodopia à minha volta, como um toca-discos, mas logo volta ao normal. Punch me parabeniza com um rápido miau.

Olho diretamente nos olhos do detetive.

– Algum problema? – pergunta ele, vindo na minha direção. – Você está bem?

– Estou. – O roupão ameaça abrir, refaço o nó do cinto. – O que está acontecendo na casa dos vizinhos?

Mas Little para onde está e não responde, apenas olha para o celular.

Repito:

– O que está...

– Ok, ok. Eles estão vindo aí.

E, de um momento para outro, ele está avançando para a cozinha como um tsunami, os olhos correndo por toda parte no cômodo.

– Foi por esta janela aqui que você viu sua vizinha? – aponta ele.

– Foi.

Ele se adianta para a pia com um passo largo, planta as mãos na bancada e fica olhando pela janela, obstruindo-a quase por inteiro com as costas imensas. Começo a limpar a bagunça da mesinha, mas de repente ele vira para trás e diz:

– Deixe isso aí. E deixe a televisão ligada também. Que filme é esse?

– Um policial antigo.

– Você gosta de policiais?

Começo a ficar inquieta. O efeito do lorazepam já deve estar passando.

– Gosto. Mas por que não posso limpar a mesa?

– Porque precisamos saber exatamente o que estava acontecendo aqui quando você viu sua vizinha ser esfaqueada.

– Será que o mais importante não é saber o que estava acontecendo *lá*?

Little ignora minha pergunta.

– Talvez seja melhor trancar o gato em algum lugar. Ele parece meio arisco, vai acabar arranhando alguém – diz, enquanto enche um copo d'água na pia. – Beba isto aqui. Você precisa se manter hidratada. Teve um choque.

Little atravessa a sala e me entrega o copo. Quase um gesto de ternura. Meio que fico esperando que ele faça um carinho no meu rosto.

Dou um primeiro gole.

E a campainha toca.

QUARENTA

– Trouxe o Sr. Russell comigo – informa a detetive Norelli, desnecessariamente.

A mulher tem uma vozinha aguda, feminina demais para o "Eu me garanto" que parece dizer a jaqueta de couro que ela veste por cima de um suéter de gola alta. Sem se dar o trabalho de se apresentar, ela esquadrinha a casa com rapidez, depois aterrissa seu olhar glacial sobre mim. É a *bad cop*, a policial má da dupla; e de repente me dou conta, não sem uma pontinha de decepção, de que talvez a afabilidade de Little não passe de uma encenação.

Alistair vem logo atrás, limpinho e cheiroso, vestindo calças cáqui e um suéter. Mas é a primeira vez que noto a marca que ele tem no pescoço, um pedaço em que a pele se estica com a rigidez de uma corda de arco. Talvez ela sempre tenha estado ali. Ele olha para mim e sorri.

– Oi – diz.

Parece meio surpreso.

Por essa eu não esperava.

Fico tonta. Estou irrequieta, aflita. Meu organismo ainda está lento, um motor de válvulas entupidas com açúcar. Sem falar na rasteira que acabei de levar com o sorriso estampado no rosto do meu vizinho.

– Você está bem? – pergunta Little.

Respondo vagamente com a cabeça mole. Estou. Não, não estou.

Ele fecha a porta do corredor, depois volta para o meu lado e com delicadeza toma meu braço, dizendo:

– Acho melhor a gente...

– A senhora está bem? – interrompe Norelli, séria.

– Ela está bem, sim – informa Little. – Ainda está sob o efeito dos sedativos, só isso.

Sinto o rosto ferver.

Little me conduz para a cozinha e me acomoda à mesa. A mesma mesa onde Jane fumou quase um maço inteiro de cigarros, onde jogamos não sei quantas partidas de xadrez, onde conversamos sobre nossos filhos, onde ela sugeriu que eu fotografasse o pôr do sol. Onde ela falou de Alistair e de seu próprio passado.

Norelli vai até a janela da cozinha com o celular em punho.

– Sra. Fox – diz.

– Dra. Fox – corrige Little por mim.

Ela leva um pequeno susto, depois continua:

– Dra. Fox... pelo que o detetive Little me disse, a senhora viu algo ontem à noite.

Olho de relance para Alistair, parado feito um dois de paus junto à porta do corredor.

– Vi minha vizinha ser esfaqueada.

– Quem é a sua vizinha? – pergunta Norelli.

– Jane Russell.

– A senhora viu pela janela, certo?

– Certo.

– Que janela?

– Aquela ali.

Norelli olha na direção que aponto. Os olhos da mulher são pretos, chapados, e agora estão examinando a casa dos Russells, correndo da esquerda para a direita como se lessem um texto. Sem tirá-los da janela, ela questiona:

– A senhora viu quem esfaqueou sua vizinha?

– Não. Mas vi o sangue. E vi uma coisa no peito dela.

– O que exatamente?

– Uma coisa prateada – respondo, nervosa. *Que diferença faz?*

– Uma coisa prateada?

– Sim.

Norelli enfim se afasta da janela. Passa direto por mim e vai para a sala.

– Quem esteve aqui ontem à noite?

– Ninguém.

– Então... estas garrafas... foi você?

– Foi – respondo, aflita.

– Muito bem então, Dra. Fox – diz ela, mas olhando para Little. – Agora eu gostaria que...

– A mulher dele... – interrompo, apontando para Alistair enquanto ele vem caminhando na nossa direção.

– Só um minuto. – Norelli se adianta até a mesa e coloca seu celular à minha frente. – Eu gostaria que a senhora ouvisse a gravação da chamada que fez para a emergência ontem à noite, pouco depois das dez e meia.

– A *mulher* dele...

– Acho que isso vai responder a muitas perguntas.

Com seu dedo fino e comprido, ela localiza a tal gravação.

– Serviço de emergência, em que posso ajudar? – diz o atendente, sua voz ainda mais robotizada do que antes.

E alta demais, machucando os meus ouvidos. Norelli abaixa o volume.

– Minha vizinha... ela foi... esfaqueada. Meu Deus... Por favor, venham depressa.

Sou eu mesma, reconheço. Ou pelo menos são minhas palavras. Mas a voz não é minha. É uma voz arrastada, letárgica.

– Calma, senhora. O seu endereço, por favor.

O sotaque sulino. Tão irritante quanto antes.

Olho para Alistair, depois para Little. Ambos encaram o celular de Norelli. E ela olha para mim.

– A senhora disse que sua vizinha foi esfaqueada?

– *Sim!* Depressa, ela está sangrando...

Quase não consigo me fazer entender, de tão enrolada que está minha língua. Uma vergonha.

– Hein?

– *Venha depressa!*

Nesse momento engasgo com o ar, tenho a impressão de que estou a ponto de chorar.

– O socorro já está a caminho. Mas a senhora precisa se acalmar. Seu nome, por favor?

– Anna Fox.

– Ok, Anna. O nome da sua vizinha?

– Jane Russell. Haja paciência...

– A senhora está ao lado dela neste momento?

– Não. Ela está do outro... está na casa que fica do outro lado do parque.

Sinto o olhar de Alistair sobre mim. Ergo a cabeça para encará-lo de volta.

– Anna, foi a senhora que esfaqueou sua vizinha?

Uma pausa.

– Hein?

– Foi a senhora que esfaqueou sua vizinha?

– *Não!*

Agora são os três que me encaram. Inclino o corpo para a frente, olho para o celular da detetive. O monitor escurece, mas a gravação continua.

– Ok.

– Eu estava olhando pela janela e *vi quando ela foi esfaqueada.*

– Certo. Sabe dizer quem esfaqueou sua vizinha?

Outra pausa, agora maior.

– Senhora?

Silêncio.

Espicho o pescoço, olho para Little. Que não está mais olhando para mim.

Norelli se debruça sobre a mesa, corre um dedo pelo celular, depois diz:

– O atendente ficou na linha por seis minutos até receber a confirmação de que os paramédicos já tinham chegado à cena.

"À cena." E o que foi que eles encontraram "na cena"? O que aconteceu com Jane?

– Não estou entendendo... – De repente me sinto exausta, oca. Lentamente vou correndo os olhos pela cozinha, os talheres espetados na lava-louça, as garrafas na lata de lixo. – O que aconteceu com a...?

– Não aconteceu nada, Dra. Fox – diz Little, com delicadeza. – Não aconteceu nada com ninguém.

– Como assim, não aconteceu nada? – pergunto.

Ele puxa as calças para cima, agacha-se ao meu lado.

– Acho que... com esse vinho todo que você bebeu, esse Merlot delicioso, com os remédios que está tomando e mais o filme que estava vendo... é bem possível que você tenha ficado um pouco agitada, que tenha visto coisas.

Arregalo os olhos para o detetive; ele pisca.

– Você acha que imaginei tudo isso? – pergunto com a voz embargada.

Little balança a cabeçorra, dizendo:

– Não, não é isso. Acho apenas que você sofreu um excesso de estímulos e... acabou misturando um pouco as coisas na cabeça.

Meu queixo desaba.

– Os remédios que você toma... eles têm efeitos colaterais?

– Sim, mas...

– Podem produzir alucinações?

– Não sei – digo, mesmo sabendo que sim.

– Foi a médica lá do hospital que disse. Parece que esses remédios realmente podem causar alucinações.

– Eu não estava alucinando. Sei muito bem o que vi.

Levanto da mesa. O gato sai do seu esconderijo debaixo da cadeira, corre para a sala.

Little ergue as mãos enormes, as palmas riscadas de muitas linhas.

– Você acabou de ouvir a gravação. Mal estava conseguindo falar.

Norelli se aproxima outra vez.

– No exame que fez no hospital – informa ela –, o teor de álcool em seu sangue estava em 0,22. Quase três vezes o nível permitido por lei.

Alistair acompanha a conversa com atenção, ora olhando para mim, ora para a detetive.

– E daí? Eu não estava *alucinando* – rosno, cuspindo as palavras. – Eu não estava *imaginando* nada. Não estou *louca*.

– Pelo que fui informada, sua família não mora aqui – diz Norelli.

– Isto é uma pergunta?

– É uma pergunta.

– Meu filho disse que você é divorciada – fala Alistair.

– Separada – corrijo, automaticamente.

– E, segundo nos contou o Sr. Russell – prossegue a detetive –, ninguém na vizinhança vê a senhora pela rua. Parece que não sai muito de casa.

Não digo nada. Não faço nada.

– Portanto... também é possível que a senhora estivesse buscando um pouco de atenção. É só uma teoria.

Dou um passo atrás, bato as costas no balcão da cozinha. O roupão abre outra vez.

– Nenhum amigo por perto, a família não sei onde, a senhora bebe um pouquinho mais do que deveria, depois resolve aprontar uma confusão.

– Você acha mesmo que eu *inventei tudo isso*? – pergunto, quase aos berros.

– É exatamente isso que eu acho.

Little limpa a garganta. Pisando em ovos, diz:

– Acho que... bem, talvez você já não estivesse mais aguentando ficar aqui, fechada dentro de casa, e... Não estou dizendo que fez tudo isso de propósito, mas...

– São vocês que estão imaginando coisas – acuso, apontando um dedo trêmulo na direção deles. – São vocês que estão *inventando* tudo isso. Eu *vi* Jane coberta de sangue. Eu estava bem *ali*, naquela janela.

Norelli fecha os olhos, bufa de impaciência.

– Dra. Fox, o Sr. Russell falou que a mulher dele nem está na cidade. E que nem conhece a senhora.

Silêncio. A sala parece eletrificada.

– Ela esteve aqui – digo, calma e claramente. – *Duas vezes.*

– Temos...

– Na primeira, ela me ajudou a entrar quando caí na rua. Na outra veio me visitar e... – Nesse momento, eu grudo os olhos em Alistair. – Depois *ele* apareceu aqui e ficou perguntando por ela.

– Eu estava procurando por meu filho, não por minha mulher – declara Alistair. Ele engole em seco e acrescenta: – E você disse que ninguém tinha passado por aqui.

– Eu menti. A gente sentou aqui mesmo, nesta mesa. Ficamos jogando xadrez.

Ele olha para Norelli, desconsolado.

– E você fez ela gritar – afirmo.

Norelli agora olha para Alistair.

– Ela disse que *ouviu* um grito – explica ele.

– E *realmente* ouvi. Três dias atrás. – Será isso mesmo? Talvez não. – Além disso, Ethan me contou que foi ela. – Não foi bem assim, mas quase.

– Por enquanto vamos deixar Ethan de fora – diz Little.

Olho para os três ali na minha cozinha, cercando-me

feito os três pestinhas naquela noite de Halloween, que me agrediram com ovos. Só me resta encostá-los contra a parede.

– Então onde é que ela está? – pergunto, cruzando os braços contra o peito. – Cadê Jane? Se ela está bem, então tragam-na aqui.

Eles se entreolham.

– Vamos, estão esperando o quê? – Reajusto o roupão, aperto o cinto, cruzo os braços novamente. – Tragam Jane aqui.

Norelli sussurra algo para Alistair. Ele assente com a cabeça, tira o celular do bolso e vai fazer sua ligação na sala.

– E, depois disso – me dirijo a Little –, quero vocês *fora* da minha casa. *Você* acha que estou alucinando. – Ele se assusta. – E *você* acha que estou mentindo. – Norelli não reage. – E *ele* está dizendo que não conheço uma mulher que esteve aqui *duas* vezes. – Alistair resmunga algo ao telefone. – E eu quero saber exatamente quem esteve aqui e quando e onde... – Atrapalhada com as palavras, paro um instante para me recuperar. – Quero saber quem mais esteve aqui.

Alistair volta para a cozinha.

– Vamos ter que esperar um pouquinho – diz, guardando o telefone no bolso.

– Aposto que sim – digo, encarando-o.

Ninguém diz nada. Corro os olhos pelos três: Alistair confere as horas no relógio; Norelli observa o gato placidamente; apenas Little olha para mim.

Passam-se uns vinte segundos.

Depois mais vinte.

Suspiro, descruzo os braços.

Isso é ridículo. A mulher mora...

A campainha toca.

Giro a cabeça na direção de Norelli, depois para Little.

– Eu atendo – fala Alistair, e vai para a porta.

Sem mexer um músculo sequer, fico observando enquanto ele aperta o botão do interfone, gira a maçaneta, abre a porta do corredor e dá um passo para o lado.

Segundos depois, Ethan emerge do corredor para a sala, os olhos voltados para o chão.

– Meu filho você já conhece – diz Alistair. – E esta é minha mulher – acrescenta ele, fechando a porta às costas dela.

Olho para ele. Olho para ela.

Nunca vi essa mulher na minha vida.

QUARENTA E UM

ELA É ALTA, MAS TEM OS TRAÇOS FINOS, emoldurados por cabelos muito lisos e escuros. Sobrancelhas fininhas desenham arcos acima dos olhos esverdeados. Ela olha para mim com frieza, depois atravessa a cozinha para me cumprimentar.

– Acho que ainda não nos conhecemos – declara, com uma voz grave, aveludada, uma voz de Lauren Bacall que corta meus ouvidos.

Não me mexo. Não consigo.

A mão dela paira no ar, apontada para o meu peito. Impaciente, pergunto:

– Quem é essa?

– Sua vizinha – informa Little, quase triste.

– Jane Russell – diz Norelli.

Olho para um, depois para a outra. E em seguida para a tal mulher.

– Não, você não é Jane Russell – digo.

Ela enfim recolhe a mão.

– Essa aí não é Jane! Que diabo é isso? – pergunto aos detetives.

– Juro a você que... – diz Alistair.

– O senhor não precisa jurar nada, Sr. Russell – interrompe Norelli.

– Faz alguma diferença se *eu* jurar? – questiona a mulher.

Dou um passo ameaçador na direção dela.

– Quem é você, afinal? – rosno, brava, e gosto de ver quando os dois recuam juntos, ela e Alistair, como se estivessem acorrentados um ao outro pelos tornozelos.

Little pousa a mão no meu braço.

– Dra. Fox, vamos nos acalmar, ok?

O que me deixa ainda mais irritada. Dou as costas para ele e para Norelli, e agora estou no centro da cozinha, os dois detetives junto à janela, Alistair e a mulher refugiados na sala. Vou caminhando ao encontro deles.

– Estive com Jane Russell duas vezes – repito, plácida e segura. – Você não é Jane Russell.

Dessa vez ela se defende.

– Posso mostrar os meus documentos – fala, levando a mão ao bolso.

– Dra. Fox – diz Norelli da cozinha, depois vem para a sala e se interpõe entre nós. – Chega. Já está de bom tamanho.

Alistair assiste a tudo com os olhos arregalados. A mulher ainda está com a mão enterrada no bolso. Ethan está atrás deles, refugiado na chaise com o gato deitado a seus pés.

– Ethan – chamo, e ele ergue os olhos como se já esperasse a convocação. – Ethan... – Abro caminho através de Alistair e da mulher. – O que está acontecendo aqui?

Ele me encara um instante, depois baixa os olhos. Toco o ombro dele, dizendo:

– Essa mulher não é a sua mãe. Fale para eles.

Ele inclina a cabeça, escorregando os olhos para a esquerda. Crispa os lábios, engole em seco. Brincando com uma das unhas, fala baixinho:

– Você nunca esteve com a minha mãe.

Recolho a mão.

Me viro para trás, lentamente, perplexa.

Depois os três falam ao mesmo tempo, num pequeno coro:

– Será que agora podemos... – diz Alistair, apontando o queixo para a porta da rua.

– Já terminamos aqui – decreta Norelli.

– Procure descansar um pouco – aconselha Little, dirigindo-se a mim.

Olho para os três, mais confusa do que nunca.

– Será que podemos... – tenta Alistair novamente.

– Obrigada, Sr. Russell – diz Norelli. – Obrigada, Sra. Russell.

Os dois me olham com cautela, como se eu fosse um animal selvagem recém-atingido por um dardo de tranquilizantes. Depois se encaminham para a porta.

– Venha – ordena Alistair.

Ethan fica de pé, baixa os olhos novamente, passa por cima do gato.

Norelli se junta aos três.

– Dra. Fox, denúncias falsas constituem crime com pena prevista em lei – informa ela. – Fui clara?

Olho para a detetive. Acho que respondo com a cabeça.

– Ótimo. – Ela ajeita a gola do suéter. – Por hoje é só.

Eles saem para o corredor e fecham a porta. Ouço quando destrancam a segunda porta que dá para a rua.

Agora estou sozinha com Little. Olho para os sapatos dele, um par de *brogues* pretos, e de repente lembro (como? por quê?) que perdi minha aula de francês com Yves.

Sozinha com Little. Os dois. *Les deux.*

Ouço a porta da rua bater.

– Tudo bem se eu for embora também? – pergunta Little.

Faço que sim, ausente.

– Por acaso você tem alguém com quem possa conversar?

De novo respondo com a cabeça.

– Fique com isto aqui – diz ele, tirando do bolso do paletó um cartão de visita e colocando-o na minha mão.

Examino o cartão. O papel não é dos melhores. DETETIVE CONRAD LITTLE, POLÍCIA DE NOVA YORK. Dois números de telefone. Um endereço de e-mail.

– Se precisar de alguma coisa, é só ligar. Ei, olhe para mim.

Faço o que ele pede.

– Pode ligar, ok?

Silêncio.

– Ok?

A palavra escorre pela língua, passando à frente das outras.

– Ok.

– Ótimo. A qualquer hora do dia ou da noite. – Ele joga o telefone de uma mão para a outra. – Tenho aqueles filhos que te falei. Não durmo nunca. – Joga o telefone para a mão de antes. E interrompe a brincadeira quando percebe que estou observando.

Olhamos um para o outro.

– Fique bem, Dra. Fox.

Little sai para o corredor e fecha a porta atrás de si.

De novo ouço a porta da rua se abrir. De novo ouço a porta da rua se fechar.

QUARENTA E DOIS

Um silêncio súbito, intenso. O mundo freou e parou.

Pela primeira vez no dia, estou sozinha.

Olho à minha volta. As garrafas de vinho, radiantes sob o sol da janela. A mesa da cozinha com uma cadeira afastada para o lado. O gato, patrulhando o sofá.

Partículas de poeira vagam pelo ar.

Vou para a porta do corredor, passo a chave.

Depois me volto para a sala outra vez.

Será que isso realmente aconteceu?

O que aconteceu?

Reviro a cozinha até encontrar mais uma garrafa de vinho. Pego o saca-rolhas e abro. Sirvo um pouco na taça, bebo um gole.

Penso em Jane.

Esvazio a taça na boca, depois pego a garrafa e bebo direto do gargalo. Goles demorados.

Penso na tal mulher.

Agora tomo o rumo da sala, vou ganhando velocidade pelo caminho. Derramo dois comprimidos na palma da mão, jogo na boca, sinto a dança deles na garganta.

Penso em Alistair. "E esta é minha mulher."

Continuo bebendo da garrafa; gole após gole, até engasgar.

Só então penso em Ethan, na sua dificuldade em me olhar de frente, na insistência em virar o rosto. No constrangimento ao me responder. No subterfúgio de brincar com as unhas. No gaguejar da resposta.

Na mentira contada.

Porque o garoto *realmente* mentiu. Ethan estava irrequieto. Ora virava o rosto, ora olhava para cima. Demorou para responder. Sinais evidentes da mentira que estava por vir. Antes mesmo que ele abrisse a boca, eu já sabia que ouviria uma mentira.

Mas os lábios crispados... Isso é sinal de outra coisa.

É sinal de medo.

QUARENTA E TRÊS

O CELULAR ESTÁ NO CHÃO DO ESCRITÓRIO, no mesmo lugar em que tinha caído. Faço a ligação enquanto vou guardar os frascos no armarinho de remédios do banheiro. Sei perfeitamente que é o Dr. Fielding quem possui um diploma de medicina e um bloco de receitas, mas não é ele que pode me ajudar agora.

– Você pode dar um pulinho aqui? – peço assim que ela atende.

Silêncio.

– Hein?

Ela parece confusa.

– Você pode vir aqui?

Vou para a cama, desabo em cima dela.

– Agora? É que...

– Por favor, Bina.

Mais silêncio.

– Posso chegar lá pelas nove, nove e meia – concorda ela afinal. – Tenho planos para o jantar.

Paciência.

– Tudo bem – digo, e afundo a cabeça no travesseiro, a espuma invadindo a orelha.

Árvores balançam do outro lado da janela. Folhas saltam das copas feito faíscas de uma fogueira: elas rebrilham na vidraça, depois voam para longe.

– *Stassuzobemcontigo?*

– O quê?

O temazepam está emperrando meu cérebro. Chego a sentir os circuitos entrando em curto.

– Perguntei se está tudo bem com você.

– Não. Sim... Explico quando você chegar.

As pálpebras pesam, desabam.

– Ok. *Agentesevemaistarde.*

Mas a esta altura já estou desintegrando no sono.

UM SONO ESCURO, sem sonhos. Um hiato de esquecimento.

E, quando a campainha grita lá embaixo, acordo exausta.

QUARENTA E QUATRO

BINA POUSA OS OLHOS EM MIM e escancara a boca.

Finalmente volta a fechá-la, sem pressa mas com firmeza, como uma planta carnívora. Não diz nada.

Estamos na biblioteca de Ed, eu enroscada na poltrona com asas no espaldar, ela espichada na outra, a preferida de Fielding. Suas pernas, finas e compridas como um par de calhas, estão cruzadas, Punch trançando em volta delas como um fiapo de fumaça.

Na lareira, um fogo brando.

Bina agora olha para a dança tímida das chamas.

– *Quanto* você bebeu, afinal? – pergunta ela com uma careta de medo, como se eu estivesse prestes a atacá-la.

– Não o bastante para ter *alucinações*.

– Certo, mas... e os comprimidos?

Amasso entre os dedos o cobertor jogado sobre as pernas.

– Estive com Jane. Duas vezes. Em dias diferentes.

– Certo.

– Também a vi inúmeras vezes pela janela, com o marido e o filho.

– Certo.

– Ela estava ensanguentada, eu vi. Com uma faca espetada no peito.

– Tem certeza de que era uma faca?

– Um *broche* é que não era, porra.

– Só estou... ok, deixa pra lá.

– Eu estava com a minha câmera. Vi direitinho.

– Mas não fotografou.

– Não, não fotografei. Queria ajudar a mulher, e não... documentar a coisa toda.

– Ok. – Bina brinca displicentemente com uma mecha dos cabelos. – E agora estão dizendo que ninguém foi esfaqueado.

– Mais que isso. Estão dizendo que Jane é outra pessoa. Ou que outra pessoa é a Jane.

Ela enrosca a mecha no dedo comprido.

– Tem certeza de que... – começa ela, e me deixa tensa, pois sei o que vem depois. – Tem certeza de que isso tudo não foi um grande mal-entend...

– Sei muito bem o que vi – digo, me inclinando para a frente.

Ela baixa a mão para o colo.

– Eu não... sei o que dizer.

– Eles não vão acreditar que alguma coisa aconteceu a Jane – falo baixinho, com a cautela de quem pisa num chão de vidro moído, talvez mais para mim mesma do que para

Bina –, até descobrirem que essa mulher que eles pensam ser Jane... não é Jane.

O raciocínio é confuso, mas ela assente com a cabeça.

– Mas... e a polícia? Eles não pediram para ver os documentos dessa outra mulher?

– Não. Não pediram. Simplesmente acreditaram na palavra do... do suposto marido. Que motivo teriam para não acreditar? Que motivo? – O gato vem trotando e se aninha sob a minha poltrona. – E ninguém viu essa mulher antes. Não faz nem uma semana que eles se mudaram para cá. Ela pode ser qualquer pessoa. Uma parenta. Uma amante. Uma noiva encomendada pelo correio. – Ergo a mão para pegar minha taça de vinho, depois lembro que não tem taça nenhuma. – Mas eu vi Jane *com a família dela*. Vi o relicário dela com a foto do filho dentro. Vi... Puxa, ela mandou Ethan aqui para entregar uma vela.

Bina assente outra vez, depois diz:

– E você não notou nada de estranho no comportamento do marido?

– Como se ele tivesse acabado de esfaquear alguém? Não.

– Tem certeza de que foi ele mesmo que...

– Que o quê?

– Que... fez isso – completa ela, aflita.

– Quem mais poderia ser? O filho deles é um anjo. Se fosse esfaquear alguém... esfaquearia o pai. – Mais uma vez tento pegar a taça que não está lá. – Além disso, vi o garoto no computador pouco antes. A menos que ele tenha corrido até a sala para retalhar a mãe, está fora de suspeita, eu acho.

– Você contou essa história toda a mais alguém?

– Ainda não.

– Nem para o seu médico?

– Vou contar.

A ele e a Ed também. Mais tarde.

Agora, silêncio... apenas o estalar das chamas na lareira.

Fico observando Bina, o reflexo dourado que o fogo produz na sua pele, e de repente me pergunto se ela não está apenas sendo simpática comigo, se na verdade também não duvida de mim. Afinal, é uma história impossível, não é? "Meu vizinho matou a mulher e agora uma impostora está se fazendo passar por ela. E o filho está amedrontado demais para contar a verdade."

– Onde você acha que a Jane está? – pergunta ela baixinho. Silêncio.

– EU NEM IMAGINAVA QUE ELA tivesse feito tanto sucesso – diz Bina, debruçando-se às minhas costas, os cabelos compridos fazendo uma cortina entre mim e a luminária da mesa.

– Foi uma grande pin-up nos anos 1950. Depois foi uma ativista ferrenha contra o aborto.

– Hum.

– Fez um que não deu muito certo.

– Ah.

Estamos diante do computador no meu escritório, passando as 22 páginas de fotos de Jane Russell: coberta de joias (*Os homens preferem as louras*); sentada num monte de feno com um vestidinho informal (*O proscrito*); rodando uma saia de cigana (*Sangue ardente*). Consultamos o Pinterest. Viramos o Instagram pelo avesso. Pesquisamos não sei quantos sites e jornais de Boston. Visitamos a galeria de fotos de Patrick McMullan. Nada.

– É impressionante – observa Bina. – Tem pessoas que, de acordo com a internet, simplesmente não existem.

O caso de Alistair é mais fácil. Lá está ele, embrulhado feito uma salsicha no seu paletó muito justo, numa nota publicada há dois anos na *Consulting Magazine*. RUSSELL VAI PARA A ATKINSON, diz a manchete. Seu perfil no LinkedIn traz a mesma foto. Um retrato na newsletter da associação de ex-alunos de Dartmouth, brandindo um copo de uísque durante um evento de arrecadação de fundos.

Mas nada de Jane.

E mais estranho ainda: nada de Ethan. Ele não está no Facebook, nem no Foursquare, nem em lugar nenhum, e o Google não fornece nada além de alguns links para um fotógrafo de mesmo nome.

– Hoje em dia quase todos os garotos dessa idade estão no Facebook... – declara Bina.

– O pai não deixa. Nem celular o menino tem. – Enrolo a manga do roupão. – E ele estuda em casa. Provavelmente não conhece muita gente na cidade. Provavelmente não conhece *ninguém*.

– Mas alguém há de conhecer a mãe. Alguém em Boston ou... Sei lá, *alguém*. – Bina vai até a janela. – Não é possível que eles não tenham fotos, tipo um álbum de família. A polícia não esteve lá hoje?

Reflito um instante.

– Nada impede que Alistair tenha mostrado fotos dessa outra mulher. Ele pode ter mostrado qualquer coisa, falado qualquer coisa. Ninguém vai revistar a casa dele. Os policiais deixaram isso bem claro.

– Sei. – Bina olha pela janela. – As cortinas estão fechadas.

– Hein?

Vou para junto dela, vejo com meus próprios olhos: a cozinha, a sala, o quarto de Ethan. Realmente as cortinas estão todas cerradas.

A casa fechou os olhos. Muito bem fechados.

– Está vendo? – digo. – Não querem que eu fique bisbilhotando a casa deles.

– O que é compreensível.

– Estão tomando precauções. Essas cortinas são prova disso. São ou não são?

– É, é esquisito mesmo. – Bina inclina a cabeça e pergunta: – Geralmente elas ficam fechadas?

– Nesses últimos dias, nunca. A casa parece um aquário com três peixinhos dentro.

Ela hesita um instante e então diz:

– Você acha possível que... sei lá, que você esteja correndo algum tipo de... perigo?

Eu não tinha pensado nisso.

– Por quê?

– Porque, se o que você viu realmente aconteceu...

– Claro que aconteceu.

– Nesse caso... você é uma testemunha ocular.

Expiro; inspiro.

– Bina, você dorme aqui comigo esta noite? Por favor?

Ela ergue as sobrancelhas.

– Isso é uma cantada.

– Vou pagar, claro.

Depois me olha com desconfiança.

– Não é isso. É que amanhã preciso acordar muito cedo, e todas as minhas coisas estão...

– Por favor – insisto, olhando nos olhos dela. – Por favor.

Ela suspira.

QUARENTA E CINCO

UMA ESCURIDÃO DENSA E ESPESSA. Escuridão de um abrigo antibombas. Escuridão de estratosfera.

De repente, muito ao longe, uma estrela desponta, um pinguinho de luz.

E se aproxima.

Estremece, incha, pulsa.

Um coração. Um minúsculo coração. Batendo. Reluzindo.

Comendo a escuridão à sua volta, amanhecendo, pendurado a uma correntinha tão fina quanto um corte de seda. Uma blusa, branca como um fantasma. Um par de ombros, dourados de luz. Um traço de pescoço. Uma mão, os dedos brincando com o coraçãozinho pulsante.

E, acima dele, um rosto: Jane. A Jane verdadeira. Olhando radiante para mim. Sorrindo.

Sorrio de volta.

Uma janela escorrega à sua frente. Ela espalma uma das mãos na vidraça, imprimindo nela o mapa das pontas dos dedos.

Subitamente, a escuridão às suas costas se desfaz para iluminar um cenário: o sofazinho listrado de vermelho e branco; os dois abajures idênticos, ambos acesos; o carpete de estampa floral.

Jane baixa os olhos para o relicário pendurado à correntinha e brinca com ele. Depois olha para a blusa luminosa, para a mancha de sangue que vai crescendo, inchando, lambendo o colarinho, flamejando contra a pele.

E, quando reergue a cabeça e olha para mim, não é mais Jane, mas a outra mulher.

> **SÁBADO,**
> *6 de novembro*

QUARENTA E SEIS

Bina sai um pouco depois das sete, quando o amanhecer já se mostra entre as frestas das cortinas. Descobri que ela ronca, quase um choramingar de pequenos soluços, um quebrar de ondas distantes. Inesperado.

Agradeço sua gentileza, afundo a cabeça no travesseiro, volto a dormir. Quando acordo, confiro as horas no celular: quase onze.

Por um instante fico olhando para o aparelho. E dali a pouco já estou falando com Ed. Dessa vez sem nenhum "Adivinhe quem é".

– É inacreditável – diz ele após um momento de silêncio.

– Mas aconteceu.

Ele se cala um instante. Em seguida, fala:

– Não estou dizendo que não aconteceu, mas...

Já vou me preparando para o pior.

– ... mas você *realmente* tem tomado uma medicação barra-pesada nos últimos meses. Portanto...

– Portanto *você também* não acredita em mim.

– Não, não é que eu não acredite em você. Só que...

– Você faz ideia de como isso é *frustrante* para mim?! – grito.

Ele se cala. Eu continuo:

– Vi quando tudo aconteceu. Tudo bem, eu tinha tomado remédios... Admito. Mas não *imaginei* nada. Ninguém toma um punhado de comprimidos e depois *imagina* uma coisa dessas. – Sugo um pouco de ar para reabastecer os pulmões. – Não sou como esses adolescentes que passam a noite inteira na violência dos videogames e então vão para a escola e matam todo mundo. *Sei muito bem o que vi.*

Ed permanece calado.

Até que:

– Bem, para início de conversa, e só para não faltar com o rigor acadêmico: você tem certeza de que foi ele mesmo?

– Ele quem?

– O marido. Foi ele quem...

– Bina perguntou a mesma coisa. Claro que eu tenho certeza.

– Será que não foi essa outra mulher?

Não encontro o que dizer.

É Ed quem quebra o silêncio, como se estivesse pensando em voz alta.

– Digamos que ela seja mesmo a amante, como você disse. Ela chega de Boston, ou sei lá de onde. Elas brigam. De repente surge uma faca, também não sei de onde, e dali a pouco sua vizinha está esfaqueada, sem marido nenhum na jogada.

Reflito. Acho a tese difícil de engolir, mas... quem sabe? O problema, no entanto, é outro.

– Não importa quem foi que esfaqueou – insisto. – Pelo menos por enquanto. O fato é que uma pessoa foi esfaqueada, e o *problema* é que ninguém acredita em mim. Nem Bina. Nem *você*.

Silêncio. De repente me vejo subindo a escada, entrando no quarto de Olivia.

– Não conta nada para Livvy sobre isso – digo.

Ed dá uma risada, um sonoro e metálico "rá-rá".

– Não vou contar. – Ele tosse. – E o Dr. Fielding, o que foi que ele disse?

– Ainda não falei com ele.

Mas deveria.

– Mas deveria – declara Ed.

– Vou falar.

Pausa.

– E o que mais está acontecendo no resto da vizinhança?

Penso um pouco, mas logo vejo que não faço a menor ideia. Os Takedas, os Millers, até mesmo os Wassermans, nenhum deles sequer passou perto do meu radar na última semana. Para mim, agora só existem a minha própria casa, a dos Russells e o parque entre elas. Fico me perguntando o que foi feito do engenheiro de Rita. Ou que livro a Sra. Gray escolheu para o seu clube de leitura. Eu costumava anotar e comentar os movimentos dos meus vizinhos, registrava todo o vaivém deles. Tenho capítulos inteiros sobre a vida de cada um no disco rígido do meu computador. Mas agora...

– Não sei – admito.

– Bem – conclui ele –, talvez seja melhor assim.

Terminada nossa conversa, novamente confiro o relógio do celular. Onze e onze. Meu aniversário. E o de Jane também.

QUARENTA E SETE

Desde ontem tenho evitado a cozinha. A cozinha e todo o primeiro pavimento. Mas agora estou de volta à janela, espiando a casa do outro lado do parque. Despejo um ou dois dedos de vinho na taça.

Sei o que vi. Uma mulher ensanguentada. Suplicando ajuda.

Essa história mal começou.

Bebo mais vinho.

QUARENTA E OITO

As persianas, vejo, estão recolhidas.

A casa me encara de volta com os olhos arregalados, como se surpresa ao me avistar do lado de cá. Dou um zoom, focando na janela, e espiono a sala.

Imaculadamente limpa. Nada. O sofazinho listrado. Os abajures feito um par de sentinelas.

Reacomodo o corpo na cadeira encostada à janela e aponto a câmera para o quarto de Ethan. Mais uma vez o encontro debruçado sobre o computador feito uma gárgula, aquelas figuras monstruosas que se debruçam sobre telhados antigos.

Fecho o zoom ainda mais. Praticamente consigo ler o que está escrito na tela.

Movimento na rua. Um carro, cintilante como um tubarão, encontra uma vaga diante da porta dos Russells e estaciona. A porta do motorista se abre como uma barbatana e Alistair salta, vestindo um casaco de inverno.

Ele caminha para casa.

Tiro uma foto.

E tiro outra quando ele alcança a porta.

Não tenho um plano em mente, se é que um dia tive algum. Claro, não sou ingênua a ponto de achar que vou conseguir fotografá-lo com as mãos sujas de sangue. Ou que ele venha bater à minha porta para confessar seu crime.

Mas nada me impede de continuar observando.

Ele entra em casa. Minha lente salta para a cozinha e, como esperado, é lá que ele aparece segundos depois. Joga as chaves na bancada e tira o casaco. Sai da cozinha.

Não volta.

Movo a câmera na direção da sala do andar de cima.

E, nesse mesmo instante, ela surge, leve e radiante num pulôver verde: "Jane."

Ajusto o foco da lente. Com total nitidez, vejo quando ela acende o primeiro abajur, depois o outro. Vejo as mãos delicadas, o pescoço comprido, o movimento do cabelo sobre o rosto.

A mentirosa.

Então ela sai da sala, rebolando os quadris magros porta afora.

Nada. A sala está vazia. A cozinha está vazia. No andar de cima, a cadeira de Ethan está vazia e a tela do computador é um retângulo preto.

O telefone toca.

Giro a cabeça, quase dando a volta completa, feito uma coruja, e a câmera cai no meu colo.

A campainha soa às minhas costas. É o telefone fixo.

Não o da cozinha, que apodrece aos poucos em sua base, mas o da biblioteca de Ed. Do qual eu já nem me lembrava mais.

Ele continua tocando, distante, insistente.

Fico onde estou. Mal consigo respirar.

Quem será que está ligando? Nem sei dizer há quanto tempo ninguém liga para cá. Quem tem este número? Um número do qual nem eu me lembro direito?

Mais um toque da campainha do telefone.

Depois outro.

Vejo meu reflexo no frio da vidraça. O reflexo de uma mulher murcha, abatida. E fico imaginando os cômodos da minha casa, um por um, estremecendo com o barulho do telefone.

Campainha.

Olho para o outro lado do parque.

Lá está ela, na janela da sala com seu próprio telefone ao ouvido.

Olhando para mim. Um olhar fixo, duro.

Pego minha câmera e fujo da janela para a mesa do escritório. Ela continua olhando, um traço rígido no lugar dos lábios.

Como foi que conseguiu o número daqui?

Ora, do mesmo jeito que eu consegui o dela: auxílio à lista. Fico imaginando a cena toda: ela discando o número, informando meu nome, pedindo para ser transferida. Ligando para cá. Invadindo minha casa, minha cabeça.

A *mentirosa*.

Continuo olhando para ela. Ferozmente.

Ela continua olhando para mim. Ferozmente.

Campainha.

E depois outra coisa: a voz de Ed.

"Você ligou para Anna e Ed", diz ele com a dicção trovejante de um locutor de trailer de cinema. Ainda me lembro do dia em que gravou essa mensagem. Falei que ele estava parecendo o Vin Diesel e ele riu, baixando ainda mais o tom de voz. "Agora não estamos em casa, mas deixe sua mensagem e ligaremos de volta assim que possível."

Lembro que quando terminou a gravação e apertou o Stop, inventou um sotaque horrível de caipira e acrescentou: "Ou quando der na nossa telha."

Fecho os olhos por um instante e imagino que é ele quem está ligando.

Mas é a voz dela que invade o escritório, que invade a casa.

– Acho que você sabe quem é.

Silêncio. Abro os olhos. A mulher ainda me encara. Vejo sua boca formando as palavras que me chegam pela secretária eletrônica, perfurando os ouvidos. O efeito é surreal.

– Pare de fotografar nossa casa ou vou chamar a polícia.

Ela afasta o celular e o guarda no bolso. Olha para mim. Eu olho de volta.

O silêncio é total.

Saio para o corredor.

QUARENTA E NOVE

GIRLPOOL está desafiando você!

É o meu programa de xadrez. Faço um gesto obsceno para o computador e então ligo para o Dr. Fielding. A secretária eletrônica, com a secura de uma folha morta, pede que eu deixe um recado. E é o que faço, enunciando as palavras com todo o cuidado.

Estou na biblioteca de Ed, o laptop queimando minhas pernas, o sol de meio-dia queimando o carpete. Uma taça de Merlot espera na mesinha ao meu lado. Uma taça e uma garrafa.

Não quero beber. Quero manter a lucidez; quero pensar. Quero *analisar*. As últimas 36 horas já começam a recuar na memória, evaporando como uma nuvem de neblina. A casa já se prepara para dar de ombros e mandar para o inferno todo o mundo exterior.

Preciso beber.

Girlpool. Que apelido mais idiota. Girlpool. *Whirlpool*, o filme. *A ladra*. Gene Tierney. Lauren Bacall. "A anestesia já está em sua corrente sanguínea."

Realmente está. Levo a taça à boca, sinto o vinho descendo pela garganta, correndo nas veias.

"Fique tranquilo, cruze os dedos."

"Me deixe entrar!"

"Você vai ficar bem."

Você vai ficar bem. Quanta ironia.

Minha cabeça é um pântano profundo e salobro, fatos e fantasias trocando abraços, confundindo-se uns com os outros. Como é mesmo o nome daquelas árvores que crescem em terrenos pantanosos e muito sedimentados? Aquelas com as raízes aéreas? Man... Man... Man-alguma-coisa, disso eu tenho certeza.

David.

A taça estremece na minha mão.

Na confusão, acabei me esquecendo de David.

Que andou trabalhando na casa dos Russells. Que poderia ter visto... que *certamente* viu Jane.

Deixo a taça na mesinha, me levanto e vou cambaleando para o corredor. Desço a escada, sigo para a cozinha. Dou uma olhada na direção da casa dos Russells (ninguém à vista, ninguém me olhando de volta), depois bato de leve à porta do porão. Bato de novo, agora mais forte. Chamo por David.

Ninguém atende. Talvez ele esteja dormindo. Mas a essa hora? No meio da tarde?

Tenho uma ideia.

Não está certo, eu sei, mas a casa é *minha*. E a situação é de urgência. Muita urgência.

Vou até a escrivaninha da sala, abro uma das gavetas e lá está ela, encardida e dentada: a chave.

Volto à porta do porão e bato mais uma vez. Nada. Encaixo a chave na fechadura. Giro.

Empurro a porta.

Ela range. Meu coração dispara.

Mas tudo é silêncio lá embaixo. Vou descendo na escuridão, pisando com cuidado, arrastando a mão pelo gesso áspero da parede.

Desço o último degrau. As cortinas estão fechadas. Por aqui já é noite. Meus dedos encontram o interruptor e acendem a luz.

Faz dois meses que estive aqui pela última vez; dois meses desde que David pediu para ver o lugar. Ele correu os olhos escuros pelo cômodo (a saleta com a mesa de arquiteto de Ed no centro, o canto estreito onde fica a cama, a quitinete em tons de marrom e chumbo, o banheiro) e aprovou com um gesto rápido de cabeça.

Não mudou muita coisa depois que se instalou. À primeira vista, não mudou *nada*. O sofá de Ed continua no mesmo lugar. A mesa também, mas com a prancha paralela ao chão. Sobre ela, há um prato com os talheres de plástico cruzados feito um brasão de armas. Caixas de ferramentas se empilham contra a parede dos fundos, junto da porta que dá para a rua. Na mais alta delas, localizo o estilete que ele pegou emprestado, uma pontinha da lâmina cintilando sob a tampa de plástico. Ao lado está um livro com a lombada rasgada. *Sidarta*.

Na parede oposta está pendurado um porta-retratos de bordas pretas e finas com a mesma foto de sempre: eu e Olivia na escadinha da nossa casa, ela com 5 anos, eu com o braço pousado em seus ombros. Ambas sorrindo, e Olivia com sua boquinha já banguela. "Quantas janelas neste sorriso, menina!", dizia Ed.

Eu já tinha me esquecido dessa foto. Meu coração bate um pouco mais forte. Por que será que ela continua aqui?

Sigo para onde fica a cama.

– David? – chamo baixinho, mesmo sabendo que ele não está.

As cobertas estão emboladas ao pé do colchão, e os travesseiros com sulcos profundos, como se tivessem levado golpes de judô. Faço um rápido inventário do que vejo pela cama: um pedaço de macarrão enroscado em uma das fronhas; uma camisinha aparentemente usada, agarrada à madeira de um dos pés; um frasco de aspirina espremido entre a cabeceira e a parede; hieróglifos de suor ou de sêmen no lençol; um laptop magrinho, esquecido num canto do colchão. Um cinturão de camisinhas fechadas abraça a haste da luminária de chão. Um brinco reluz na mesa de cabeceira.

Dou uma olhada no banheiro. Pelos de barba salpicam a pia. O vaso está escancarado, parecendo bocejar. No chuveiro, um vidro grande de xampu vagabundo e um resto de sabonete.

Recuo e volto para a saleta. Corro a mão sobre a mesa de Ed.

Novamente passeio os olhos pelo cômodo. Não vejo nenhum álbum de fotos, mas é bem provável que nos dias de hoje ninguém mais tenha um álbum de fotos. "Jane tem", lembro a mim mesma. Também não vejo nenhum porta-CD, nenhuma torre de DVD, mas acho que essas coisas também já pertencem ao passado. Bina comentou: "É impressionante: tem pessoas que, de acordo com a internet, simplesmente não existem." Todas as fotos de David, todas as suas músicas, tudo aquilo capaz de revelar quem é esse rapaz... nada disso existe mais. Ou melhor, tudo está flutuando por aí no éter, de forma invisível, uma coleção de arquivos e ícones, bits e bytes. Nada que possamos ver ou pegar no mundo real, nenhum sinal, nenhuma pista. Realmente impressionante.

Olho mais uma vez para a foto pendurada. Lembro da gaveta na sala, repleta de DVDs. Sou uma peça de museu. Fui deixada para trás.

Já estou voltando para a escada quando ouço um barulho atrás de mim. Mais exatamente, na porta que dá para a rua.

Fico olhando para ver o que é. Então ela se abre e, de repente, lá está David, olhando para mim.

CINQUENTA

– *INFERNO!* ESTÁ FAZENDO O QUÊ, AQUI?!

Levo um susto. Nunca ouvi uma grosseria sair da boca de David. Na realidade, quase nada sai dessa boca.

– Está fazendo o quê, aqui? – insiste ele.

Dou um passo atrás, aflita.

– Eu só estava...

– Quem te deu o direito de entrar aqui na minha ausência?

Recuo mais um passo, tropeço.

– Desculpe...

Ele avança na minha direção, a porta escancarada às suas costas. Minha visão começa a turvar.

– Desculpe, desculpe... – Respiro fundo. – Eu estava procurando uma coisa.

– Procurando o quê?

Respiro novamente.

– Na verdade, estava procurando você.

Ele ergue as mãos, as chaves tilintando, depois as deixa cair ao lado das pernas.

– Pois já encontrou. – Ele balança a cabeça. – Por quê?

– Porque...

– Você podia ter telefonado.

– Achei que...

– Achou que podia simplesmente descer aqui, não achou?

Quase digo que sim, mas me contenho a tempo. Essa talvez seja a conversa mais longa que já tivemos até agora.

– Pode fechar a porta, por favor?

Ele empurra a porta de longe, deixando-a bater com força. E parece mais calmo quando volta a atenção para mim. Mas o tom de voz ainda é ríspido:

– O que você quer afinal?

Estou tonta.

– Posso me sentar um pouquinho?

David fica onde está.

Vou até o sofá e desabo nele. Por um instante David permanece imóvel como uma estátua, depois guarda as chaves no bolso, tira a jaqueta e a joga de qualquer jeito. Ouço quando ela aterrissa na cama e escorrega para o chão.

– Isso não se faz.

– Eu sei, eu sei.

– Você também não ia gostar se me encontrasse lá em cima. Sem ter sido convidado.

– Tem razão, eu sei.

– Você ficaria put... Ficaria brava comigo.

– Ficaria.

– E se eu estivesse acompanhado?

– Bati antes de entrar.

– Acha que isso faz alguma diferença?

Não digo nada.

Ele me encara por alguns segundos, depois vai tirando as botinas a caminho da cozinha. Pega uma cerveja na geladeira e abre a garrafa na quina da pia, a tampinha caindo no chão e rolando para o aquecedor.

Se eu fosse mais jovem, teria ficado impressionada com o truque.

Ele dá um gole na cerveja e volta para o meu lado. Recosta o corpo esguio na mesa de Ed, dá mais um gole e diz:

– E aí? Estou aqui.

– Ok – digo, erguendo os olhos para ele. – Por acaso você chegou a ver a mulher que mora do outro lado do parque?

Ele franze a testa.

– Quem?

– Jane Russell. Que mora ali do outro lado do parque. No número...

– Não – diz ele, sem titubear.

– Mas você foi lá fazer um trabalho para eles. Não foi?

– Fui.

– Então...

– Só estive com o Sr. Russell. Não cheguei a conhecer a mulher dele. Aliás, nem sabia que ele era casado.

– Tem um filho.

– Solteiros também têm filhos. – Ele bebe da cerveja. – Não que eu tenha refletido sobre o assunto. Era isso que você queria saber?

Faço que sim com a cabeça. Minha vontade é sumir dali. Baixo o rosto, fico olhando para as minhas mãos.

– Foi só para isso que você desceu aqui?

– Foi.

– Bem, então já tem sua resposta.

Continuo onde estou.

– Afinal de contas... por que você queria saber se eu conheço a mulher?

Ergo a cabeça. Ele não vai acreditar em mim.

– Bobagem minha – respondo.

Enterro os dedos no braço do sofá, tento ficar de pé. Ele estende a mão calejada para me ajudar, depois iça meu corpo num gesto rápido e firme, os músculos inchando no antebraço.

– Sinto muito por ter vindo aqui.

– Hum.

– Não vai acontecer de novo.

– Hum.

Eu me dirijo para a escada, sentindo que ele me segue com os olhos.

Três degraus acima, lembro de uma coisa.

– Você não... Por acaso você não ouviu um grito no dia em que estava trabalhando lá? – pergunto, recostando o ombro na parede.

– Você já me perguntou isso, lembra? Falei que não ouvi grito nenhum, lembra? Estava ouvindo Bruce Springsteen, lembra?

Já perguntei? Às vezes tenho a impressão de que estou afundando no meu próprio cérebro.

CINQUENTA E UM

AO SAIR DO PORÃO E CHEGAR À COZINHA, recebo uma ligação de Fielding.

– Vi seu recado – diz. – Você parecia preocupada.

Chego a abrir a boca para responder. Já estava preparada para contar a história toda, para me abrir com ele; mas, pensando melhor, do que adiantaria? *Ele* é que me parece preocupado, sempre, e com tudo; *ele* é que vem aumentando minha medicação a ponto de... Deixa pra lá.

– Não foi nada.

Ele reflete um instante.

– Nada?

– Não, não... bem... é que eu tinha uma pergunta sobre... – Engulo em seco. – Sobre os genéricos.

Ele não diz nada.

– Andei pensando em trocar minhas drogas pelos genéricos. Pelo menos algumas.

– Trocar sua medicação – corrige ele, automaticamente.

– Isso, a medicação.

– Bem, se você realmente quiser...

Não me parece muito convicto.

– Seria ótimo. Porque esses remédios estão ficando muito caros.

– Isso tem sido um problema?

– Não, não. Mas não quero que *se torne* um problema.

– Entendo.

Não entende, não.

– Bem – continua ele –, na terça conversamos sobre isso.

– Combinado.

Pego uma garrafa de Merlot.

– Dá para esperar até a terça, não dá?

– Claro, claro.

Retiro a rolha.

– Tem certeza de que está bem?

– Absoluta.

Busco uma taça na pia.

– Não anda misturando os remédios com álcool, anda?

– Não.

Servindo a dose.

– Ótimo. Então a gente se vê na terça.

– A gente se vê na terça.

Ele desliga, eu bebo um gole.

CINQUENTA E DOIS

Viajo para o andar de cima. Na biblioteca de Ed, encontro a taça e a garrafa que abandonei ali vinte minutos atrás, esturricando ao sol. Pego as duas coisas e navego com elas para o escritório.

Sento à mesa. E penso.

No monitor à minha frente está um tabuleiro de xadrez, as peças já no lugar, dois exércitos preparados noite e dia para a batalha. A dama branca: lembro de ter capturado a de Jane. Jane, com sua blusa branco-neve, agora saturada de sangue.

Jane. A dama branca.

O computador apita.

Olho para a casa dos Russells. Nenhum sinal de vida.

GrannyLizzie: Bom dia, Dra. Anna.

Bem, vamos lá.

Em que pé deixamos as coisas? Em que *dia* deixamos as coisas? Abro a caixa de diálogo e vou subindo até encontrar: **GrannyLizzie saiu do chat.** Às 16h46 da última quinta-feira, dia 4 de novembro.

Isso: eu e Ed tínhamos acabado de dar a notícia a Olivia. Lembro de como meu coração trepidava no peito.

E seis horas mais tarde liguei para a emergência.

E depois disso... a aventura no parque. A noite no hospital. A conversa com Little e com a médica. A injeção. A viagem de volta para o Harlem, o sol machucando meus olhos. A confusão na minha cozinha. Punch pulando no meu colo. Norelli circulando à minha volta. Alistair na minha casa. Ethan na minha casa.

A mulher na minha casa.

E Bina, e nossas pesquisas na internet, os roncos dela durante a noite. E hoje: a desconfiança de Ed; o telefonema de "Jane"; o porão de David, a raiva de David; a voz de Fielding coaxando no meu ouvido.

Será que foram mesmo só dois dias??

thedoctorisin: Bom dia! Tudo bem com você?

Na quinta-feira ela me deixou falando sozinha, mas vou relevar.

GrannyLizzie: Estou bem, mas antes de qualquer coisa preciso me DESCULPAR por ter saído tão bruscamente aquele dia.

Ótimo.

thedoctorisin: Não tem importância! Todo mundo tem os seus afazeres!

GrannyLizzie: Não é isso, JURO. Minha internet bateu as botas! Descanse em paz, internet!

GrannyLizzie: Isso acontece pelo menos duas vezes por mês, mas dessa última foi numa quinta-feira, e o pessoal da empresa só pôde vir aqui no fim de semana.

GrannyLizzie: Eu REALMENTE sinto muito. Você deve ter pensado horrores a meu respeito.

Levo a taça à boca e bebo. Encho a taça novamente e bebo mais. Achei que Lizzie não queria ouvir minha tragédia. Eu e minha pouca fé.

thedoctorisin: Não precisa se desculpar! Essas coisas acontecem!

GrannyLizzie: Bem, seja como for, fiquei me sentindo péssima!!

thedoctorisin: Bobagem.

GrannyLizzie: Me desculpa?

thedoctorisin: Não tem nada pra desculpar! Espero que você esteja bem.

GrannyLizzie: Estou. Meus filhos vêm me visitar :-)

thedoctorisin: Que bom! :-) Fico feliz por você!

GrannyLizzie: Adoro quando eles vêm!

thedoctorisin: Como eles se chamam?

GrannyLizzie: Beau

GrannyLizzie: E William.

thedoctorisin: Os nomes são lindos.

GrannyLizzie: As almas também. Sempre me deram uma ajuda enorme. Sobretudo quando Richard adoeceu. Acho que nos saímos muito bem como pais!

thedoctorisin: Parece que sim!

GrannyLizzie: William liga todo dia da Flórida. Adoro quando ele diz com o vozeirão dele: BOM DIA, FLOR DO DIA. Como não rir de uma coisa dessas?

Rio também.

thedoctorisin: Na minha família a gente diz "Adivinhe quem é" quando fala um com outro.

GrannyLizzie: Também é muito bom!

Lembro de Livvy e Ed, ouço a voz deles na minha cabeça. Sinto um nó na garganta. Bebo mais um gole de vinho.

thedoctorisin: Deve ser realmente muito bom quando eles visitam.

GrannyLizzie: Anna, você NEM imagina. Eles dormem nos quartos que pertenciam a eles, fica parecendo que a gente voltou aos "velhos tempos".

Pela primeira vez em muitos dias me sinto mais relaxada, no controle das coisas. Até mesmo útil. Quase como se estivesse outra vez no meu consultório da rua 88, ajudando um paciente. "Basta se conectar."

Talvez eu precise disso mais do que Lizzie.

Portanto, à medida que a noite cai do lado de fora e as sombras murcham do lado de dentro, continuo a puxar a língua dessa vovó solitária e muitos quilômetros distante de mim. Lizzie adora cozinhar, segundo ela conta, e o prato predileto dos filhos é o "meu famoso cozido de carne (nem tão famoso assim)"; todo ano ela assa "uma fornada de brownies de cream cheese pro pessoal do Corpo de Bombeiros"; antes havia um gato (aqui eu conto sobre Punch), mas agora ela tem uma coelha, "uma moreninha chamada Petúnia"; embora não seja nenhuma cinéfila, ela adora *Game of Thrones* e esses programas de culinária que passam na televisão". Fico surpresa com o *Game of Thrones*, que não é para os fracos de espírito.

Claro, ela também fala de Richard. "Todos nós temos muita saudade dele." Richard trabalhava como professor, servia como diácono na igreja metodista que eles frequentavam, adorava trens ("tinha uma maquete enorme no nosso porão") e era um pai amoroso ("um homem bom").

Um homem bom, um bom pai. Alistair brota de repente na minha cabeça. Sinto um calafrio na espinha, afundo ainda mais na minha taça de vinho.

GrannyLizzie: Espero não estar entediando você...
thedoctorisin: De jeito nenhum.

Fico sabendo que Richard não era apenas um homem decente, mas também muito responsável. Era ele quem cuidava praticamente de tudo: a manutenção da casa, a limpeza do jardim, as contas, os eletrônicos ("William comprou para mim um Apple TV que até hoje não sei como funciona"). Na ausência dele, explica a viúva, "fico perdidinha, me sentindo uma velha coroca".

Tamborilando os dedos no mouse, reflito um instante. Não é exatamente um caso de delírio de Cotard, mas posso ajudá-la com algumas dicas práticas. "Vamos dar um jeito nisso", digo a ela, e na mesma hora sinto o sangue ferver nas veias, assim como acontecia toda vez que eu orientava um dos meus pacientes.

Tiro um lápis da gaveta, rabisco minhas anotações num Post-it. No consultório, eu usava uma caderneta Moleskine e uma caneta-tinteiro. Não faz a menor diferença.

Manutenção: "Será que você não encontra por aí um faz-tudo pra te ajudar?"

GrannyLizzie: Tem o Martin, que trabalha lá na igreja.
thedoctorisin: Ótimo.

Eletrônicos: "A maioria dos jovens sabe tudo de computadores e TVs." Não sei se ela conhece algum adolescente, mas...

GrannyLizzie: Os Roberts, meus vizinhos, têm um filho que tem um iPad.
thedoctorisin: Ele é o cara!

Contas (ao que parece, uma das suas maiores dificuldades: "Pagar contas on-line é um inferno, sempre me atrapalho com as senhas e nomes de usuário"): sugiro que em ambos ela use "um nome fácil de lembrar, talvez até o seu mesmo, mas trocando algumas letras por símbolos e números. W1LL1@M, por exemplo".

Pausa.

GrannyLizzie: O meu seria L1221E

Mais uma risada.

thedoctorisin: Ficou ótimo!
GrannyLizzie: KKKK
GrannyLizzie: Vi na televisão que a gente pode ser hackeado. Será que estou correndo algum perigo??
thedoctorisin: Duvido que alguém consiga decifrar essa sua senha!

Assim espero. Estamos falando de uma septuagenária de Montana.

Por fim, as *tarefas externas*. Segundo Lizzie, "os invernos são muito rigorosos por aqui". Portanto ela vai precisar de alguém para tirar a neve do telhado, espalhar sal na calçada, descongelar as calhas... "Mesmo que eu fosse capaz de sair de casa, esses preparativos de inverno são muito trabalhosos."

thedoctorisin: Bem, vamos rezar pra que a gente fique boa antes do inverno. Seja como for, de repente esse Martin da igreja pode te ajudar com isso também. Ou a garotada da vizinhança. Seus alunos, sei lá. Não subestime o poder de 10 dólares por hora!
GrannyLizzie: Isso. Ótimas ideias.

GrannyLizzie: Muito obrigada, Dra. Anna. Agora estou MUITO melhor.

Problema resolvido. Paciente assistida. Tenho a impressão de que estou brilhando. Bebo vinho.

Depois voltamos para os assados de carne, coelhas, Williams e Beaus.

UMA LUZ se acende na sala dos Russells. Inclinando a cabeça para contornar a tela do computador, vejo a tal mulher e me dou conta de que fiquei mais de uma hora sem pensar nela. A sessão com Lizzie realmente está me fazendo bem.

GrannyLizzie: William está chegando com as compras. Tomara que tenha trazido as rosquinhas que pedi!
GrannyLizzie: Preciso ir, senão ele come tudo!
thedoctorisin: Vai, vai.
GrannyLizzie: Mas, antes, me diga: e você, tem conseguido sair?

Alongo os dedos, posicionando-os no teclado. Sim, tenho conseguido sair. Na realidade, saí duas vezes.

thedoctorisin: Infelizmente, não.

Não é o caso de dar detalhes.

GrannyLizzie: Daqui a pouco você consegue, você vai ver.
thedoctorisin: Nós duas, se Deus quiser!

Ela sai do chat. Bebo o resto vinho, deixo a taça na mesa. Depois dou um leve impulso com o pé e deixo a cadeira girar, as paredes rodando junto comigo.

"Promover a cura e o bem-estar das pessoas." Foi isso que fiz hoje.

Fecho os olhos. Ajudei Lizzie a se preparar para a vida, contribuí para que ela possa viver mais plenamente. Ajudei-a a encontrar um pouco de alívio.

"Sempre colocando os interesses delas acima dos meus próprios." Sim, claro, mas hoje fui beneficiada também: por quase noventa minutos pude tirar os Russells da cabeça. Alistair, aquela mulher, até mesmo Ethan.

Até mesmo Jane.

A cadeira para de girar. Reabrindo os olhos, vejo que estou de frente para a porta do escritório, que dá para a biblioteca de Ed.

E fico pensando em todas as coisas que não contei a Lizzie. Que não consegui contar a ela.

CINQUENTA E TRÊS

OLIVIA SE RECUSOU A VOLTAR PARA O QUARTO, então Ed ficou com ela durante todo o tempo de que precisei para refazer nossas malas e acalmar o coração. O fogo na lareira já estava bem mais baixo quando voltei para o saguão e entreguei o cartão de crédito a Marie. Ela fechou nossa conta e nos desejou um boa viagem com os dois olhos muito arregalados e um sorriso absurdamente largo.

Olivia correu ao meu encontro. Apertei os dedos da mãozinha quente dela e olhei para Ed. Ele pegou nossa mala e encaixou uma sacola no ombro.

O carro estava no fundo do estacionamento, e já estávamos cobertos de neve quando enfim o alcançamos. Ed abriu o porta-malas, jogou nossas coisas dentro. Enquanto eu tirava a neve do para-brisa, Olivia se acomodou no banco traseiro e bateu a porta por conta própria.

Por um momento Ed e eu ficamos parados ali, em lados opostos do carro, a neve caindo sobre nós, caindo entre nós. Pensei ter visto a boca dele se mexer.

– Hein? – perguntei.

Ele repetiu, agora mais alto.

– Você dirige.

Não me opus.

Com os pneus derrapando no gelo, saí do estacionamento e tomei a estrada. Os flocos de neve zuniam do lado de fora das janelas. Peguei a autoestrada e me lancei no breu da noite, na branquidão do inverno.

A não ser pelo barulho do carro, tudo era silêncio. Ed não tirava os olhos do asfalto à sua frente. Olivia sacolejava em sua cadeirinha, a cabeça caída sobre o ombro; não estava dormindo, mas as pálpebras já começavam a pesar.

Dobramos uma curva. Apertei o volante ainda mais.

E, de repente, o abismo surgiu ao nosso lado, uma bocarra descomunal, escavada na terra. Sob a luz do luar, as árvores lá embaixo brilhavam feito fantasmas. A neve caía em flocos cintilantes que se deixavam engolir pelo sem-fim do desfiladeiro, marujos sugados para as profundezas de um oceano.

Tirei o pé do acelerador.

Olhando pelo espelho, vi que Olivia espiava pela janela. Ela estava com o rostinho molhado: silenciosamente, tinha recomeçado a chorar.

Meu coração desabou.

O celular tocou.

...

Duas semanas antes, Ed e eu tínhamos ido a uma festinha de fim de ano na casa dos Lords, do outro lado do parque: muitos coquetéis natalinos, muitos galhinhos de visco no vão das portas. Os Takedas estavam lá, os Grays também, mas os Wassermans, ao que parecia, tinham declinado o convite. Um dos filhos mais velhos dos Lords deu uma passada rápida na festa com a namorada. Quase todos os presentes eram colegas de Bert do banco. A casa mais parecia uma zona de guerra, um campo minado, beijinhos estalados a torto e a direito, risadas de canhão, tapinhas de bomba.

Lá pelas tantas Josie Lord veio falar comigo. Eu já devia estar no meu quarto drinque.

– Anna!

– Josie!

Trocamos um abraço.

– Seu vestido é lindo! – falei.

– Não é?

Sem saber o que responder, eu disse:

– É!

– E veja que linda a calça que você está usando!

– Pois é.

– Precisei dispensar o xale agora há pouco, porque o Bert derramou... ah, obrigada, Anna – disse ela quando tirei um fio de cabelo da sua luva. – Bert derramou uma taça inteira de vinho no meu ombro.

– Esse Bert...

– Falei que hoje ele vai ficar de castigo. É a segunda vez que... puxa, obrigada! – Mais um fiapo tirado por mim, agora do vestido. Ed sempre disse que fico pegajosa quando bebo. – É a segunda vez que ele derrama alguma coisa no meu xale.

– No mesmo xale?

– Não, não.

Josie tinha dentes redondos e meio encardidos que me faziam lembrar da foca-de-weddell, que, segundo aprendi num programa de televisão, usa as presas para cavar buracos no gelo antártico. "Com o passar do tempo as presas vão se desgastando", explicava o narrador sobre uma imagem dos bichos cravando o focinho na neve. "É por isso que as focas--de-weddell geralmente morrem muito jovens."

– E então? – disse a foca à minha frente. – Quem está a noite inteira ligando para você?

Levei um susto. Desde cedo o meu celular não parava de vibrar no bolso da calça. Rapidamente eu pegava o aparelho, conferia quem estava chamando e digitava uma resposta com o polegar. Sempre com muita discrição, ou assim eu pensava.

– Coisas do trabalho – expliquei.

– Mas que diabo há de querer uma criança a esta hora da noite? – perguntou Josie.

– Isso é confidencial – respondi sorrindo. – Você entende, não é?

– Claro que entendo, querida. Sei que você é muito profissional.

No entanto, mesmo em meio às cantigas de Natal e a todo o zum-zum da festa, mesmo enquanto ia tomando meu vinho ou interagindo mecanicamente com quem vinha falar comigo... eu não conseguia pensar em outra coisa que não fosse ele.

...

O telefone tocou outra vez.

Outro susto, forte o bastante para que meus dedos saltassem do volante por uma fração de segundo.

Olhei para Ed. Ele estava olhando para o aparelho, que vibrava onde eu o havia deixado, no porta-copos do console. Pelo espelho retrovisor, vi que Olivia continuava espiando pela janela.

O telefone continuava tocando. Segui adiante sem atender.

– Adivinhe quem é – disse Ed.

Não respondi.

– Aposto que é ele.

Fiz que não ouvi.

Ed pegou o celular, examinou o identificador de chamadas, bufou.

Dobramos mais uma curva.

– Quer que eu atenda?

Eu não podia olhar para ele. Minha atenção estava completamente voltada para a estrada. Fiz que não com a cabeça.

– Então vou atender.

– *Não!*

Tentei pegar o aparelho, que continuava vibrando, mas Ed foi mais rápido.

– Quero atender – anunciou. – Quero trocar uma palavrinha com ele.

– *Não!*

Consegui roubar o telefone de volta, mas, na confusão, ele acabou caindo no chão, entre os meus pés.

– Vocês querem parar com isso? – gritou Olivia.

Baixando os olhos, vi o nome dele no identificador de chamadas.

– Anna! – berrou Ed.

Rapidamente reergui os olhos. Mas não vi nenhuma estrada.

Estávamos sobrevoando o desfiladeiro, rumo à escuridão.

CINQUENTA E QUATRO

Alguém bate à porta.

Minha cabeça estava na lua. Meio tonta, tento me endireitar na cadeira. O escritório está escuro. Anoiteceu.

Batem de novo. Lá embaixo. Não na porta da frente, mas na do porão.

Vou até a escada. David geralmente usa a porta da frente quando precisa falar comigo. Será que é uma de suas visitas que está batendo?

Mas, quando acendo a luz da cozinha e abro a porta do porão, é ele mesmo que está do outro lado, dois degraus abaixo na escada, olhando para mim.

– Acho que de agora em diante posso entrar por aqui – declara.

Demoro um pouco para perceber que se trata de uma ironia da parte dele.

– Muito justo – digo.

Dou um passo para o lado, ele passa para a cozinha. Fecho a porta. Olhamos um para o outro. Acho que sei o que ele vai dizer. Vai me contar sobre Jane.

– Eu queria... queria pedir desculpas – começa.

Não encontro o que dizer.

– Pelo que rolou hoje cedo.

Inclino a cabeça ligeiramente, o cabelo solto sobre o ombro.

– Sou eu quem devia estar pedindo desculpas.

– Já pediu.

– Não custa nada pedir de novo.

– Não. Por favor, não. Eu queria dizer que... Eu sinto muito. Por ter gritado com você. E por ter deixado a porta aberta. Sei que você não gosta.

Realmente não gosto. Mas acho que posso relevar.

– Tudo bem.

Meu interesse maior é em Jane. Será que posso perguntar sobre ela outra vez?

– É que... – David corre a mão pela ilha da cozinha, recosta-se nela. – É que eu sou meio ligado nessa história de território, sabe? Já devia ter falado com você sobre isso, mas...

A frase termina assim. Ele cruza um pé sobre o outro.

– Mas?

David ergue os olhos sob as sobrancelhas escuras. Olhos sensuais.

– Tem cerveja aí?

– Cerveja não, mas vinho tem. – Lembro das duas garrafas que deixei na mesa do escritório, as duas taças. Talvez fosse melhor acabar com elas primeiro. – Quer que eu abra uma garrafa?

– Claro.

Passo por ele ao me encaminhar para o armário, reconheço seu perfume: Ivory.

– Só tem Merlot. Pode ser?

– Nem sei o que é isso.

– É um tinto muito gostoso.

– Ok, vamos lá.

Abro o armário para pegar as taças. Está vazio. Então tiro duas taças limpas da lava-louças e deixo sobre a ilha. Busco o saca-rolhas, abro a garrafa, sirvo o vinho. David puxa uma das taças para si, ergue como se fosse fazer um brinde.

– Tim-tim – digo, e dou meu primeiro gole.

– Bem, o negócio é o seguinte... – diz ele, brincando com a taça entre os dedos. – Minha ficha não é exatamente limpa.

– Sei – falo, mas depois arregalo os olhos, me dando conta do que ele acabou de dizer.

Ficha limpa, ficha suja. Acho que nunca ouvi ninguém dizer essas coisas. A não ser nos filmes, claro.

– Problemas com a polícia?

Uma pergunta estúpida, eu sei.

David sorri e confessa:

– Já fui preso uma vez.

– Hum. Preso por quê?

Ele olha diretamente nos meus olhos.

– Agressão. – Pausa. – Contra um homem.

Sustento o olhar dele, sem saber o que dizer.

– Isso assusta você? – pergunta ele.

– Não. – A mentira paira no ar. – Fiquei surpresa, só isso.

– Eu já devia ter contado. Quero dizer, antes de me mudar. – Ele coça o queixo. – Vou entender se você quiser que eu vá embora.

Não sei se ele está sendo sincero. Não sei se quero que ele vá embora.

– O que aconteceu exatamente?

Ele deixa escapar um suspiro rápido, depois responde:

– Briga de bar, nada muito grave. – Dá de ombros. – Só que eu tinha antecedentes. Outra briga. Duas ocorrências.

– Pensei que só podiam prender na terceira.

– Depende da pessoa.

– Hum – resmungo, achando prudente não me aprofundar muito.

– E o meu DP era um alcoólatra.

– Hum – resmungo de novo, e por obra de um milagre lembro o que é um DP: defensor público.

– Então peguei quatorze meses.

– Onde foi isso?

– A briga ou a prisão?

– As duas coisas.

– Ambas em Massachusetts.

– Ah.

– Você quer saber, sei lá... os detalhes?

Quero.

– Não, não.

– Foi uma grande burrice. Essas coisas que a gente faz quando enche a cara.

– Sei.

Por um instante ficamos mudos, olhando para o chão feito dois adolescentes no baile da escola. Depois:

– Quando foi que você... sujou a sua ficha?

"Quando apropriado, use o vocabulário do paciente."

– Foi há pouco tempo. Saí da prisão em abril. Passei o verão em Boston, depois vim para cá.

– Sei.

– É só isso que você sabe dizer? – devolve ele, mas de um jeito simpático.

Sorrio.

– Bem... – Limpo a garganta. – Invadi o seu espaço, não devia ter feito isso. Claro que você pode ficar.

Será que estou sendo sincera? Acho que sim.

– Eu só não queria esconder isso de você – diz ele. Dá um gole no vinho, ergue a taça na minha direção. – Muito bom, esse seu... Merlot.

– Ainda não esqueci do seu teto.

Estamos no sofá da sala, três taças depois. Bem, três para ele, quatro para mim. Sete ao todo. Se é que estamos contando, e não estamos. Demoro alguns segundos para entender o que ele disse.

– Que teto?

– Lá de cima – fala David, apontando para o alto.

– Certo. – Olho para cima como se pudesse enxergar o teto do último andar através do esqueleto da casa. – Ah, claro. Mas por que você lembrou disso agora?

– Você acabou de falar que, no dia que conseguir sair de casa, vai subir lá no terraço. Para ver como está.

Falei, é?

– Não vai ser tão cedo – informo, ríspida. Ligeiramente ríspida. – Não consigo nem atravessar o jardim.

– Um dia vai conseguir, aposto – diz ele com um esboço de sorriso, a cabeça inclinada. Deixa a taça na mesinha de centro, fica de pé. – Onde é o banheiro?

– Ali – aponto, girando o tronco.

– Valeu.

E lá vai ele para o lavabo vermelho.

Deixo as costas desabarem no sofá. O encosto sussurra nos meus ouvidos enquanto balanço a cabeça de um lado para outro. "Vi minha vizinha ser esfaqueada. Aquela mulher que você nunca viu na vida. Aquela mulher que ninguém nunca viu na vida. Por favor, acredite em mim."

Ouço o barulho da mijada no lavabo. Ed fazia a mesma coisa: urinava como se quisesse fazer um buraco na porcelana do vaso, com tanta determinação que era impossível não ouvir do lado de cá da porta.

David dá descarga, lava as mãos na pia.

"Tem alguém na casa dela. Alguém se passando por ela."

Sai do lavabo, fecha a porta.

"O filho e o marido estão mentindo. Estão todos mentindo."

Afundo ainda mais no sofá. Olho para o teto, para as lâmpadas que mais parecem um par de covinhas. Fecho os olhos.

"Por favor, me ajude a encontrá-la."

Um rangido. Uma dobradiça qualquer. Talvez David tenha voltado para o porão. Deixo a cabeça cair para o lado.

"Por favor, me ajude a encontrá-la."

Mas, quando reabro os olhos, ele já está de volta, jogando--se no sofá. Corrijo a postura, abro um sorriso. Ele sorri de volta, olha para algo às minhas costas.

– Muito linda.

Viro para ver o que é: Olivia, realmente linda no porta-retratos de prata.

– É ela que está naquela foto no porão – lembro a ele. – Pendurada na parede.

– Eu sei.

– Por que você deixou ela lá?

Ele dá de ombros.

– Sei lá. Não tinha nada para colocar no lugar. – Esvazia a taça na boca. – Afinal, onde é que ela está?

– Com o pai.

Bebo vinho. Silêncio.

– Você não sente falta dela?

– Sinto.

– Dele também?

– Para falar a verdade, dele também.

– Fala muito com eles?

– O tempo todo. Ontem mesmo a gente se falou.

– Quando vai estar com eles outra vez?

– Espero que seja em breve. Mas, na verdade, acho que vai demorar um pouco.

Não quero falar disso. Não quero falar deles. Quero falar da mulher do outro lado do parque.

– Que tal a gente dar uma olhada lá naquele teto?

OS DEGRAUS VÃO ESPIRALANDO PARA A ESCURIDÃO. Vou na frente, David atrás.

Diante do escritório, algo passa correndo ao meu lado: Punch, fugindo escada abaixo.

– Foi o gato?

– Foi.

No andar de cima, passamos pelos quartos, ambos escuros, depois subimos para o último patamar da escada. Tateando a parede, encontro o interruptor e acendo a luz. Na claridade súbita, vejo os olhos de David plantados em mim.

– Parece que está do mesmo tamanho – digo, apontando para a mancha de mofo no alto, um hematoma em torno do alçapão que dá acesso ao terraço.

– Parece que sim. Mas vai piorar. Vou resolver isso ainda esta semana.

Silêncio.

– Você anda muito ocupado? Muito trabalho por aí?

Nada.

Fico me perguntando se não é o caso de *contar* a ele sobre Jane. Tento imaginar o que ele diria.

Mas, antes que eu possa dizer qualquer coisa, ele já está me beijando.

CINQUENTA E CINCO

ESTAMOS NO CHÃO, O CARPETE ÁSPERO contra a minha pele. Ele me carrega no colo, me levando para o quarto mais próximo.

A boca de David está sobre a minha, a barba malfeita raspando meu rosto feito uma lixa. Uma de suas mãos está enterrada no meu cabelo enquanto a outra desamarra o cinto do meu roupão. Encolho a barriga antes que seja tarde demais, mas ele não quer saber de barriga nenhuma, continua me cobrindo de beijos cada vez mais intensos, no pescoço, nos ombros.

De repente me vêm à cabeça alguns versos de Tennyson:

Out flew the web, and floated wide;
The mirror crack'd from side to side;

"I am half-sick of shadows", cried
The Lady of Shalott.

Para longe flui a trama, vai embora;
O espelho fendido de fora a fora;
"Farta estou das sombras", chora
A Dama de Shalott

Por que Tennyson? Por que agora?

Faz tempo que não sinto nada parecido com isso. Faz tempo que não sinto *nada*.

Quero sentir tudo isso. Quero sentir. Estou farta das sombras.

Mais tarde, no escuro, meus dedos vão escorregando pelo peito dele, pelo abdômen, pela penugem que desce do umbigo feito um pavio.

David respira tranquilamente. Dali a pouco adormeço, meio que sonho com crepúsculos e com Jane. A certa altura ouço passos mansos no corredor e, para minha grande surpresa, rezo para que ele volte para a cama.

DOMINGO,
7 de novembro

CINQUENTA E SEIS

Quando acordo, minha cabeça está pesada. David já se foi. Seu travesseiro está frio. Deito meu rosto nele; o cheiro é de suor.

Rolo para o lado, dando as costas para a janela, para a luz que vem de fora.

Que diabo aconteceu?

Estávamos bebendo... claro que estávamos bebendo. Fecho os olhos para me concentrar melhor. Depois subimos para o último andar para ver o alçapão. E do alçapão para a cama. Ou: primeiro o chão, depois a cama.

A cama de Olivia.

Meus olhos se escancaram.

Estou na cama da minha filha, as cobertas dela escondendo o meu corpo nu, seu travesseiro cheirando ao suor de um homem que eu mal conheço. Puxa, Livvy, desculpe.

Ainda meio sonolenta, olho para a porta do quarto, para a penumbra do corredor. Então me sento na cama, embrulhada no lençol: o lençol de Olivia, estampado com cavalinhos. Ela se recusava a dormir em qualquer outro que não fosse esse.

Viro para a janela. O dia está cinzento; uma chuvinha fina, típica de novembro, pinga das árvores, das calhas do telhado.

Olho para o outro lado do parque. Agora estou diretamente alinhada com o quarto de Ethan. Vejo que ele não está lá.

Sinto um calafrio.

Meu roupão está estirado no carpete feito as marcas de pneu deixadas por um acidente de carro. Desço da cama para pegá-lo (por que será que as mãos tremem?) e me visto. Encontro um dos chinelos debaixo da cama, o outro, no patamar da escada.

No alto da escada, respiro fundo. O ar está bolorento. David tem razão: preciso melhorar a ventilação por aqui. Preciso, mas não vou.

Vou descendo os degraus. No patamar seguinte, olho para os dois lados como se fosse atravessar uma rua. Silêncio nos quartos. Minha cama está do mesmo jeito que foi deixada após minha noite com Bina. Minha noite com Bina. Até parece.

Estou de ressaca.

Desço para o segundo andar, espio a biblioteca, o escritório. E tenho a sensação de que estou sendo observada pela casa dos Russells, de que ela segue meus passos pela minha casa.

Ouço David antes mesmo de avistá-lo na cozinha, que agora é uma mistura de vidros e sombras, tão triste quanto o dia que entra pelas janelas.

Fico observando enquanto ele suga a água de um copo longo: o pomo-de-adão que lateja na garganta, os cabelos amassados na altura da nuca, a camiseta embolada que deixa entrever um pedacinho dos quadris magros. Por um instante fecho os olhos e relembro esses mesmos quadris sob as minhas mãos, esse mesmo pescoço contra a minha boca.

Quando reabro os olhos, vejo que David me encara de onde está, os olhos ainda mais escuros e intensos sob a pouca luz do dia.

– Isso, sim, é um pedido de desculpas – brinca ele.

Sinto o rosto queimar.

– Espero não ter acordado você. – Ele ergue o copo. – Precisava dar uma reabastecida. Vou sair daqui a pouco.

Ele bebe o resto da água e deixa o copo na bancada, secando a boca com o dorso da mão.

Não encontro o que dizer. Aparentemente ele percebe isso.

– Vou deixar você em paz – diz, e vem caminhando na minha direção.

Fico tensa, mas logo vejo que ele está indo para a porta do porão. Dou um passo para o lado para deixá-lo passar. Estamos lado a lado quando ele vira a cabeça e fala baixinho:

– Não sei direito se devo agradecer ou pedir desculpas.

Olho nos olhos dele, procuro as palavras.

– Não foi nada – digo, a voz estranhamente rouca aos meus ouvidos. – Não se preocupe.

Ele pensa um pouco, assente com a cabeça.

– Pelo jeito, acho que é melhor pedir desculpas.

Baixo os olhos para o chão. Ele passa por mim e abre a porta.

– Vou passar a noite fora. Um trabalho em Connecticut. Devo voltar amanhã.

Não digo nada.

Quando ouço a porta fechar às minhas costas, respiro aliviada. Pego o copo que ele deixou na bancada, encho de água, levo à boca. Sinto o gosto da boca dele outra vez.

CINQUENTA E SETE

Pois é. Rolou.

Nunca gostei dessa expressão. Juvenil demais. Mas foi exatamente isso que aconteceu.

Rolou.

Com meu copo d'água em punho, vou para o sofá da sala e lá encontro Punch, enroscado num canto, abanando o rabo. Sento ao lado dele, aperto o copo entre os joelhos, jogo a cabeça para trás.

Deixando de lado a questão ética (mesmo sabendo que não é lá muito ético fazer sexo com um inquilino), mal posso acreditar que fiz o que fiz na cama da minha filha. O que Ed diria? Sinto um arrepio só de pensar. Ele não vai descobrir, claro, mas mesmo assim... Mesmo assim, quero tocar fogo naquele lençol. Com cavalinhos e tudo.

A casa respira à minha volta, o relógio de chão fazendo as vezes de um metrônomo com a regularidade dos tique-taques. A sala é uma grande penumbra, um borrão de sombras. Vejo minha imagem fantasmagórica refletida na televisão.

O que eu faria se realmente estivesse ali? Se fosse uma personagem dos meus filmes? Sairia de casa para investigar, assim como fez Teresa Wright em *A sombra de uma dúvida*. Convocaria a ajuda de um amigo, como Jimmy Stewart em *Janela indiscreta*. Não ficaria assim, esparramada num sofá, dentro de um roupão, cogitando o que fazer.

Síndrome do encarceramento. Entre as causas possíveis estão: acidente vascular, lesão encefálica, esclerose múltipla ou até mesmo envenenamento. Trata-se de uma condição neurológica, ou seja, não é um problema psicológico. E ainda assim cá estou eu, literalmente encarcerada na minha própria casa, trancando portas e fechando janelas, fugindo da luz enquanto uma mulher é esfaqueada do outro lado do parque e ninguém percebe, ninguém sabe. Exceto eu: a que enche a cara de vinho, a que não tem família, a que *transa com o inquilino*. Uma doida aos olhos dos vizinhos. Uma piada aos olhos da polícia. Um caso especial aos olhos dos médicos. Um caso perdido aos olhos do terapeuta. Uma encarcerada. Longe de ser uma heroína de cinema. Longe de ser uma detetive.

Encarcerada em casa. Afastada da vida.

Lá pelas tantas, me dirijo para a escada e, enfrentando um degrau de cada vez, subo para o escritório. Ainda no corredor, percebo uma coisa: a porta do closet que serve de depósito está aberta. Apenas ligeiramente, mas aberta.

Meu coração para de bater por um segundo.

Mas por quê? É apenas uma porta entreaberta. Uma porta que eu mesma abri outro dia. Para pegar o estilete para David.

Só que... fechei de novo. Teria notado se a tivesse deixado aberta. Aliás, foi o que *acabei* de fazer.

Fico ali, oscilante feito uma chama, sem saber se realmente posso confiar na minha cabeça.

Decido que sim. Apesar de tudo.

Eu me encaminho para o closet. Pouso a mão na maçaneta, muito de leve, como se a qualquer momento ela pudesse fugir. Abro a porta.

Dentro está escuro, muito escuro. Apesar disso, consigo encontrar e puxar a cordinha puída que acende a lâmpada. A claridade súbita é ofuscante, quase tão incandescente quanto a própria lâmpada.

Olho à minha volta. Nada fora do lugar, nada faltando. Lá estão as latas de tinta, lá estão as cadeiras de praia.

E lá está a caixa de ferramentas de Ed, na mesma prateleira de sempre.

Acho que até sei o que tem dentro dela.

Eu me aproximo. Puxo-a para perto. Abro o primeiro fecho, depois o outro. Levanto a tampa devagar.

É a primeira coisa que vejo. O estilete, de volta ao lugar, a lâmina brilhando sob a luz forte da lâmpada.

CINQUENTA E OITO

AGORA ESTOU ESPARRAMADA NA POLTRONA da biblioteca, os pensamentos girando sem parar na minha cabeça. Estava no escritório, mas fugi de lá assim que a tal mulher apareceu na janela da cozinha de Jane. Agora há zonas proibidas na minha própria casa.

Confiro as horas no relógio da lareira. Quase meio-dia. Ainda não bebi uma gota sequer. Como diria Martha Stewart: "Isso é uma coisa boa."

Por mais que eu esteja encarcerada, nada impede que eu use a cabeça para assimilar toda essa história. É como se eu estivesse numa partida de xadrez. E sempre fui ótima enxadrista. Basta me concentrar, pensar. E agir.

Minha sombra se estende no carpete como se quisesse se libertar.

David falou que não conhece Jane. E Jane nunca mencionou ter conhecido David; se realmente disse alguma coisa, só pode ter sido bem depois, lá pela nossa quarta garrafa de vinho. Quando foi que David pediu o estilete emprestado? Acho que no mesmo dia em que ouvi Jane gritar. Sim, foi. *Não foi?* Será que ele usou o estilete para ameaçá-la? Será que fez mais do que isso?

De repente me vejo roendo a unha do polegar. Houve um tempo em que minha mente era um arquivo muito bem organizado. Hoje é um acúmulo de papéis que são levados pelo vento.

Não. Pare com isso. Suspeitar de David já é demais.

Ou será que não?

O que sei de fato a respeito dele? Sei que "sujou a ficha" numa briga de bar. Mais de uma vez. E que pediu um estilete emprestado.

E sei o que vi. Não interessa o que a polícia disse. Ou Bina. Ou até mesmo Ed.

Ouço uma porta se fechar lá embaixo. Saio para o corredor e volto ao escritório. Não vejo ninguém na casa dos Russells.

Vou até a janela, olho para a rua. Lá está ele na calçada, caminhando daquele seu jeito indolente, a calça jeans escorregando da cintura, uma mochila pendurada ao ombro. Está indo no sentido leste. Continuo olhando até vê-lo dobrar a primeira esquina.

Eu me afasto do parapeito mas permaneço ali, banhada pela luz nublada do meio-dia. Mais uma vez olho para o outro lado do parque. Nada. Cômodos vazios. Nem por isso fico tranquila. Meu medo é que a mulher retorne a qualquer momento, que me pegue olhando.

O nó do roupão se desfaz. *Quando tudo se desfaz*. Acho que é o título de um livro. Que eu nunca li.

Caramba. Minha cabeça está rodando. Aperto o crânio com ambas as mãos, tento pensar.

E então, tão subitamente quanto o palhaço que salta de uma caixa de surpresas, algo me vem à mente. O susto é tamanho que chego a dar um passo atrás. O brinco.

É isso que, de forma inconsciente, venho remoendo desde ontem. O brinco na mesa de cabeceira de David, reluzindo contra o tom escuro da madeira.

Três pérolas minúsculas. Tenho certeza.

Tenho quase certeza.

Seria de Jane?

Naquela noite, na areia movediça daquela noite. "Presente de um ex-namorado." Jane, roçando o lóbulo da orelha. "Duvido que Alistair saiba." Vinho, muito vinho. Aquelas três perolazinhas.

Era mesmo o brinco de Jane, *não era*?

Ou será que minha cabeça quente está imaginando coisas? Poderia ser outro brinco qualquer. Mas antes que essa possibilidade se estabeleça, já estou negando com a cabeça, o cabelo lambendo meu rosto: *só pode ser* o brinco de Jane.

Nesse caso...

Levo a mão ao bolso do roupão, sinto o papel entre os dedos: o cartão de visita do detetive Conrad Little, da polícia de Nova York.

Bobagem. Deixo o cartão de lado.

Saio novamente para o corredor e desço a escada no escuro, dois andares; mesmo sóbria, sinto as pernas bambas. Atravesso a cozinha até a porta do porão. O ferrolho range ao ser trancado.

Recuo um passo, inspeciono a porta. Depois subo novamente para o depósito e acendo a luz. Lá está ela, encostada à parede dos fundos: a escadinha dobrável.

De volta à cozinha, eu a encaixo na maçaneta da porta

do porão. Forço e chuto suas pernas para ter certeza de que está bem firme no lugar. Chuto de novo. Machuco os dedos desprotegidos dentro do chinelo, mas continuo chutando.

Recuo novamente. Há uma barricada diante da porta. Uma entrada a menos.

E, claro, uma saída a menos.

CINQUENTA E NOVE

Minhas veias estão tão secas. Preciso beber alguma coisa.

Ao dar as costas para a porta, tropeço na vasilha do gato e ela escorrega para longe, derramando água no chão. Berro um palavrão qualquer, tentando me recompor. Preciso de foco. Preciso pensar. Um gole de Merlot vai ajudar.

O vinho desce aveludado pela minha garganta. Mal baixei o copo e já sinto o sangue esfriar. Com a lucidez de um cérebro lubrificado, corro os olhos à minha volta. Sou uma máquina. Uma máquina pensante. Aliás, esse era o apelido (não era?) do protagonista de uma série policial antiquíssima, escrita por um Jacques Não-Sei-das-Quantas: um detetive de lógica implacável, capaz de solucionar qualquer mistério apenas com o uso da razão e do seu diploma de ph.D. O autor, se bem me lembro, morreu no *Titanic* depois de conduzir a mulher para um bote salva-vidas. Testemunhas viram o homem fumando um cigarro com Jack Astor enquanto o navio afundava, soprando fumaça contra a luz da lua minguante. Ali não havia lógica nenhuma capaz de ajudá-lo.

Também tenho um ph.D. Também tenho uma lógica implacável.

Então vamos lá.

Alguém há de ser capaz de confirmar o que aconteceu. Ou pelo menos a quem aconteceu. Se não posso começar com

Jane, então vou começar com Alistair. São dele as pegadas mais profundas no chão. É ele quem possui antecedentes.

Subo para o escritório, o plano cada vez mais nítido na minha cabeça. E, quando enfim chego à janela, lá está a mulher de novo, na sala da casa, o celular prateado colado à orelha. Recuo rapidamente e vou para a mesa: tenho um script, tenho uma estratégia. Além do mais, sou rápida no gatilho (é o que digo a mim mesma, sentando ao computador).

Mouse. Teclado. Google. Celular. Minhas ferramentas. Dou mais uma espiada na casa dos Russells. Agora a mulher está de costas para mim, uma parede de caxemira. Ótimo. É assim que eu gosto. Esta é a minha casa; esta é a minha vista.

Digito minha senha e não demoro a encontrar o que estou procurando na internet. Mas, antes de digitar a senha do celular, uma dúvida me vem à cabeça: será que meu número pode ser rastreado?

Deixo o telefone de lado. Agito o mouse, o cursor surge na tela. Clico sobre o ícone do Skype.

Logo sou atendida pela voz límpida de um contralto:

– Atkinson.

– Bom dia – digo, depois limpo a garganta. – Por favor, preciso falar com Alistair Russell. Só que... eu gostaria de falar com a secretária dele primeiro, não com Alistair diretamente. – Pausa do outro lado da linha. – Quero fazer uma surpresa – explico.

Outra pausa. A atendente digita no seu teclado. Depois:

– O vínculo empregatício de Alistair Russell foi encerrado no mês passado.

– Encerrado?

– Sim. *Senhora* – acrescenta ela, meio que a contragosto. Normas da casa.

Pergunta estúpida:

– Por quê?

– Não faço a menor ideia. Senhora.

– Você pode me transferir para a sala dele?

– Como eu acabei de dizer, o...

– Para a *ex*-sala dele – corrijo.

– Em Boston?

– Sim, em...

– Vou transferir.

Entra a música de praxe. Um noturno de Chopin. Um ano atrás eu saberia dizer qual deles. Não, Anna, não se deixe distrair. Pense. Isso seria bem mais fácil se eu tivesse uma taça de vinho na mão.

Do outro lado do parque, a mulher some de vista. Com quem estaria falando ao telefone? Com Alistair? Seria ótimo se eu soubesse fazer leitura labial. Melhor ainda se...

– Atkinson.

Agora é um homem quem atende.

– Gostaria de ser transferida para a sala de Alistair Russell.

– Infelizmente o Sr. Russell... – fala a voz, sem titubear.

– Sei que ele não trabalha mais na Atkinson, mas eu gostaria de falar com a secretária dele. Ou ex-secretária. É um assunto pessoal.

Silêncio. Um momento depois ele volta à linha:

– Aguarde um instante que vou transferi-la.

Chopin de novo. Acho que é o número 17 em si maior. Ou seria o número 3? Ou o 9? Antes eu *sabia* essas coisas.

Concentre-se, Anna. Balanço cabeça e ombros feito um cachorro molhado.

– Bom dia. Alex falando.

Outro homem, acho, pois a voz é tão delicada que fico na dúvida. E o nome unissex não ajuda muito.

– Aqui é... – Preciso de um nome. Devia ter pensado nisso antes. – Alex. Como você.

Meu Deus. Foi o que deu para fazer.

Se existe algum cumprimento secreto na seita de todas as pessoas chamadas Alex no mundo, o Alex do outro lado da linha não se dá o trabalho de dizê-lo.

– Em que posso ajudá-la?

– Bem, sou uma velha amiga de Alistair... quero dizer, do Sr. Russell, e acabei de ligar para o escritório da Atkinson em Nova York, mas parece que ele não trabalha mais na empresa.

– Pois é, não trabalha.

Alex funga.

– Você era o quê? Assistente dele? Secret...

– Assistente.

– Ok. Bem... eu gostaria de saber só uma coisinha ou duas. Quando foi que ele saiu?

Outra fungada.

– Há um mês. Não, cinco semanas.

– Estranho... – digo. – A gente estava achando ótima essa transferência dele para Nova York.

– Na verdade... – fala Alex, um piloto esquentando seu motor antes da partida. Vem fofoca por aí. – Ele até foi para Nova York, mas não chegou a ser transferido. Estava tudo acertado para que continuasse na empresa. Comprou uma casa e tudo mais.

– Comprou, é?

– Sim. Uma casa enorme no Harlem. Descobri por conta própria. Bisbilhotando na internet, claro – confessa Alex, e chego à conclusão de que é uma mulher. Um homem não falaria assim de outro pelas costas. Ou será que estou sendo preconceituosa? – Mas não sei o que aconteceu. Não acho que tenha se mudado outra vez. Acho melhor você perguntar diretamente para ele. – Fungada. – Desculpe. Estou com uma gripe horrível. – De onde você conhece ele?

– Alistair?

– Sim.

– Somos ex-colegas de faculdade.

– Dartmouth?

– Exatamente. – Eu não tinha me lembrado disso. – Quer dizer então que ele... Olhe, desculpe a expressão, mas... ele pulou fora por conta própria ou "foi pulado"?

– Não sei. Mas você vai *ter* que descobrir. Tudo isso é *supermisterioso*.

– Vou perguntar a ele.

– Todo mundo *adorava* ele por aqui – informa Alex. – Um cara *tão* bacana... Acho difícil que tenha sido demitido.

– Pois é... Só mais uma perguntinha. Sobre a mulher dele.

– A Jane? – Fungada.

– Não cheguei a conhecê-la. Alistair tem essa tendência de compartimentar as coisas – digo, meio que traindo minha real formação de psicóloga. Espero que Alex não perceba. – Queria comprar um presente de boas-vindas para ela, mas não faço a menor ideia do que ela gosta.

– Na verdade – revela Alex baixinho –, também nunca a conheci.

Bem, pelo visto, Alistair gosta mesmo de compartimentar. Sou ou não sou uma ótima psicóloga?

– Porque ele *realmente* gosta de compartimentar! – prossegue Alex. – Essa é a palavra exata.

– Não é?

– Trabalhei para ele por quase seis meses e nunca conheci sua mulher. Jane. E o filho, só vi uma vez.

– Ethan.

– Um menino bacana. Meio tímido. Você conhece?

– Sim. Mas faz anos que não o vejo.

– Muito bacana mesmo. Um dia apareceu aqui para ir a um jogo dos Bruins com o pai.

– Quer dizer então que você não vai poder me ajudar com relação a Jane?

– Infelizmente não. Mas você quer saber como ela é fisicamente? É isso?

– É.

– Acho que já vi uma foto na sala dele.

– Uma foto?

– A gente guardou as coisas dele numa caixa para mandar para Nova York. Ainda está aqui, mas nem sabemos direito o que fazer com ela. – Fungada seguida de tosse. – Vou lá pegar, só um minuto.

Ouço quando Alex deixa o telefone na mesa, dessa vez sem nenhum Chopin. A mulher está na cozinha, examinando as profundezas do freezer. Num segundo de loucura, imagino o cadáver de Jane dentro dele, o corpo esbranquiçado de gelo, os olhos esbugalhados e opacos.

Alex volta à linha.

– Ela está bem aqui na minha frente. A foto.

Mal consigo respirar.

– É morena, de pele muito clara.

Droga. As duas são morenas, as duas têm a pele muito clara. Jane e a impostora. Tiro na água. Não posso perguntar sobre o peso dela.

– Ok... Mais alguma coisa? Bem, e se você escanear essa foto e mandar para mim? É possível?

Pausa. Do outro lado do parque, a mulher fecha o freezer e sai da cozinha.

– Vou te dar o meu e-mail – digo.

Nada. Depois:

– Você disse que é amiga do...

– Isso, amiga do Alistair.

– É que... são os objetos pessoais dele, não acho correto mandar nada para ninguém. Você vai ter que falar com ele. – Nenhuma fungada dessa vez. – Você disse que seu nome é Alex?

– Sim.

– Alex do quê?

A língua trava, desligo o telefone.

A casa está silenciosa, a não ser pelos tique-taques do relógio na biblioteca de Ed, do outro lado do corredor. Meu coração dispara. Nada impede que neste exato momento Alex esteja ligando para Alistair, descrevendo minha voz. Nada impede que Alistair ligue daqui a pouco para o meu telefone fixo ou até mesmo para o celular, que agora dorme sobre a mesa.

Não consigo tirar os olhos do aparelho, esperando que ele acorde, o coração já quase na boca.

Mas ele continua inerte. A telefonia móvel nunca esteve tão imóvel. Rá-rá.

Foco, Anna, foco.

SESSENTA

A CHUVA BATE NA JANELA DA COZINHA. Despejo mais vinho no copo e bebo um longo gole. Estava precisando disso.

Foco.

O que sei agora que não sabia antes? Alistair não mistura trabalho com família, traço comum entre agressores violentos, mas isso não ajuda muito. Seguindo em frente: ele havia planejado mudar para o escritório da Atkinson em Nova York, chegou a comprar uma casa na cidade, veio com família e tudo... mas aí aconteceu algo de errado, e ele não se estabeleceu em lugar algum.

O que aconteceu?

Fico arrepiada. Está frio aqui. Vou até a lareira e aumento o fogo. Um pequeno jardim de labaredas brota na lenha.

Desabo no sofá com meu copo em punho, o vinho rodopiando dentro dele. Olho para o meu roupão e vejo que ele está precisando de um bom sabão. *Eu* ando precisando de um bom sabão. Minha mão desliza para o bolso, novamente encontra o cartão do detetive Little, novamente o abandona no mesmo lugar.

E novamente olho para o meu reflexo na televisão. Cercada de almofadas por todos os lados e embrulhada no meu roupão sem graça, mais pareço um fantasma. Pois é desse jeito que me sinto: como um fantasma.

Não. Foco. Próxima jogada. Deixo o copo na mesa de centro, apoio os cotovelos nos joelhos.

E me dou conta de que não tenho nenhuma próxima jogada. Não consigo nem provar a existência passada ou presente de Jane (a minha Jane, a Jane legítima), muito menos o desaparecimento dela. Ou a morte.

Penso em Ethan, encurralado naquela casa. "Um menino bacana."

Corro os dedos pelo cabelo como se eles fossem as lâminas de um arado. Sou um camundongo perdido no labirinto. De repente me vejo regressando às aulas de psicologia experimental: os bichinhos correndo desesperados de um lado para outro, tão pequenininhos, os olhinhos não muito maiores do que uma cabeça de alfinete, a cauda de barbante. E os alunos em volta, torcendo para o sucesso deles, rindo e fazendo apostas.

Mas agora não estou rindo. Mais uma vez cogito a possibilidade de ligar para Little.

Em vez disso, converso com Ed.

– Quer dizer então que você anda meio lelé da cuca, hein, campeã?

Eu suspiro e arrasto os chinelos pelo carpete do escritório. Fecho as cortinas para que aquela mulher não possa me ver; a luz que vaza das frestas desenha riscos no cômodo, as barras de uma jaula.

– Estou me sentindo uma burra. Como se eu estivesse no cinema e, encerrada a sessão, as pessoas saíssem e eu permanecesse ali, sentada na minha poltrona, tentando entender o que acabei de ver.

Ele ri.

– O que foi? Está rindo do quê?

– É a sua cara fazer uma analogia com o cinema.

– Você acha?

– Acho.

– Bem, as minhas referências andam meio escassas ultimamente.

– Ok, ok.

Não falo nada sobre a noite de ontem. Quanto mais penso nela, maior a minha aflição. Mas o resto se desenrola com a facilidade de um rolo de filme: o recadinho da impostora, o brinco na mesa de David, o estilete, a conversa com Alex.

– Parece coisa de cinema – insisto. – E achei que você fosse ficar mais assustado.

– Assustado? Com quê?

– Em primeiro lugar, com o fato de que meu inquilino está com o brinco de uma mulher assassinada.

– Você não sabe se esse brinco é mesmo dela.

– Sei, sim. Tenho certeza.

– Certeza como? Você nem sabe se ela está...

– Se ela está o quê?

– Você sabe o quê.

Agora é ele quem suspira.

– Viva.

– Eu *não* acho que ela esteja viva.

– O que eu estou querendo dizer é que você nem sabe ao certo se ela realmente existe ou se...

– *Claro que ela existe. Não estou ficando louca.*

Silêncio. Fico ouvindo a respiração dele.

– Você não acha que está sendo um pouquinho paranoica?

Antes que ele possa dizer mais alguma coisa, disparo:

– Não é paranoia se está realmente acontecendo.

Silêncio. Dessa vez ele não responde.

Minha voz está embargada quando falo:

– Essa sua desconfiança é horrível. Mais horrível ainda é ficar presa nesta casa... – Outro nó na garganta. – Nesta casa e neste...

A palavra que procuro é "imbróglio", mas, quando finalmente a encontro, ele já está dizendo:

– Eu sei.

– Não, *não sabe*.

– Mas imagino. Anna... – ele vai logo dizendo, antes que eu possa contradizê-lo outra vez. – Faz dois dias que você está assim, com a cabeça a mil por hora. O fim de semana inteiro. Agora afirma que David tem alguma coisa a ver com... com essa história toda. – Ele tosse. – Está muito nervosa, precisa se acalmar. Hoje à noite talvez seja melhor você ver um filme, ler um livro, sei lá. Dormir mais cedo. – Tosse. – Tem tomado os seus remédios direitinho?

Não.

– Sim.

– E está dando um tempo na bebida?

Claro que não.

– Claro.

Silêncio. Não sei se ele acredita em mim.

– Quer falar com Livvy?

Respiro aliviada.

– Quero.

Fico ouvindo a chuva bater na janela. E em seguida ouço a vozinha da minha filha, delicada, arquejante.

– Mamãe?

Finalmente!

– Oi, meu amor.

– Oi.

– Você está boa?

– Estou.

– Mamãe está morrendo de saudade.

– Mm.

– Como é que é?

– Eu disse "mm".

– Isso quer dizer o quê? Que você também está morrendo de saudade da mamãe?

– Sim. O que está *acontecendo* aí?

– Onde?

– Na cidade de Nova York.

Ela sempre se referiu a Nova York assim. Quanta formalidade...

– Você quer dizer... aqui em casa?

Meu coração salta: "a *nossa* casa."

– Sim, aí em casa.

– Só umas coisinhas com os vizinhos novos. Os nossos vizinhos.

– Que coisinhas?

– Nada de importante, meu amor. Só um mal-entendido. Depois ouço Ed outra vez:

– Olha, Anna... Desculpe interromper, Livvy. Se você está desconfiada do David, então procure a polícia. Não porque ele esteja... não necessariamente porque ele esteja envolvido na história, seja ela qual for, mas porque... bem, ele já tem antecedentes e você não está em condições de ficar se preocupando com seu novo inquilino.

– É.

– Ok?

– Ok.

– Você ainda tem o telefone daquele detetive, não tem?

– Little? Tenho, sim.

Dou uma espiada pela fresta da cortina. Algo acontece do outro lado do parque. A porta da casa dos Russells está escancarada, um cintilante retângulo branco contra o cinza da chuva.

– Ótimo – diz Ed.

Mas a esta altura minha cabeça já está em outro lugar. A mulher sai e fecha a porta às suas costas. Ela veste um casaco comprido, vermelho como a chama de uma tocha, e acima dela paira o arco translúcido de uma sombrinha amarela. Pego minha câmera em cima da mesa.

– O que você disse?

– Falei para você se cuidar.

Estou olhando pelo visor. Fios de chuva escorrem da sombrinha feito varizes. Dou zoom no rosto da mulher: nariz arrebitado, pele leitosa. Olheiras escuras contornam os olhos feito nuvens carregadas. Ela não tem dormido direito.

Quando me despeço de Ed, ela já está descendo os degraus

da frente da casa, com suas botas de cano alto. Para de repente, tira o celular do bolso e fita o aparelho; depois o devolve ao bolso, dobra para leste na calçada e vem caminhando na minha direção. O rosto é um borrão do outro lado do plástico da sombrinha.

Preciso falar com ela.

SESSENTA E UM

AGORA, ENQUANTO ELA ESTÁ SOZINHA. Agora, enquanto Alistair não está por perto para interferir. Agora, enquanto o sangue está rugindo nas minhas têmporas.

Agora.

Voo para o corredor, despencando escada abaixo. Quando não penso, consigo. Quando não penso. Então não pense, ora! Pensar não me levou a lugar algum até agora. Wesley costumava dizer, parafraseando Einstein: "A definição de insanidade, Fox, é repetir a mesma coisa o tempo todo e esperar resultados diferentes." Então pare de pensar e comece a agir.

Mas, claro, não faz nem três dias desde que, resolvendo agir, fui parar num leito de hospital. Agir de novo e esperar outra coisa é, portanto, uma insanidade, uma loucura.

Tudo bem, sou meio louca mesmo. E preciso saber. Além disso, minha casa já não é mais o santuário que foi um dia.

Meus chinelos derrapam no piso da cozinha quando passo correndo por ela para pegar o Ativan que deixei na mesa de centro da sala. Viro o frasco sobre a palma da mão, tiro três cápsulas e arremesso goela abaixo. É como se fosse a poção de Alice, com aquele "Beba-me" escrito no rótulo do frasco.

Corro para a porta. Ajoelho para pegar o guarda-chuva que está caído no chão. Fico de pé, giro a tranca, escancaro a porta. Agora estou no corredor e uma luz aguada vaza pelo vidro da segunda porta. Respiro uma, duas vezes. Aperto o botão do guarda-chuva e ele desabrocha na penumbra. Com a mão livre, encontro a tranca à minha frente. O truque é continuar respirando. O truque é não parar.

Não paro.

A tranca gira na minha mão. Depois é a vez da maçaneta. Aperto os olhos, abro uma fresta de porta. Uma rajada de ar frio. Não é fácil atravessar uma porta com um guarda-chuva aberto na mão, mas é isso que faço.

Agora o frio está por toda parte, parecendo me abraçar. Desço a escada devagarzinho. "Um, dois, três, quatro." O guarda-chuva vai abrindo caminho através do vento, avançando como a proa de um navio. Com os olhos espremidos, sinto nos flancos a pressa das rajadas.

Minha canela bate em alguma coisa. Metal. O portão. Vou tateando o ar até encontrar o ferrolho, então abro e saio para o cimento da calçada. Agulhas de chuva espetam meu cabelo e minha pele.

É estranho. Nesses meses todos em que venho testando essa técnica ridícula do guarda-chuva, em nenhum momento me ocorreu (nem a mim nem ao Dr. Fielding, suponho) que talvez bastasse apenas fechar os olhos. Não faz nenhum sentido andar às cegas por aí, claro. Mas sinto nitidamente a mudança na pressão atmosférica, e os meus sentidos se aguçam. Sei que o céu é um oceano às avessas, vasto e profundo... mas aperto os olhos ainda mais e procuro pensar na minha casa: meu escritório, minha cozinha, meu sofá. Meu gato. Meu computador. Minhas fotos.

Viro à esquerda. Leste.

Estou caminhando a esmo numa calçada. Preciso me orientar. Tenho que olhar. Lentamente vou despregando uma das pálpebras, a claridade atravessando aos poucos a cortina dos cílios.

Reduzo o ritmo dos meus passos até quase parar. À minha frente, apenas o guarda-chuva: quatro quadrados pretos, quatro linhas brancas. Fico imaginando essas linhas se transformando nas linhas verdes e pulsantes de um monitor de frequência cardíaca, encurtando e alongando ao sabor dos meus batimentos. Foco, Anna, foco. Um, dois, três, quatro.

Ergo um pouco o guarda-chuva para ver adiante. Lá está ela, reluzente feito um holofote, vermelha feito um semáforo: o casaco comprido, as botas escuras, o guarda-chuva de plástico translúcido. Entre nós se estende um túnel de chuva e de chão.

O que vou fazer se ela virar para trás?

Mas ela não vira. Baixo o guarda-chuva e outra vez aperto os olhos. Dou um passo à frente.

Um segundo passo. Um terceiro. Um quarto. Mais adiante, após tropeçar num buraco na calçada, os chinelos já encharcados, o corpo trêmulo, as costas suadas, arrisco uma segunda espiada, agora com o outro olho. Vou erguendo o guarda-chuva até avistar novamente o casaco flamejante da mulher. Dou uma olhadela para a esquerda, para a igreja de Santa Dymphna, para a casa vermelho-vivo com suas floreiras apinhadas de crisântemos. E então outra olhadela para a direita: os faróis de uma caminhonete enorme lembram dois olhos esbugalhados para o asfalto à frente, brilhantes no véu da chuva. Minhas pernas travam. A caminhonete zune ao meu lado. Fecho os olhos.

E, quando enfim consigo reabri-los, a caminhonete já longe, ergo o rosto para a calçada e não encontro a mulher em lugar algum.

Ela evaporou. A calçada está vazia. Ao longe, avisto apenas o movimento dos carros no cruzamento.

De repente, vejo diante de mim um forte nevoeiro, mas logo percebo que, na verdade, é a minha visão que começa a se turvar.

Meus joelhos vão ficando bambos até cederem ao peso do corpo. Lentamente vou caindo no chão. Os olhos estão revirados, mas de algum modo veem minha própria figura do alto, tremendo sob o roupão molhado, os cabelos grudados à nuca, o guarda-chuva tombando da mão, já sem nenhuma serventia. Uma figura solitária na calçada.

Continuo desabando rumo ao concreto da calçada.

Mas...

... a mulher não pode simplesmente ter sumido. Ela ainda estava longe da esquina. Fecho os olhos e vejo-a de costas, o cabelo roçando a nuca; depois lembro de Jane lavando algo na pia da minha cozinha, uma trança comprida caindo entre os ombros.

E, quando Jane vira na minha direção, meus joelhos buscam apoio um no outro. Sinto o roupão arrastando na calçada, mas ainda não me esborrachei nela.

Fico imóvel, as pernas travadas.

Ela deve ter entrado... Mentalmente abro e consulto o mapa da rua. O que é mesmo que fica depois da casa vermelha? O antiquário está do outro lado da rua (já fechado, lembro), e ao lado dele fica o...

A cafeteria, claro. É lá que ela deve ter entrado.

Levanto a cabeça e aponto o queixo para o céu como se desse modo pudesse içar o resto do corpo. Os cotovelos dançam. Os pés revirados tentam reconquistar a firmeza do chão. O cabo do guarda-chuva bamboleia na minha mão. O outro braço se estica em busca de equilíbrio. Com a chuva respingando à minha volta, os carros zumbindo ao longe, aos poucos vou conseguindo me erguer, e de repente me vejo de pé outra vez.

Os nervos estão à flor da pele. O coração, em chamas. Posso sentir o Ativan correndo em meu sangue, lavando as veias feito água limpa numa mangueira há muito abandonada.

Um. Dois. Três. Quatro.

Escorrego um pé adiante, depois o outro. Um pé, depois o outro. E assim vou eu, arrastando os passos calçada afora. Mal acredito no que estou fazendo. Mas estou.

Os carros agora parecem bem mais próximos, mais barulhentos. Continuo andando. Mantenho os olhos grudados no guarda-chuva, que cobre todo o meu campo de visão. Não há nada fora dele.

Até que ele sofre um esbarrão pelo lado direito.

– Ui, desculpe...

O susto é grande. Um vulto de jeans e capa de chuva, vindo no sentido contrário, passou por mim e trombou no guarda-chuva. Quando giro o rosto para ver quem era, avisto meu reflexo na vidraça da loja ao lado, os cabelos em total desalinho, o rosto ensopado, o guarda-chuva escapando da mão como uma flor gigantesca.

E lá, do outro lado do meu reflexo, do outro lado da vidraça, está ela: a mulher.

Estou em frente à cafeteria.

Espio o interior dela. A visão turva. O toldo da fachada parece cair sobre mim. Fecho os olhos e os abro em seguida.

A porta está ao alcance da mão. Estico o braço com os dedos trêmulos. Antes que consiga alcançar a maçaneta, um rapaz escancara a porta e sai. Sei quem ele é. O filho dos Takedas.

Faz mais de um ano que o vi de perto pela última vez; quer dizer, pessoalmente, e não através de uma lente. Ele agora está mais alto, esconde o rosto com uma barba malfeita e escura, mas ainda irradia aquele mesmo ar de bom menino que aprendi a detectar nos jovens, um halo secreto que orbita em torno da cabeça deles. Livvy possui um. Ethan também.

O rapaz (por que não consigo lembrar o nome dele?) segura a porta com o cotovelo e sinaliza para que eu entre. Noto as mãos dele, as mãos bem desenhadas de um violoncelista. Devo estar com um aspecto péssimo, mas mesmo assim ele é gentil comigo. Os pais souberam criá-lo, como diria GrannyLizzie. Será que está me reconhecendo também? Provavelmente não. Nem eu mesma me reconheceria.

Passo por ele, entro na cafeteria e minha memória é reavivada. Eu costumava frequentar este lugar; vinha duas ou três vezes por semana, principalmente naquelas manhãs em que estava mais apressada, sem tempo para preparar meu próprio café. O café deles era bem aguado (com certeza ainda é), mas eu gostava do ambiente: o espelho rachado com os especiais do dia rabiscados com uma caneta hidrocor, os anéis olímpicos que os copos desenhavam e deixavam como manchas na madeira do balcão, as músicas antigas que saíam dos alto-falantes. "Uma mise-en-scène despretensiosa", como observou Ed quando eu o levei ali pela primeira vez. "Você não pode usar essas duas palavras na mesma frase", falei, e ele logo se corrigiu: "Tudo bem. O lugar é despretensioso e ponto final."

E continua do mesmo jeito. O quarto no hospital era um ambiente desconhecido e opressor, mas aqui é diferente: aqui estou em *terra cognita*. Estou em terreno conhecido. Os olhos piscam para se adaptar à nova luz, depois passeiam pela confusão de clientes, leem o cardápio espetado acima da caixa registradora. Uma xícara agora custa 2,95 dólares, um aumento de cinquenta centavos desde a minha última visita. A inflação é uma droga.

O guarda-chuva desce, roça minhas canelas.

Tantas coisas que não vejo há tanto tempo... Tantas coisas que deixei de sentir, de ouvir, de *cheirar*... A proximidade calorosa de outros corpos humanos, a música pop de décadas passadas, o cheiro forte dos grãos de café moídos na hora. A cena inteira se desenrola em câmera lenta, sob uma luz dourada. Por um instante fecho os olhos, respiro, relembro.

Relembro a época em que me deslocava pelo mundo com a facilidade de quem se desloca pelo ar; relembro as centenas de vezes em que entrei neste mesmo café, ora com um casaco de inverno apertado contra o corpo, ora com um vestidinho de verão na altura dos joelhos; relembro os sorrisos que abria quando esbarrava nas pessoas, as conversas que puxava.

Quando reabro os olhos, a luz dourada desbota e some. Estou num ambiente penumbroso, junto às janelas lavadas pela chuva. Meu coração dispara.

Um vulto vermelho para diante da vitrine dos doces. É a mulher, inspecionando os bolos dinamarqueses. Ela ergue o queixo, vê seu próprio reflexo no espelho. Corre a mão pelo cabelo.

Vou me aproximando devagarzinho. Posso sentir na pele o olhar curioso das pessoas, voltado para a maluca que acabou de entrar de roupão, arrastando um guarda-chuva atrás de si. Abro caminho entre elas, entre o silêncio que elas fazem, até alcançar o balcão. E então o zum-zum recomeça, feito a água que me encobre enquanto afundo nela.

A mulher agora está bem na minha frente. Mais um passo e consigo tocá-la. Consigo tocar os cabelos dela. Consigo puxar os cabelos dela.

Nesse instante, ela tira do bolso um iPhone enorme. Pelo espelho, vejo a dança dos seus dedos sobre o teclado, a luz refletida no rosto. Imagino que esteja escrevendo para Alistair.

– Pois não? – diz o atendente.

A mulher continua digitando.

– Pois não?

Eu limpo a garganta e (o que estou fazendo?) digo baixinho:

– É sua vez.

Ela para de digitar e fala:

– Ah. – Depois responde ao atendente: – Um *latte* desnatado, médio.

Ela nem sequer olha para mim. No espelho, vejo minha imagem às costas dela feito um espectro, um anjo vingador. Vim para acertar as contas com ela.

– *Latte* desnatado, médio. Alguma coisa para comer?

Ainda pelo espelho, observo sua boca: uma boca delicada, desenhada com precisão, muito diferente da de Jane. Uma faísca de raiva brota em meu peito e vai crescendo até incendiar o cérebro.

– Não, obrigada – diz ela. E com um sorrisinho acrescenta:

– Melhor não.

243

Atrás de nós, cadeiras raspam o chão num ruído infernal. Viro para trás. Um grupo de quatro pessoas está levantando e se encaminhando para a porta. Torno a olhar para o atendente, que precisa gritar para se fazer ouvir em meio à barulheira:

– Seu nome?

– Jane.

– JANE...

O nome escapole da minha boca antes que eu possa sugá-lo de volta. A mulher vira para trás e crava sobre mim um olhar cortante, quase uma lança.

– Você por aqui? – pergunta ela, a voz tão incisiva quanto o olhar.

"O olhar frio e duro de um tubarão", penso comigo mesma. Minha intenção é expressar minha surpresa com a presença dela também, mas as palavras derrapam na língua.

– Pensei que você fosse... incapacitada – prossegue ela, parecendo murchar um pouco.

Faço que não com a cabeça, e ela não diz mais nada.

Novamente limpo a garganta. "Onde ela está, e quem é você?", é o que quero perguntar. "Quem é você, e onde ela está?" Vozes rodopiam à minha volta, misturam-se às palavras na minha cabeça.

– O quê?

– Quem é você?

Pronto.

– Jane. – Não é a voz dela, mas a do atendente, cutucando Jane no ombro. – *Latte* desnatado para Jane.

A mulher continua olhando para mim, arisca, como se eu ameaçasse atacá-la a qualquer momento. "Sou uma psicóloga reconhecida", eu poderia dizer a ela, ou *deveria* dizer. "E você é uma mentirosa, uma impostora."

– Jane? – tenta o rapaz pela terceira vez, erguendo o copo de isopor. – Seu *latte*?

Ela enfim pega o copo, depois me encara outra vez.

– Você sabe muito bem quem eu sou – declara.

Novamente faço que não com a cabeça.

– Conheço Jane – digo com alguma clareza, apesar da voz trêmula. – Estive com ela na minha casa. E a vi diversas vezes na casa dela.

– A casa é minha e você não viu ninguém.

– Vi, sim.

– Não viu, *não* – decreta a mulher.

– Eu...

– Ouvi dizer que você é alcoólatra e viciada em remédios.

Ela agora está me rodeando, não muito diferente de uma leoa. Lentamente vou rodando junto com ela, tentando acompanhá-la. Fico me sentindo uma criança. As conversas cessam de repente à nossa volta, dando lugar a um silêncio quase palpável. De rabo de olho, avisto o filho dos Takedas, ainda parado à porta.

– Você está sempre vigiando minha casa. E agora está me *seguindo na rua.*

Balanço a cabeça de um lado para outro, devagar, feito uma idiota.

– Isso precisa parar. A gente não consegue viver desse jeito. *Você* talvez consiga, mas nós não.

– Só quero saber onde ela está – balbucio.

Completamos um giro inteiro.

– Não sei de quem nem do quê você está falando. E vou chamar a polícia.

E então ela praticamente me atropela com o ombro e vai embora, contornando as mesas como se elas fossem balizas.

O sininho repica quando ela abre a porta, tornando a repicar quando ela a solta.

Fico parada onde estou, no mesmo silêncio de antes. Baixo os olhos para o guarda-chuva, depois o fecho. "É como se o lado de fora estivesse tentando entrar." Sinto uma angústia no peito, um vazio.

E mais uma vez não descobri nada.

Exceto uma coisa: ela não estava discutindo comigo. Ou pelo menos não estava *apenas* discutindo.

Acho que estava suplicando.

SESSENTA E DOIS

– Dra. Fox? – chama alguém às minhas costas, pousando a mão delicadamente no meu ombro.

Eu me viro, abrindo uma fresta nas pálpebras.

É o filho dos Takedas.

Ainda não consigo me lembrar do nome dele. Fecho os olhos de novo.

– A senhora está precisando de ajuda?

Se estou precisando de ajuda? Cá estou eu no meio de uma cafeteria a 100 metros da minha casa, cambaleando dentro de um roupão, mal conseguindo abrir os olhos, mal conseguindo mexer as pernas. Sim, estou precisando de ajuda. É o que digo com a cabeça.

Ele aperta os dedos no meu ombro.

– Venha comigo – diz.

E vai me conduzindo através do lugar, as pessoas cochichando à nossa volta, meu guarda-chuva batendo em cadeiras e joelhos como se fosse a bengala de um cego. De repente ouço o repicar do sininho, sinto a corrente fria que entra pela porta aberta. O violoncelista desce a mão para as minhas costas e me conduz para a calçada.

Não está mais chovendo. O garoto tenta tirar o guarda-chuva da minha mão, mas não deixo.

– Vou acompanhar a senhora até sua casa – informa ele, pegando em meu cotovelo.

Durante todo o caminho ele segura meu braço com extrema firmeza. Acho que consegue até sentir a pulsação das minhas veias. É estranho ser conduzida assim, feito uma velha. Quero abrir os olhos para ver o rapaz, mas não consigo.

Vamos seguindo aos trancos e barrancos, ele cedendo ao ritmo mais lento das minhas passadas, folhas caídas estalando sob os nossos pés. Um carro nos ultrapassa pela esquerda, chiando no asfalto molhado. Pingos d'água caem da copa de uma árvore sobre minha cabeça e meus ombros. Fico me perguntando se a mulher também não está por ali, caminhando à nossa frente. Imagino-a virando a cabeça para trás, vendo que está sendo seguida.

E então:

– Meus pais me contaram o que aconteceu – diz o rapaz.

– Eu sinto muito.

Assinto com a cabeça, mas não abro os olhos. Seguimos adiante.

– Faz tempo que a senhora não sai de casa?

Mais uma vez sinalizo que sim com a cabeça; mas, na realidade, ultimamente tenho saído até demais.

– Bem, estamos quase chegando.

Ótimo, isso é tudo que eu quero.

Algo bate no meu joelho; imagino que seja o guarda-chuva dele, pendurado no braço.

– Desculpe.

Não me dou o trabalho de responder.

Da última vez que falei com ele... quando foi mesmo? No Halloween do ano passado, acho. Isso mesmo: foi ele quem atendeu quando batemos à porta. Eu e Ed em nossas roupas de fim de semana, Olivia vestida de caminhão de bombeiro. Ele elogiou a fantasia da menina, despejou um punhado de balas na mochilinha dela, depois desejou sucesso na nossa excursão de "gostosuras ou travessuras". Um amor de pessoa.

E agora, doze meses mais tarde, cá está ele, me conduzindo de volta para casa, eu de roupão na rua, os olhos hermeticamente fechados para o mundo.

Um amor de pessoa.

Falando nisso...

– Você conhece os Russells? – pergunto, a voz frágil porém audível.

Ele fica mudo por alguns segundos, talvez surpreso por me ouvir falar alguma coisa.

– Os Russells?

Acho que isso responde à minha pergunta, no entanto tento de novo:

– Sim, os que moram do outro lado do parque.

– Ah, os recém... Não. Mamãe sempre fala que quer fazer uma visitinha para eles, mas acho que ainda não fez.

Outro tiro n'água.

– Chegamos – anuncia ele, girando meu corpo com delicadeza para a direita.

Ergo o guarda-chuva e, levantando as pálpebras devagarzinho, vejo que estou diante do meu portão, a casa ali dentro assomando para o céu. Sinto um frio na espinha.

– Sua porta está aberta – diz o garoto.

Ele tem razão, claro: posso ver a sala iluminada, reluzindo feito um dente de ouro na fachada da casa. O guarda-chuva pesa na minha mão. Fecho os olhos mais uma vez.

– Foi a senhora que deixou aberta?

– Foi.

– Ok.

Ele segura meu braço e volta a me conduzir.

– O que você está fazendo na rua?

Não é a voz do garoto. Ele recolhe a mão rapidamente. Meus olhos se escancaram por iniciativa própria.

Parado ao nosso lado está um pálido Ethan, dentro de um moletom excessivamente grande, as mãos enfiadas nos bolsos, uma espinha começando a brotar de forma sorrateira sob uma das sobrancelhas.

Ouço minha própria voz balbuciando o nome dele.

– Vocês se conhecem? – pergunta o violoncelista.

– O que você está fazendo na rua? – repete Ethan, dando um passo adiante. – Você não devia estar na rua.

"Depois você conversa com a sua 'mãe'", penso.

– Ela está bem? – pergunta ele ao violoncelista.

– Acho que sim – responde o garoto.

E de repente me lembro do nome dele: Nick.

Olho para os dois. Calculo que tenham a mesma idade, embora Nick já tenha ares de homem feito, talhado em mármore. Perto dele, Ethan parece uma criança desajeitada e magricela, os ombros estreitos demais, a sobrancelha partida pela cicatriz. Pensando bem, ele *é* uma criança.

– Pode deixar que eu entro com ela – diz ele a Nick. E para mim: – Posso?

Respondo que sim.

– Tudo bem – concorda o outro.

Ethan se aproxima e pousa a mão nas minhas costas. Por alguns segundos me vejo ladeada pelos dois, como se munida de um par de asas.

– Mas só se você realmente quiser – acrescenta Ethan, preocupado.

– Quero sim – digo, e respiro fundo.

Nick recua. Minha boca diz "Obrigada", a voz saindo num sussurro.

– De nada – responde o garoto. E para Ethan: – Acho que ela teve um choque. Talvez seja bom ela beber um pouco d'água. – Ele vai atravessando a rua. – Quer que eu volte mais tarde para ver se está tudo bem?

Respondo que não. Ethan dá de ombros e fala:

– Pode ser. Vamos ver o que rola.

– Ok. – Nick ergue a mão, acenando. – Tchau, Dra. Fox.

Nesse mesmo instante a chuva volta a cair e eu ergo meu guarda-chuva.

– Vamos entrar – diz Ethan.

SESSENTA E TRÊS

O FOGO AINDA CREPITA NA LAREIRA. Ficou aceso esse tempo todo. Quanta irresponsabilidade.

Mas a casa está quentinha, apesar do frio de novembro que entra pela porta. Assim que passamos à sala, Ethan tira o guarda-chuva da minha mão, fecha-o e o encosta num canto enquanto vou cambaleando para a lareira, rumo às chamas que parecem me chamar. Caio de joelhos.

Por alguns segundos, fico ouvindo os estalos da lenha. Ouvindo minha própria respiração.

Sinto na nuca o olhar de Ethan.

O relógio de parede lembra das horas e bate três vezes.

Ethan vai para a cozinha. Enche um copo d'água na pia e volta com ele.

Nesse momento, minha respiração já está bem mais regular.

Ethan deixa o copo ao meu lado no chão, o vidro tilintando baixinho contra a pedra.

– Por que você mentiu? – pergunto.

Silêncio. Olho para as chamas enquanto espero pela resposta do garoto, que não vem. Ouço quando ele reacomoda o peso do corpo, parado onde está. Ainda de joelhos, viro para trás e deparo com esse adolescente muito magro e comprido, o rosto avermelhado pelo fogo.

– Sobre o quê? – diz ele afinal, olhando para os pés.

– Você sabe.

Outro silêncio. Ethan fecha os olhos. De repente parece ainda mais jovem do que já é.

– Quem é aquela mulher? – insisto.

– Minha mãe – responde ele baixinho.

– Estive com sua mãe.

– Não, você... você está se confundindo – explica ele, balançando a cabeça. – Você não sabe do que está falando. Isso é o que... – Segundos depois: – Isso é o que o meu pai diz.

"Meu pai." Apoio as mãos no chão, fico de pé.

– Isso é o que todo mundo me diz. Até mesmo os meus amigos. – Sinto um nó na garganta. – Até mesmo o meu marido. Mas eu sei o que vi.

– Meu pai diz que você não é muito boa da cabeça.

Fico em silêncio.

Ele recua um passo e anuncia:

– Preciso ir. Nem devia ter vindo aqui.

Dou um passo adiante.

– Onde está sua mãe?

Ele não fala nada, apenas me encara com os olhos arregalados. "Pegar leve", esse era o conselho que Wesley sempre nos dava. Mas agora não vai dar.

– Sua mãe está morta?

Nada. Vejo nos olhos dele o reflexo da lareira. As pupilas são minúsculas centelhas.

De repente ele sussurra algo que não consigo ouvir.

– Hein?

Chego mais perto, e ele repete:

– Estou com medo.

E, antes que eu possa dizer qualquer coisa, Ethan me dá as costas e dispara de volta para a rua, escancarando a primeira porta e batendo a segunda.

Fico sozinha junto à lareira, de costas para o calor do fogo, de frente para o frio do corredor.

SESSENTA E QUATRO

Depois de fechar a porta, pego o copo deixado no chão, derramo a água na pia e substituo por vinho, a mão trêmula fazendo a garrafa se chocar contra a borda do copo.

Bebo um gole longo, penso demoradamente. Estou exausta, extasiada. Arrisquei sair de casa e... *sobrevivi*. O que dirá o Dr. Fielding quando souber? Fico me perguntando o que contar a ele. Talvez nada. Vamos ver.

Agora sei mais do que sabia antes. A mulher está entrando em pânico. Ethan está amedrontado. Jane está... Bem, ainda não sei nada a respeito de Jane. Mas o importante é que agora sei mais do que sabia antes. Minha sensação é a de que capturei um peão. Sou a Máquina Pensante.

Dou outro gole, ainda mais longo que o primeiro. Sou a Garrafa Pensante.

Continuo bebendo até meus nervos se acalmarem – o que estou fazendo, segundo o relógio, há uma hora. O ponteiro dos minutos dá mais um passo. Fico imaginando o Merlot correndo espesso e intrépido em minhas veias, baixando minha temperatura, fortalecendo o espírito. Depois vou flutuando rumo ao quarto. Empoleirado no patamar da escada, o gato percebe minha chegada e corre para o escritório. Vou atrás dele.

O celular toca na minha mesa. Não reconheço o número. Deponho o copo, espero um pouco, atendo.

– Dra. Fox – diz a voz de barítono. – Aqui é o detetive Little. Nós nos falamos na sexta-feira, lembra?

Eu me sento na cadeira, empurro o copo para longe.

– Claro que lembro.

– Ótimo, ótimo. – Ele parece satisfeito; provavelmente está refestelado na cadeira, a cabeça apoiada num dos braços. – E a nossa querida psicóloga, como vai?

– Bem, obrigada.

– Pensei que fosse ter notícias suas mais cedo...

Não digo nada.

– Peguei seu número no hospital, queria saber se está tudo bem por aí.

Já disse que sim, mas vamos lá:

– Por aqui tudo bem, obrigada.

– Ótimo, ótimo. Com a família também?

– Também. Todos nós estamos bem.

– Ótimo, ótimo.

Onde é que ele pretende chegar com essa conversa mole? De repente o tom de voz é outro:

– É o seguinte: acabamos de receber um telefonema da sua vizinha.

Claro. Desgraçada! Mas bem que ela avisou. Uma desgraçada que avisa e cumpre. Puxo o vinho para perto.

– Ela disse que agora há pouco foi seguida por você até a cafeteria aí da esquina.

Ele fica esperando por minha resposta. Continuo muda.

– Pois bem. Imagino que você não tenha escolhido justamente o dia de hoje para ir tomar um expresso na rua. Imagino que esse encontro não tenha sido apenas uma coincidência.

Apesar dos pesares, quase abro um sorriso.

– Sei que você tem passado por maus bocados, teve uma semana difícil... – diz ele.

E de repente me vejo assentindo com a cabeça, concordando com tudo que ele diz. O homem é mesmo muito simpático. Acho que daria um ótimo psicólogo.

– ... mas esse tipo de coisa não ajuda em nada, nem a ninguém. Você inclusive.

Ele até agora ainda não disse o nome da mulher. Me pergunto se em algum momento vai dizer.

– Aquilo que você falou na sexta-feira deixou as pessoas irritadas. Cá entre nós... essa Sra. Russell tem o pavio meio curto.

"Sra. Russell." Como previsto. Mas é claro que ela tem o pavio curto: eu também teria se estivesse me fazendo passar por outra pessoa.

– E o filho dela também não é uma pessoa muito feliz.

– Acabei de...

– Então eu... Você disse alguma coisa?

Reflito um instante.

– Não, não disse nada.

– Tem certeza?

– Tenho.

Ele resmunga algo e acrescenta:

– Eu só queria pedir uma coisa: segure a onda por um tempo. De qualquer forma, fico feliz em saber que tem saído de casa.

Ele só pode estar brincando.

– E o gato? Continua arisco?

Não respondo; aparentemente ele nem nota.

– E o seu inquilino?

Meu inquilino. Imediatamente me vem à cabeça a imagem da escada que coloquei para travar a porta do porão. O porão onde vi o brinco na mesa de cabeceira, o brinco de uma mulher morta.

– Detetive... – balbucio. Preciso ouvir mais uma vez. – Você não acredita em mim, não é?

Ele fica calado por um bom tempo e então suspira e fala:

– Desculpe, Dra. Fox. Acho que você realmente acredita naquilo que diz ter visto. Só que... eu não.

Eu não esperava outra coisa. Tudo bem. Está tudo certo.

– Olha, caso você queira... Se um dia, sei lá, você quiser conversar com alguém, temos ótimos conselheiros na polícia, que talvez possam ajudar. Ou apenas ouvir.

– Obrigada, detetive – digo, seca.

Outro silêncio.

– Por enquanto... segure a onda, ok? Vou ligar para a Sra. Russell e avisar que já conversamos.

De novo, "Sra. Russell". Com um nó na garganta, desligo antes que ele possa desligar.

SESSENTA E CINCO

TOMO UM GOLE DE VINHO, pego o telefone e sigo para o corredor. Não quero mais pensar em Little. Quero esquecer que os Russells existem.

Então vamos passear no Ágora. Quero dar uma olhada

nos meus e-mails. Desço para a cozinha, deixo o copo na pia e, a caminho da sala, digito minha senha no celular.

Senha incorreta.

Como assim? Provavelmente me atrapalhei com os dedos. Confiro a tela mais uma vez.

Senha incorreta.

– *Como assim?*
A sala escureceu junto com o entardecer. Acendo um dos abajures. De novo, prestando muita atenção no que estou fazendo, digito: 0-2-1-4.

Senha incorreta.

O telefone estremece. Travou. Não estou entendendo nada.

Quando foi a última vez que digitei essa senha? Não precisei dela para atender a ligação de Little agora há pouco; mais cedo usei o Skype para ligar para Boston. Minha cabeça está confusa.

Irritada, subo de volta para o escritório e vou direto para o computador. Não é possível que meu e-mail esteja bloqueado também, certo? Digito a senha do computador, abro a página do Gmail. O nome de usuário aparece automaticamente na caixa de login. Digito a senha com cuidado.

Isso. Tudo certo. O processo de recuperação de senha para o celular é simples: em menos de um minuto, uma senha substituta é informada na minha caixa de entrada. Uso os novos números para desbloquear o celular e reconfiguro a senha para o mesmo 0214 de antes.

Ainda assim... que diabo pode ter acontecido? Talvez a senha tenha expirado. Isso existe? Será que eu mesma *tro-*

quei de senha? Ou será apenas a falta de firmeza nos dedos? Levo uma das mãos à boca, começo a roer a unha. Minha memória já não é mais a que foi um dia. Nem a coordenação motora. Olho de relance para o vinho.

Algumas poucas mensagens esperam para ser abertas na minha caixa de entrada. A primeira delas é um pedido de donativos para um príncipe nigeriano; as outras são das minhas companheiras de Ágora. Levo cerca de uma hora para respondê-las. Mitzi de Manchester recentemente trocou sua medicação. Kala88 ficou noiva. E GrannyLizzie, ao que parece, conseguiu dar alguns passos na rua esta tarde, escoltada pelos filhos. "Eu também", penso.

Já passa das seis. De repente, o cansaço me atropela. Deixo o corpo cair para a frente, mole feito um travesseiro, e deito a cabeça na mesa. Preciso dormir. Hoje à noite vou duplicar o temazepam. Amanhã eu falo com Ethan.

Um dos meus pacientes mais precoces costumava iniciar suas sessões dizendo "Sei que é estranho, mas...". E em seguida relatava fatos e experiências que de estranhos não tinham nada. Pois é assim que me sinto agora. É estranho, muito estranho, mas tudo aquilo que até agora há pouco me parecia urgentíssimo (ou que desde quinta-feira me parecia urgentíssimo), de uma hora para outra perdeu toda a importância. Jane. Ethan. Aquela mulher. Até mesmo Alistair.

Estou rodando com meu tanque na reserva, apenas com o vapor da gasolina. Ou com o vapor do vinho, diria Ed, o piadista de sempre.

Amanhã falo com eles também. Com Ed e Livvy.

SEGUNDA-FEIRA,

8 de novembro

SESSENTA E SEIS

– ED.

E um segundo depois... Ou talvez meia hora depois:
– Livvy.
Um jato de vapor saiu da minha boca, um pequeno espectro que eu podia ver flutuando diante do rosto, fantasmagoricamente branco no ar gelado.

EM ALGUM LUGAR PRÓXIMO, ouvi um apito incessante, monocórdio, como o canto de um passarinho demente.
E então parou.

MEUS OLHOS VIAM PONTOS VERMELHOS. A cabeça latejava. As costelas doíam. A garganta queimava.
O airbag espremia meu rosto. O painel do carro era um grande borrão incandescente. O para-brisa estava curvado sobre mim, muito rachado e bambo.
Estranho. Algum processo do lado de cá dos meus olhos reiniciava toda hora, uma falha de sistema, uma máquina que zumbia.
Tentei encher os pulmões, mas não consegui. Ouvi meu próprio grunhido de dor. Girei a cabeça, senti a cabeça roçar contra o teto do carro. Isso não estava certo, estava? A saliva empoçava em minha boca. Como era possível que...
O zumbido cessou de repente.
Estávamos de cabeça para baixo.

Mais uma vez engasguei ao respirar. Comecei a tatear a confusão à minha volta como se pudesse usar as mãos para endireitar o corpo, endireitar o carro. Ouvi meus gemidos, cuspi o excesso de saliva.

Girando a cabeça mais um pouco, vi Ed ao meu lado, imóvel, a cabeça virada para o outro lado, sangue escorrendo da orelha.

Chamei o nome dele, ou tentei chamar, uma única sílaba ofegante, uma pequenina nuvem de fumaça. Minha traqueia doía. O cinto de segurança apertava minha garganta.

Umedeci os lábios. Minha língua localizou um buraco na gengiva de cima. Eu havia perdido um dente.

Faltava pouco para que o cinto de segurança partisse minha cintura, de tanto que a apertava. Com a mão direita, encontrei a fivela, apertei o botão da trava, e nada; apertei com mais força e respirei aliviada quando o cinto finalmente afrouxou e voltou para junto do teto.

Os apitos. O alerta do cinto de segurança. Depois silêncio.

Os jatos de vapor agora jorravam da minha boca como a água em uma fonte, avermelhados pelas luzes do painel. Firmando as mãos no teto do carro, aos poucos consegui olhar para trás.

Olivia estava amarrada ao banco, suspensa pelo cinto de segurança, o rabo de cavalo caindo do alto da cabeça. Retorci o corpo até onde foi possível e, apoiando o ombro no teto, estiquei o braço para tocá-la com os dedos trêmulos.

O rostinho estava gelado.

Com o cotovelo flexionado, deixei as pernas caírem para o lado, e elas bateram com força contra o vidro estilhaçado do teto solar, esmagando-o. Fiz o que pude para me endireitar. Depois, buscando apoio para os joelhos e trepidando com o desgoverno do coração, engatinhei até Olivia e sacudi os ombrinhos dela.

E dei um grito.

Quanto maior o meu desespero, mais eu chacoalhava minha filha, o cabelo dela balançando no ar.

– Livvy! – berrei com a garganta em fogo, a boca em sangue, os olhos em lágrimas. – Livvy! Livvy!

De repente ela abriu os olhinhos, e meu coração parou de bater por alguns segundos. Ela olhou para mim, olhou dentro de mim, e balbuciou uma única palavra:

– Mamãe.

Rapidamente desafivelei o cinto que a prendia e, segurando-a pela nuca, amortizei a queda até conseguir apertá-la entre os braços, as perninhas dela batendo uma na outra como os bambus de um sino de vento. Um dos braços parecia solto dentro da manga da jaqueta.

Deitei-a sobre o teto solar.

– Shhh... – falei, embora ela não tivesse dito nada, embora ela já tivesse fechado os olhos outra vez.

Tentei sorrir, mas minhas faces estavam paralisadas.

Aproximando-me da porta, encontrei a maçaneta e dei um primeiro empurrão, depois um segundo, e ela enfim destravou, escancarando-se silenciosamente. Do outro lado, apenas escuridão.

Esticando o braço, tateei o chão mais próximo e senti os dedos queimarem de frio. Firmei os cotovelos e os joelhos, depois fui serpenteando até tirar boa parte do torso para fora, o gelo craquelando sob o peso do meu corpo. Continuei me arrastando até conseguir passar os quadris, as coxas, os joelhos, as canelas e finalmente os pés. A barra da minha calça ficou presa e precisei soltá-la antes de sair completamente do carro.

E, quando rolei para me deitar de costas, quase morri com a dor que senti na coluna, algo parecido com um choque de alta voltagem. Mal conseguia respirar. A dor não dava trégua.

Mas não havia tempo para isso. Tempo nenhum. Procurei me controlar, puxei as pernas pelos joelhos, esperei que elas dessem sinal de vida, e então me ajoelhei ao lado do carro e corri os olhos à minha volta.

Quando olhei para o alto, minha visão se turvou imediatamente; fiquei tonta.

O céu era um grande bojo de estrelas e espaço. A lua tinha o tamanho de um planeta, o brilho de um sol, e o cânion logo abaixo era uma xilogravura de sombras e luz. Quase não nevava mais, apenas alguns flocos zanzavam pelo ar. Era como se eu estivesse em outro mundo.

E o silêncio...

O silêncio era total, absoluto. Não havia vento soprando nem galhos farfalhando. Um filme mudo, uma fotografia. Quando escorreguei os joelhos para o lado, ouvi a neve esfacelar-se debaixo deles.

De volta à Terra. O carro estava embicado para a frente: o nariz cravado no chão, a traseira ligeiramente empinada, o chassi exposto feito a barriga de um inseto. Estremeci. Minha coluna gritou.

Entrei de volta no carro, finquei os dedos na jaqueta de Olivia e puxei, arrastando-a sobre o teto solar até trazê-la para fora. Abracei seu corpinho, que estava mole como o de uma boneca de pano. Chamei-a pelo nome, uma, duas vezes, até que ela abriu os olhos.

– Oi... – falei.

E ela baixou as pálpebras novamente.

Deitei-a ao lado do carro, depois, receando que ele tombasse, puxei-a para mais longe. A cabecinha caiu sobre o ombro; então, com muito, muito cuidado, passei a mão por sua nuca e voltei o rosto para o céu.

Com os pulmões assobiando como um fole, parei um instante e fiquei olhando para a minha filhinha, para aquele anjinho estirado sobre a neve. Toquei-a no braço ferido, mas ela não reagiu. Toquei outra vez, agora com mais firmeza, e ela crispou o rosto numa careta de dor.

Agora era a vez de Ed.

Engatinhei de volta para o carro e só então me dei conta de que não seria possível puxá-lo para o banco traseiro. Por isso, contornei o carro e, na terceira tentativa, consegui abrir a porta do carona.

Lá estava ele, o rosto avermelhado por causa da luz que piscava no painel. Enquanto desafivelava o cinto de segurança, fiquei me perguntando sobre essa luz: como era possível que a bateria do carro tivesse sobrevivido à violência do impacto?

De repente, como se eu tivesse desatado o nó que o prendia ali, Ed desabou para o lado, e eu firmei as mãos em suas axilas, arrastando-o sobre o teto, mais de uma vez batendo a cabeça na alavanca do câmbio. Ele já estava fora do carro quando notei que o vermelho do rosto não era apenas um reflexo da luz, mas sangue.

Com as pernas bambas, continuei a puxar meu marido pelos braços até acomodá-lo ao lado de Olivia. Ela ainda dava sinais de vida; ele, não. Então tomei a mão dele, dobrei o punho da camisa e posicionei os dedos para sentir o pulso, que ainda palpitava.

Agora estávamos os três fora do carro, sob a vastidão do céu estrelado, no chão do universo. Ouvi o que pareciam ser os soluços de uma locomotiva, mas que eram os soluços da minha própria respiração ofegante. O suor escorria pelo meu rosto, molhando minha nuca.

Deslizei a mão pelas costas e fui apalpando a espinha com delicadeza, como se estivesse escalando os degraus de uma escada, até localizar a lesão. Ela estava nas vértebras, entre as escápulas, que latejaram terrivelmente quando foram pressionadas.

Eu inspirei. Expirei. Olivia e Ed respiravam debilmente pela boca.

Virei o rosto para ver o que havia atrás de mim, e o que vi foi uma escarpa íngreme de mais ou menos 100 metros, fluorescente sob a luz do luar. Em algum lugar acima dela estava a estrada, mas não havia como chegar até lá. Na realidade, não havia como chegar a lugar algum. O carro tinha aterrissado numa espécie de prateleira, uma saliência rochosa que se projetava do penhasco. Acima ou abaixo dela, nada além de estrelas, neve e espaço. E silêncio.

O celular.

Apalpei todos os bolsos que tinha, depois lembrei que Ed o havia tomado da minha mão e que o aparelho tinha caído entre os meus pés, com aquele nome ainda estampado no identificador de chamadas.

Pela terceira vez, engatinhei para dentro do carro e fui tateando o teto até encontrá-lo junto do para-brisa, sem nenhum dano aparente. O que não deixava de ser espantoso: meu marido estava todo ensanguentado, minha filha estava ferida, eu estava ferida, nosso carro estava em frangalhos, mas o celular não havia sofrido nem sequer um arranhão. Uma relíquia de outra era, outro planeta. O relógio informava: 22:27. Fazia quase meia hora que estávamos ali.

Encolhida no pouco espaço do carro, liguei para o serviço de emergência e com a mão trêmula levei o aparelho ao ouvido.

Nada. Estranho.

Encerrei a ligação, saí do carro e examinei a tela. SEM SINAL. Ajoelhei na neve, disquei novamente.

Nada.

Disquei mais duas vezes.

Nada. Nada.

Fiquei de pé, acionei o viva-voz e ergui o aparelho o mais alto que pude, na esperança de captar algum sinal. Nada.

Tropeçando na neve, contornei o carro e fiz outras tantas tentativas. Quatro, oito, treze, sei lá, perdi a conta.

Nada.

Nada.

Nada.

Desesperada, dei um berro que incendiou minha garganta, quebrou o silêncio da noite com a facilidade de quem quebra uma lâmina de gelo e depois sumiu numa longa sucessão de ecos. Continuei gritando até a língua queimar, até a voz sumir.

Sem saber o que fazer, comecei a andar em círculos. Já estava completamente tonta quando, num acesso de raiva, atirei o telefone no chão. Peguei-o de volta, vi a tela molhada e arremessei-o de novo, dessa vez ainda mais longe. Segundos depois, em pânico, me joguei na neve para resgatar o aparelho. Disquei novamente.

Nada.

Voltei para junto de Olivia e Ed, deitados lado a lado, desfalecidos, iluminados pelo luar.

Comecei a chorar. Meus joelhos amoleceram e se dobraram. Desabei no chão e me arrastei para junto do meu marido e da minha filha. E fiquei ali entre os dois, chorando.

QUANDO ACORDEI, meus dedos estavam gelados e roxos, grudados ao celular. 00:58. A bateria já estava quase no fim, apenas 11% de carga. "Não faz diferença", pensei. Não havia sinal para chamar a emergência nem para chamar quem quer que fosse.

Mesmo assim tentei outra vez. Nada.

Observei Ed e Olivia. A respiração de ambos continuava fraca, mas constante. O sangue já havia secado no rosto dele; mechas de cabelo colavam-se ao dela. Pousando a mão sobre a testa da menina, vi que ela estava fria. Seria melhor voltarmos para o carro? Mas... e se ele... rolasse penhasco abaixo? Ou *explodisse*?

Fiquei de pé para examinar o casco do carro emborcado. Observei o céu e a lua. Depois fui caminhando lentamente na direção da escarpa, o telefone erguido à minha frente como uma varinha de condão. Acionei a lanterna, e agora era como se eu tivesse uma estrela na mão. Sob a luz forte dessa nova estrela, a escarpa era um grande paredão branco, sem nenhuma reentrância em que eu pudesse encaixar os dedos, nenhum arbusto ou galho que me servisse de corda, nenhuma ponta de rocha que funcionasse como degrau. Apenas cascalho, gelo e neve, tão intransponíveis quanto um muro de verdade. Por fim, examinei nosso pequeno promontório, andando de uma ponta a outra, palmilhando cada metro quadrado. Apontei a lanterna para o alto, deixei a noite engolir o seu lume.

Nada. Naquele lugar, tudo se resumia a um grande nada. Dez por cento de bateria. 1:11.

Quando criança, eu adorava observar e estudar as constelações. Nas noites de verão, saía para o quintal, deitava na grama macia e passava horas desenhando o que via no céu, em geral num papel de embrulhar carne, as varejeiras zumbindo à minha volta. Pois elas continuavam lá, as mesmas constelações de sempre, heroicamente espalhadas naquele céu de inverno: o caçador Órion, sempre tão brilhante e fácil de reconhecer; Cão Maior, seguindo-o de perto; Touro, com as suas Plêiades enfileiradas como um colar. Gêmeos. Perseu. Ceto.

Com a pouca voz que me saía da garganta machucada, fui nomeando cada uma delas para Ed e Livvy, os dois com a cabeça deitada no meu peito, inflando e desinflando ao ritmo da respiração, recebendo os carinhos que eu fazia em ambos, ora no cabelo, ora nos lábios ou no rosto. Era como se eu estivesse recitando as palavras mágicas de um feitiço qualquer.

Muito frio e muitas estrelas. Tremendo sob elas, adormecemos. 4:34. Acordei assustada. Conferi os dois: Olivia primeiro, Ed depois. Passei um pouco de neve no rosto dele. Ele não se mexeu. Esfreguei a neve para limpar o sangue da pele, e nesse momento ele se moveu.

– Ed – falei, sacudindo-o pelo ombro.

Nenhuma resposta. Verifiquei o pulso. Estava irregular, ora mais acelerado, ora mais fraco.

Meu estômago roncou. Não chegamos a jantar, lembrei. Eles devem estar famintos.

Entrei no carro. Àquela altura, a luz do painel já estava bem fraca, quase morrendo. E lá estava a mochila onde eu havia colocado os sanduíches e as caixinhas de suco. E a luz se apagou por completo antes mesmo que eu saísse do carro.

De volta à neve, desembrulhei um dos sanduíches, jogando para o lado o plástico que o envolvia. A embalagem saiu flutuando, levada pelo vento, vaporosa como uma entidade da floresta. Tirei um naco do pão e voltei para junto da minha filha.

– Livvy... – falei baixinho, afagando seu rosto até os olhinhos se abrirem. – Comâ um pouquinho.

Coloquei o pão entre os seus lábios e por um instante ele ficou ali, boiando feito um nadador em apuros até seguir garganta abaixo. Tirei o canudo de uma das caixinhas de suco e espetei no buraco. Em seguida deitei a cabeça de Olivia no meu braço, levei o canudo até sua boca e apertei a caixinha. Mas ela devolveu o suco sem conseguir engolir. Então ergui sua cabeça um pouco mais, e só então ela começou a dar os seus goles de passarinho. Pouco depois amoleceu a cabeça e fechou os olhos. Com delicadeza, a reacomodei no chão.

Agora era a vez de Ed.

Fiquei de joelhos ao lado dele, mas ele não abria a boca nem os olhos. Então depositei um pedacinho de pão nos seus lábios e comecei a massagear seu rosto, como se dessa forma pudesse conseguir destravar a mandíbula. Mas Ed permaneceu imóvel. Eu estava prestes a entrar em pânico. Encostei meu rosto no dele e só voltei a respirar quando senti na pele o hálito quente que ele exalava sem grande entusiasmo, mas com regularidade.

Logo percebi que ele não conseguiria comer nada, mas que certamente conseguiria beber. Esfreguei um pouco de neve em seus lábios secos, posicionei o canudinho e apertei a caixa. A limonada foi escorrendo queixo abaixo, atropelando os fiapos de barba.

– Beba. Beba, por favor... – supliquei.

Em vão, pois o suco continuou escorrendo.

Então puxei o canudo de volta e esfreguei mais um pouco de neve, primeiro nos lábios, depois na língua, deixando que ela derretesse em sua garganta. Depois, me sentei e tomei um gole da limonada. Doce demais. Mesmo assim, esvaziei a caixinha.

Peguei no carro a sacola onde estavam guardadas as nossas roupas de esqui. Abri dois casacos, colocando-os sobre Ed e Olivia.

E olhei para o céu. Um céu impossivelmente grande.

A LUZ DO DIA CAIU FEITO UM PESO sobre minhas pálpebras.

Acordei e, lutando contra a claridade, olhei à minha volta. No alto, o céu se estendia sem limites, um mar profundo de nuvens. A neve caía em flocos minúsculos, e mais pareciam pequenas flores de dente-de-leão pousando no meu rosto. Conferi o celular: 7:28, 5% de bateria.

Olivia havia reacomodado o corpo durante o sono, deitando-se sobre o braço esquerdo, pressionando a face no chão. Virei-a de costas, limpei o rostinho salpicado de neve e esfreguei de leve o lóbulo das orelhas para esquentá-las.

Ed continuava na mesma posição, ainda respirando.

Peguei o celular no bolso da calça, esfreguei o vidro para ter sorte e liguei para a emergência. Num instante de loucura tive a impressão de que havia conseguido, quase podia ouvir os trinados da chamada.

Nada. Olhei para a tela.

Depois olhei para o carro com as rodas apontadas para o alto, tão impotente quanto uma tartaruga virada, um animal ferido. Parecia envergonhado daquela sua condição pouco natural.

Olhei para o vale aos nossos pés, todo espetado de árvores, o riozinho correndo ao longe como uma fita de renda prateada.

Fiquei de pé, virei para a escarpa às minhas costas.

Só então, à luz do dia, foi que percebi: ela era muito maior do que eu havia calculado. A estrada devia estar uns 200 metros acima do promontório em que nos encontrávamos; o local era ainda mais intransponível do que eu havia imaginado durante a noite. Quase não dava para enxergar o topo.

Automaticamente, abracei o meu corpo. Tínhamos despencado daqueles píncaros. E tínhamos sobrevivido.

Estreitando as pálpebras contra a claridade, olhei novamente para o céu e me senti oprimida por ele: de algum modo aquilo me parecia grande demais, descomunal. Era como se eu fosse uma miniatura numa casinha de brinquedo. Eu podia ver a mim mesma do alto, de muito alto, reduzida a um mero pontinho, um grão de areia. Rodopiando no mesmo lugar, acabei perdendo o equilíbrio.

Minha visão embaralhou. Minhas pernas agora formigavam.

Sacudi a cabeça e esfreguei os olhos. O mundo desapareceu.

Cochilei por algumas horas ao lado de Ed e Olivia. Quando acordei (11:10), a neve já estava bem mais forte, despencando em grandes rajadas, o vento açoitando o ar. Um trovão roncou por perto. Limpei os flocos do rosto, ficando de pé.

Minha visão embaralhou de novo, feito as águas de um lago encapelado, mas dessa vez meus joelhos cederam, batendo um no outro como se atraídos por uma força magnética. E lá fui eu para o chão.

– Não! – gritei, a voz tão machucada quanto a garganta.

Apoiando as mãos na neve, tentei me reerguer. Que diabo estava acontecendo comigo?

Mas não havia tempo para isso agora. Fiz uma segunda tentativa e consegui me levantar. Ed e Olivia estavam praticamente submersos na neve.

Então comecei a arrastá-los para dentro do carro.

O tempo não passava. Eu, Ed e Livvy estávamos dentro do carro virado, a neve alcançando as janelas como as águas de uma enchente, o para-brisa ameaçando ruir a qualquer momento sob o peso da neve.

Comecei a entoar cantigas de ninar para Olivia, melodias que eu ia inventando enquanto a tempestade ficava cada vez mais ruidosa, o dia cada vez mais escuro. Eu observava a minha filha, a acariciava e cantarolava para ela. Puxei Ed para junto de mim, abracei-o com força, trancei minhas pernas nas dele, entrelacei os meus dedos nos dele. Devorei um sanduíche, bebi uma caixinha inteira de suco. Cheguei a abrir uma garrafa de vinho. Felizmente, lembrei a tempo que o álcool me desidrataria. Mas eu queria aquele vinho. Queria muito.

Parecia que estávamos presos no subsolo de uma caverna secreta e escura, algum lugar no fim do mundo. Eu não fazia a menor ideia de quando sairíamos dali. De como sairíamos. *Se* sairíamos.

A CERTA ALTURA, O CELULAR ACABOU MORRENDO. Quando adormeci, às 15:40, ele estava com 2% de bateria, mas, quando acordei, já o encontrei completamente sem vida.

Além dos uivos do vento, não havia nada para ouvir senão os nossos próprios ruídos dentro do carro: a respiração sofrida de Livvy, os chiados guturais de Ed, o choro que transbordava de algum lugar nas minhas entranhas.

SILÊNCIO. SILÊNCIO ABSOLUTO.

Eu ainda estava naquele útero metálico quando despertei novamente. Apesar dos olhos cansados, notei que alguma luz invadia o carro, a mesma luz que parecia clarear o outro lado do vidro do para-brisa. E ouvi o silêncio como se estivesse ouvindo um barulho. Um silêncio que habitava o carro como se fosse um ser vivo.

Esticando o corpo, empurrei a maçaneta da porta. Ela reagiu com um *clic* promissor, mas, por mais que eu tentasse, a porta não abriu.

Não, isso não.

Sofrendo com a coluna machucada, primeiro fiquei de joelhos, depois me deitei de costas, firmei os dois pés contra a porta e comecei a empurrá-la. Consegui abri-la um pouco, empurrando a neve, mas foi só. Então comecei a chutá-la com os calcanhares e, por sorte, ela acabou se abrindo. Uma pequena avalanche invadiu o interior do carro.

Fui me arrastando de bruços para fora, fechando os olhos por conta da claridade. Ao reabri-los, vi que o dia já amanhecia do outro lado das montanhas. Fiquei de joelhos, inspecionando o mundo novo à minha volta: o vale completamente branco, o riozinho prateado, o tapete de neve que me cercava.

Por alguns segundos fiquei tonta. Depois ouvi um *crec* e nem teria precisado olhar para saber que o para-brisa finalmente havia desabado. Mesmo assim finquei um pé na neve, levantei devagarzinho e fui cambaleando para a frente do carro. E realmente lá estava ele, o vidro caído.

Voltei para o interior do carro e mais uma vez puxei os dois para fora, primeiro Olivia, depois Ed, deixando-os lado a lado como antes. Já ofegava de cansaço quando senti a visão turvar outra vez. De repente tive a impressão de que o céu ia me esmagar contra a neve. Cheguei a encolher o corpo para me proteger, os olhos espremidos de medo, o coração disparado no peito.

Uivando feito um animal selvagem, caí de bruços no chão. Passei o braço sobre Olivia e Ed, puxei os dois para mais perto e fiquei ali, choramingando com o rosto deitado na neve.

Foi assim que nos encontraram.

SESSENTA E SETE

QUANDO ACORDO, NA SEGUNDA-FEIRA, quero falar com Wesley.

Estou toda enroscada nas cobertas, e preciso descascá-las do corpo como alguém que descasca uma fruta. O sol entra pelas janelas, caindo sobre a cama. Tenho a sensação de que minha pele brilha junto com ele. Por algum motivo, me sinto bonita.

Pego o celular no travesseiro ao meu lado. Por um segundo, enquanto a ligação se completa, chego a pensar que ele trocou de número, mas logo ouço sua voz na mensagem da secretária eletrônica. Quase histericamente, ele ordena:

– Deixe o seu recado.

Não deixo recado nenhum. Tento o consultório.

– Aqui é Anna Fox – digo à moça de voz jovem que me atende.

– Dra. Fox, aqui é a Phoebe.

– Desculpe, não reconheci você. – Trabalhei com Phoebe por quase um ano. Sei que de jovem ela não tem nada. – Quer dizer, não reconheci sua voz.

– Não tem problema. Acho que estou ficando gripada, deve ser isso.

Apenas uma gentileza. Típico de Phoebe.

– Tudo bem com a senhora? – pergunta ela.

– Tudo ótimo, obrigada. Wesley pode me atender?

Claro, Phoebe é bastante formal, provavelmente irá chamá-lo de...

– O Dr. Brill está com a agenda cheia pela manhã, mas posso pedir que ele ligue para a senhora mais tarde.

Agradeço, deixo o meu número.

– Sim, é o mesmo que tenho aqui no meu cadastro.

Desligamos.

Será que ele vai mesmo ligar?

SESSENTA E OITO

Desço para a cozinha. Nada de vinho hoje, já decidi. Ou pelo menos não na parte da manhã. Preciso estar sóbria para falar com Wesley. Com o Dr. Brill.

Antes de qualquer coisa, confiro a porta do porão. A escadinha continua no mesmo lugar, inclinada sobre a maçaneta. Sob a luz da manhã, quase incandescente de tão forte, o arranjo me parece bastante precário e ridículo. David não teria a menor dificuldade para abrir essa porta. Por um instante, dúvidas se instalam em minha mente. Tudo bem, realmente tinha um brinco em cima da mesa de cabeceira dele, mas e daí? "Você não sabe se esse brinco é mesmo dela", disse Ed. E com razão. Três perolazinhas... Acho até que eu tenho um igual.

Fico olhando para a escadinha como se a qualquer momento ela pudesse vir caminhando na minha direção com suas pernas de alumínio. A garrafa de Merlot reluz na bancada, junto do gancho de chaves. Não, senhora, nada de vinho. Além disso, imagino que já tenha taças demais por aí, espalhadas pela casa. (Onde mesmo que vi algo parecido? Ah, sim, naquele filme de ficção científica, *Sinais*; um filme medíocre, mas com uma belíssima trilha sonora que lembra Bernard Herrmann: a filha precoce vai esquecendo copos d'água por onde passa, e são eles que acabam afugentando os invasores extraterrestres. Saindo do cinema, Ed disse: "Até agora não entendi por que um bando de alienígenas alérgicos a água escolheria invadir justamente a *Terra*." Era o nosso terceiro encontro.)

Foco, Anna, foco. Escritório, aqui vou eu.

Estaciono na mesa, depois estaciono o celular ao lado do mouse e o deixo ali, recarregando a bateria no próprio computador. Olho o relógio na tela: passa um pouco das onze. Mais tarde do que eu pensava. O temazepam realmente me derrubou. Ou, para ser mais exata, *os* temazepans. Plural.

Olho pela janela. Do outro lado da rua, pontualmente, a Sra. Miller sai para a soleira e deixa a porta bater devagarzinho às suas costas. Hoje está usando um casaco escuro, soltando fumaça pela boca por causa do frio. Consulto a temperatura do dia no aplicativo do celular. Doze graus do lado de fora. Levanto da mesa e vou reajustar o termostato do corredor.

E o marido de Rita, o que será que anda fazendo? Faz tempo que não o vejo, faz tempo desde que levantei a vida dele na internet.

De volta à mesa, olho através da janela para a casa dos Russells, do outro lado do parque. Não vejo nada nem ninguém por lá. Mas lembro de Ethan; lembro que preciso falar com ele. Ontem à noite, ele deixou escapar que estava com medo. Estava com um olhar assustado, quase selvagem. Uma criança em apuros. É minha obrigação ajudar. O que quer que tenha acontecido com Jane, preciso ajudar seu filho.

Qual será minha próxima jogada?

Reflito um instante. Entro no fórum de xadrez. E começo uma partida.

Uma hora depois e continuo no mesmo lugar: não me ocorreu nenhuma ideia.

Durante todo esse tempo não fiz mais do que pensar, a garrafa trocando beijos com a taça a meu lado, porque afinal já passa do meio-dia. O problema não sai da minha cabeça, zumbindo sem parar. Como abordar Ethan? Volta e meia olho para a casa dele, como se a qualquer momento fosse encontrar a resposta rabiscada na fachada. Não posso ligar para o telefone fixo do garoto; ele não tem celular; e se eu tentasse mandar algum sinal pela janela, o pai dele (ou aquela mulher) veria primeiro. Nenhum endereço de e-mail, nenhuma página de Facebook. No mundo da internet, é como se ele nem existisse.

Ethan está tão isolado quanto eu.

Recosto na cadeira, tomo um gole de vinho, largo a taça. Observo o sol forte que atravessa a janela. O computador apita de repente. Movo um cavalo no tabuleiro, espero a jogada seguinte.

Meio-dia e doze. Wesley ainda não ligou. Vai ligar, não vai? Ou será melhor que eu ligue para o consultório outra vez? Pego o celular, destravo a tela.

Outro apito no computador. Uma mensagem de e-mail. Deixo o xadrez de lado, abro minha página no Gmail. Com a mão livre, levo a taça à boca; o cristal cintila contra o sol. Na minha caixa de entrada, apenas uma mensagem com o campo de assunto em branco, o nome do remetente em negrito: **Jane Russell.**

Meus dentes mordem a taça.

Fico olhando para a tela. O ar à minha volta se rarefaz subitamente.

Minha mão trêmula faz o vinho tremer também dentro da

taça que deixo sobre a mesa. A outra mão encobre o mouse. Não consigo respirar.

O cursor viaja para o nome dela. **Jane Russell.**

Clico.

A mensagem se abre. Não há nada escrito nela, apenas o ícone de um anexo. Clico duas vezes sobre ele.

A tela escurece.

Depois uma imagem vai surgindo aos poucos, bem devagarzinho, faixa por faixa de um cinza escuro e granulado.

Não consigo tirar os olhos dela. Ainda não consigo respirar.

Linha após linha de escuridão sobre a tela, feito uma cortina que vai caindo lentamente.

De repente...

De repente um emaranhado de... galhos? Não: cabelos, escuros e cheios de nós, em close.

Uma curva de pele clara.

Um olho, fechado, e uma franja de cílios.

É um rosto, deitado de lado. O rosto de alguém dormindo.

O *meu* rosto.

A imagem se expande, a metade inferior já completamente formada, e lá estou eu, minha cabeça de cima a baixo com uma mecha de cabelo atravessando a testa, os olhos fechados, a boca entreaberta, a outra face enterrada no travesseiro.

De um pulo, fico de pé e derrubo a cadeira.

Jane enviou uma foto em que estou dormindo. A ideia vai baixando aos poucos na minha mente, assim como a própria foto, linha por linha.

Jane esteve na minha casa à noite.

Jane esteve no meu quarto.

Jane me viu dormindo.

Fico ali, sem saber o que fazer naquele silêncio ensurdecedor. E só então vejo os dígitos fantasmagóricos no canto inferior da imagem. A data de hoje, seguida do horário: 2:02.

A foto foi tirada nesta última madrugada. Como? Confiro

o endereço de e-mail que aparece entre colchetes ao lado do nome do remetente:

adivinhequemeanna@gmail.com

SESSENTA E NOVE

Então não pode ser a Jane, mas alguém se escondendo por trás do nome dela. Alguém querendo brincar comigo.

Meus pensamentos apontam com a precisão de uma flecha para a porta do porão. David.

Abraço a mim mesma. Pense, Anna. Não entre em pânico. Mantenha a calma.

Será que ele arrombou a porta? Não. A escada continua lá, no mesmo lugar onde deixei.

Mas também é possível que ele... Minhas mãos tremem; me inclino para a frente, espalmo as duas sobre a mesa. Também é possível que ele tenha feito uma cópia da minha chave. Lembro de ter ouvido passos na escada durante a noite em que dormimos juntos. Nada impede que ele tenha descido até a cozinha e roubado essa chave.

Só que... acabei de vê-la uma hora atrás, pendurada no gancho de sempre, e eu me lembro de ter travado a porta do porão logo depois que David saiu. Ele não tinha como entrar de volta.

A menos que... Claro! *Claro* que ele tinha como entrar: poderia ter usado uma cópia. E devolvido a original para o gancho.

Mas ele viajou ontem. Para Connecticut.

Pelo menos foi o que disse.

Olho mais uma vez para a minha imagem no computador. A meia-lua dos cílios, os dentes entrevistos sob o lábio inferior. Eu ali, completamente desarmada. Sem ter ideia de que estava sendo fotografada.

Adivinhe quem é, Anna, diz o remetente no endereço que escolheu. Quem mais poderia ser senão David? E por que entregar o ouro dessa maneira? Alguém não apenas havia invadido minha casa, entrado em meu quarto e tirado uma foto minha, como também queria que eu soubesse.

Alguém que sabe de Jane.

Pego minha taça com ambas as mãos. Bebo um gole grande de vinho. Volto com a taça para a mesa, pego o celular.

LITTLE ATENDE COM UMA VOZ ROUCA, amarrotada como uma fronha de travesseiro. Provavelmente estava dormindo. Paciência.

– Alguém entrou na minha casa – vou logo dizendo.

Agora estou na cozinha, telefone numa das mãos, vinho na outra, olhando para a porta do porão. Quando digo em voz alta essas palavras, elas me parecem vazias, pouco convincentes. Falsas.

– Dra. Fox? – pergunta ele, mais alerta. – É você?

– Alguém entrou na minha casa às duas da manhã.

– Só um minuto. – Ouço ele passar o telefone para a outra orelha. – Alguém entrou na sua casa?

– Às duas da madrugada.

– E por que você não ligou antes?

– Porque na hora eu estava dormindo.

– Então como você sabe que alguém entrou na sua casa? – pergunta ele, convicto de que me pegou.

– Porque a pessoa tirou uma foto e me mandou num e-mail.

Silêncio.

– Foto do quê?

– De mim. Dormindo.

– Tem certeza de que não se confundiu? – diz ele; agora parecia bem mais próximo do que antes.

– Tenho.

– E... Olha, não quero que você fique assustada, mas...

– Já estou assustada.

– Tem certeza que essa pessoa já foi embora?

Preciso pensar. Não havia cogitado essa possibilidade.

– Dra. Fox? Anna?

Claro que não tem ninguém em casa além de mim. Se tivesse, a esta altura eu já saberia.

– Tenho.

– Você acha que conseguiria... sair um pouquinho?

Quase dou uma risada. Em vez disso, respiro fundo.

– Não.

– Tudo bem. Então fique aí. Não tente... Apenas fique aí. Quer que eu continue na linha com você?

– Quero que você venha para cá.

– Estamos indo.

"Estamos", no plural. O que significa que Norelli vem também. Perfeito. Quero que ela veja com os próprios olhos. Porque não estou ficando louca. Agora tenho uma prova irrefutável.

Little ainda está falando, respirando ruidosamente do outro lado da linha.

– Preste atenção, Anna. Quero que você faça o seguinte: vá para a porta da frente da sua casa e fique lá. Caso precise sair. Em dois minutinhos estamos chegando aí, não se preocupe. Mas se você precisar sair...

Olho para a porta do corredor, vou caminhando na direção dela.

– Já estamos no carro. Dois minutinhos.

Mexo a cabeça lentamente, mas sem tirar os olhos da porta.

– Tem visto muitos filmes ultimamente, Dra. Fox?

Não encontro forças para abri-la. Não quero pisar nesse limbo. Faço que não com a cabeça. Meu cabelo roça meu rosto.

– Algum daqueles policiais velhos de que você tanto gosta?

Quando abro a boca para dizer que não, percebo que continuo com minha taça na mão. Não importa se tem ou não um intruso na casa, não posso atender a porta desse jeito. Preciso me livrar dessa taça.

Mas as minhas mãos estão tão trêmulas que acabo derramando um pouco do vinho no roupão, deixando uma mancha cor de sangue na altura do coração. Até parece que fui ferida.

Little ainda está tagarelando no meu ouvido quando volto para a cozinha.

– Anna? Tudo bem por aí?

Deixo a taça na pia.

– Tudo bem por aí, Anna?

– Tudo...

Abro a torneira, tiro o roupão, coloco a mancha sob a água. Agora estou apenas com a camiseta e a calça de moletom. O vermelho da mancha vai sumindo aos poucos, desbotando até um rosa bem clarinho. Esfrego o tecido com força, os dedos ficando brancos por causa do frio.

– Você conseguiu chegar até a porta da frente?

– Consegui.

Fecho a torneira. Ergo o roupão, dou uma torcida na parte molhada.

– Ok. Então não saia daí.

Só então percebo que o papel-toalha acabou, restando apenas o rolo no suporte. Abro a gaveta onde ficam as boas toalhas de mesa. E me vejo dentro dela, em cima de uma pilha de guardanapos dobrados.

Mas agora não estou dormindo de lado, semienterrada num travesseiro, mas completamente desperta, empertigada, os cabelos puxados para trás, os olhos vivos e brilhantes: um retrato meu, desenhado a caneta no guardanapo.

"Estou *impressionada*", falei na ocasião.

"Um original Jane Russell!", disse ela.

E assinou embaixo.

SETENTA

O GUARDANAPO TREME NA MINHA MÃO. Olho para a assinatura rabiscada no canto.

Eu quase duvidei da minha própria lucidez. Quase duvidei da existência de Jane. Mas aqui está este guardanapo que prova que não estou mentindo, um suvenir daquela noite desaparecida. Uma lembrancinha. Um *memento mori*. "Lembre-se: um dia você vai morrer."

Lembrar. É isso que tento fazer.

Lembro do xadrez que jogamos, do chocolate que comemos. Lembro dos cigarros, do vinho, do tour que fizemos pela casa. Acima de tudo, lembro de Jane, ao vivo e em cores: o pilequinho, as gargalhadas, os dentes, a seriedade com que, olhando pela janela do escritório, ela disse sobre sua própria casa: "É linda, você não acha?"

Ela esteve aqui.

– Estamos quase chegando – avisa Little ao telefone.

– Encontrei... – Limpo a garganta. – Encontrei um...

Ele me interrompe:

– Já estamos virando na...

Mas não escuto o que ele diz, pois nesse mesmo instante vejo Ethan saindo para a rua. Ele devia estar em casa esse tempo todo. Por mais de uma hora eu havia ficado atenta à casa dele, volta e meia espiando a sala, a cozinha, o quarto. Como se explica que eu não o tivesse visto antes?

– Anna?

A voz de Little me parece distante, abafada. Olho para baixo. O telefone está na minha mão, junto da perna; o roupão está embolado no chão, junto dos pés. Então deixo o aparelho e o guardanapo na bancada da pia e bato no vidro da janela.

– Anna? – Little, chamando de novo.

Finjo que não estou ouvindo, bato mais forte na janela. Ethan agora vem pela calçada, rumo à minha casa. Ótimo.

Sei perfeitamente o que preciso fazer.

A janela é de guilhotina, difícil de abrir. Mesmo assim encaixo os dedos nas alças e, reunindo todas as forças do corpo, fecho os olhos e balanço até conseguir desemperrá-la.

Imediatamente sou atropelada pelo ar gelado que vem de

fora, tão gelado que meu coração parece esmorecer. O vento uiva ao invadir as minhas roupas, fazendo com que elas tremulem contra o corpo. Tenho a impressão de que o frio está entrando pelos meus ouvidos, preenchendo as entranhas até fazê-las transbordar.

Apesar disso, grito o nome dele com a força de um canhão, cuspindo as duas sílabas para o outro lado do mundo:

– *E-than!*

Posso ouvir a rachadura que abro no silêncio; imagino pássaros fugindo em revoada, pedestres parando assustados.

Depois, ao mesmo tempo que reabasteço os pulmões, acrescento: "Eu *sei.*"

Sei que sua mãe é quem estou dizendo que ela é. *Sei* que ela esteve aqui. *Sei* que você está mentindo.

Fecho a janela novamente, encosto a testa na vidraça. Abro os olhos.

Ele está lá na calçada, cabelos ao vento. Parece que está morrendo de frio sob o casaco acolchoado, grande demais em relação à calça jeans apertada. Olha para mim, soprando vapor diante do rosto. Eu olho de volta, o peito arfando, o coração a mil por hora.

Ele balança a cabeça, segue caminhando.

SETENTA E UM

CONTINUO À JANELA ATÉ PERDÊ-LO DE VISTA, desanimada, ombros caídos, abraçada pelo frio da cozinha. Perdi minha grande chance de falar com o garoto. Mas pelo menos ele não voltou correndo para casa.

Mesmo assim... Bem, os detetives vão chegar a qualquer momento. Agora eu tenho o desenho de Jane para mostrar a eles. O vento soprou o guardanapo para o chão; me abaixo para pegá-lo. E para pegar o roupão também, ainda úmido.

A campainha toca. Little. Ergo o tronco, pego o celular e

o guardo no bolso; corro para o saguão, aperto o botão do interfone com um soquinho leve, abro a porta do corredor. Fico observando a porta da frente até que um vulto surge do outro lado do vidro.

O guardanapo treme na minha mão. Mal posso esperar para mostrá-lo. Pouso a mão na maçaneta, giro, abro a porta.

É Ethan.

Estou surpresa demais para cumprimentá-lo. Fico parada onde estou, guardanapo em punho, o roupão pingando água nos pés.

As bochechas dele estão vermelhas de frio. Os cabelos, compridos demais, acortinam a testa para se enroscar atrás das orelhas. Os olhos estão arregalados.

Ele me encara, eu o encaro de volta.

– Você não pode ficar gritando meu nome pela janela – diz ele baixinho.

Não é exatamente isso que eu esperava ouvir. Sem pensar antes, vou logo dizendo:

– Eu precisava falar com você, não sabia mais o que fazer.

Pingos d'água caem em meus pés, no chão. Reacomodo o roupão sob a axila.

Punch vem trotando da escada, vai direto para as canelas de Ethan.

– O que você quer? – pergunta o garoto, olhando para o chão.

Difícil dizer se ele está falando comigo ou com o gato.

– Sei que sua mãe esteve aqui – declaro.

Ele suspira, balança a cabeça.

– Você está... delirando.

A palavra sai de sua boca como se não fizesse parte do seu vocabulário normal. Não preciso pensar duas vezes para saber onde ele a ouviu. Nem a respeito de quem.

Agora sou eu quem balança a cabeça.

– Não, não estou – digo, e sinto um sorriso brotando nos lábios. – Encontrei isto aqui.

Mostro o desenho, ele o examina. A casa está silenciosa; só o que se ouve é o ronronar do gato entre as pernas de Ethan. Fico olhando para o garoto, observando a perplexidade dele.

– O que é isto? – pergunta.

– Um retrato meu.

– Quem foi que desenhou?

Inclino a cabeça, dou um passo adiante.

– Está assinado, é só você ler.

Ele pega o guardanapo, aperta as pálpebras para enxergar melhor.

– Mas...

Nós dois nos assustamos quando a campainha toca. Ambos olhamos para a porta. Punch foge para o sofá.

Sob o olhar de Ethan, vou para o interfone e aperto o botão. Passos se fazem ouvir no corredor, e logo Little entra na sala, um tsunami de homem, seguido por Norelli.

Eles veem Ethan primeiro.

– O que está acontecendo aqui? – questiona Norelli, escorregando os olhos na minha direção.

– Você falou que alguém tinha entrado na sua casa – diz Little.

Ethan olha para mim, depois fita sorrateiramente a porta.

– Você não vai a lugar algum – digo.

– Pode ir – contradiz Norelli.

– Fique! – grito, e ele obedece.

– Você já deu uma olhada pela casa? – pergunta Little.

– Não.

Little sinaliza para Norelli. Ela se encaminha para a cozinha e para ao ver a porta do porão travada com a escada. Então olha para mim de modo interrogativo.

– Inquilino – explico.

Ela segue em silêncio para a escada.

Volto minha atenção para Little. Ele está com as duas mãos nos bolsos, os dois olhos grudados em mim. Respiro fundo, depois falo:

– Tanta coisa... aconteceu... Primeiro recebi essa mensagem.

Tiro o celular do bolso do roupão, que cai novamente no chão. Abro o e-mail, expando a foto e entrego o aparelho a Little. Ele o recebe com a mão enorme, examina. E eu fico ali, mal agasalhada, tremendo de frio enquanto espero. O cabelo está todo bagunçado, amassado por causa da cama. O que me deixa incomodada.

Ao que parece, Ethan também está incomodado com alguma coisa, irrequieto. Ao lado de Little, ele fica absurdamente pequeno, frágil, quase quebrável. Minha vontade é abraçá-lo.

O detetive corre o polegar sobre a tela do celular.

– Jane Russell – diz.

– Só que não – retruco. – Olhe o endereço.

Little estreita os olhos, lê em voz alta:

– adivinhequemeanna@gmail.com.

– Pois é.

– Você já recebeu alguma outra mensagem com esse mesmo endereço?

– Não. Será que você consegue... sei lá, rastrear o remetente?

Atrás de mim, Ethan pergunta:

– O que é isso?

– Uma foto que... – respondo, mas Little não me deixa terminar.

– Como é que alguém consegue entrar aqui sem ser notado? Não tem alarme na casa?

– Não. Estou sempre aqui. Por que eu precisaria de...? – Não há necessidade de completar a pergunta. A resposta está na mão de Little. – Não, não tem alarme na casa.

– Foto do quê? – insiste Ethan.

Só então Little se dirige a ele, fulminando o garoto com o olhar.

– Você está perguntando demais – diz. – Espere ali.

Assustado, Ethan vai para o sofá e se senta ao lado de Punch. Little se dirige à cozinha, para diante da porta lateral.

– Você acha então que alguém pode ter entrado na sua casa – fala, quase ríspido.

Destranca e abre a porta. Fecha de novo.

– Acho, não. Alguém *entrou* aqui.

– Sem disparar nenhum alarme, foi o que eu quis dizer.

– Sim.

– Levaram alguma coisa?

Eu ainda não havia pensado nisso.

– Não sei – admito. – Não levaram nem o computador nem o celular, mas talvez... Bem, não verifiquei. Fiquei apavorada.

Ele agora me encara com uma expressão bem mais amena.

– Imagino. – E, de um jeito mais brando, pergunta: – Você tem alguma ideia de quem possa ter tirado essa foto?

Reflito um instante.

– A única pessoa com uma chave... A única pessoa que pode ter conseguido uma chave é o meu inquilino. David.

– E onde ele está?

– Não sei. Falou que ia sair da cidade, mas...

– Mas ele tem ou *poderia ter* uma chave da casa?

Cruzo os braços.

– Poderia ter. A chave do apartamento do porão é outra, mas... ele poderia ter... roubado a minha.

– Sei... Por acaso você andou tendo algum tipo de aborrecimento com David?

– Não. Bem... não.

– Hum. Mais alguma coisa?

– Teve um dia que... Teve um dia que ele pediu emprestado um estilete. Desses de abrir caixa de papelão. Depois guardou no mesmo lugar sem me avisar.

– Além dele, há mais alguém que poderia entrar aqui?

– Ninguém.

– Estou pensando em voz alta, só isso. – Ele inspira profundamente e grita tão alto que os meus nervos trepidam: – Ei, Val!

– Ainda estou aqui em cima – responde Norelli.

– Alguma coisa interessante por aí?

Silêncio. Ficamos esperando.

– Nada – berra ela de volta.

– Nenhum objeto revirado?

– Nenhum objeto revirado.

– Ninguém no closet?

– Ninguém no closet – informa ela enquanto vem descendo a escada.

Little se dirige a mim de novo:

– Então é isso: alguém entra na sua casa, ainda não sabemos como... depois tira uma foto de você dormindo e vai embora sem levar nada.

– Exato.

Será que ele está duvidando de mim? Aponto para o celular em sua mão, como se o aparelho pudesse esclarecer todas as suas dúvidas. *Eu* posso esclarecer as suas dúvidas.

– Desculpe – diz, devolvendo o telefone.

Norelli irrompe na cozinha.

– E por aqui, tudo bem? – pergunta ao colega.

– Tudo – declara ele, depois sorri para mim. – Nenhuma nuvem no horizonte.

Continuo muda. Norelli se aproxima e pergunta:

– E essa suposta invasão, do que se trata?

Ofereço o celular para que ela veja com os próprios olhos. Ela não o segura, mas inspeciona a foto.

– Jane Russell? – pergunta.

Aponto para o endereço de e-mail ao lado do nome de Jane. A mulher fica visivelmente irritada.

– Já mandaram outras mensagens antes?

– Não. Como eu acabei de... Não, não mandaram.

– É um endereço do Gmail – observa ela, trocando olhares com Little.

– Sim – digo, abraçando a mim mesma. – Será que vocês conseguem rastrear? Descobrir quem mandou?

– Bem – fala Norelli, recuando um pouco. – Isso é um problema.

– Por quê?

Ela inclina a cabeça na direção de Little.

– Porque é um endereço do Gmail – informa ele.

– Sim, e daí?

– E daí que o Gmail esconde os endereços de IP.

– Não sei o que isso significa.

– Significa que não é possível rastrear uma conta do Gmail – explica ele.

Não digo nada, mas Norelli, cruzando os braços, intervém:

– Nada impede que você tenha mandado essa mensagem para si mesma.

Não me contendo, dou uma risada.

– *O quê?* – pergunto.

Que mais eu poderia dizer?

– Você pode muito bem ter enviado a mensagem com este celular aí, e a gente nunca vai poder provar.

– E por que eu faria uma coisa dessas? *Por quê?* – pergunto, espumando de raiva.

Norelli olha para o roupão molhado no chão. Abaixo para pegá-lo, só para não ficar parada, só para restabelecer um mínimo de ordem.

– Essa foto mais parece uma selfie noturna.

– Como é que alguém pode tirar uma selfie dormindo?

– Seus olhos estão fechados.

– Porque estou dormindo.

– Ou porque está fingindo que dorme.

Olho desesperada para Little.

– Veja a coisa por outro ângulo, Dra. Fox. Não encontramos nenhum sinal de arrombamento ou invasão. Pelo visto, nada foi roubado da casa. A porta da frente está ok. Esta aqui também – diz o policial, apontando para a porta lateral. – E você falou que ninguém mais tem a chave da casa.

– Não. Falei que o meu inquilino *poderia* ter uma chave.

Falei ou não falei? Minha cabeça está rodando. Volto a tremer. O frio parece ter o efeito de uma droga.

Apontando para a escadinha, Norelli pergunta:

– Por que você travou esta porta?

– Uma discussão com o inquilino – responde Little, antes que eu possa dizer qualquer coisa.

– Você perguntou a ela sobre... o marido?

Algo na voz dela me soa estranho, um acorde em tom menor. Ela ergue uma das sobrancelhas, depois me encara.

– Sra. Fox – diz, e dessa vez não me dou o trabalho de corrigi-la. – Mais uma vez estamos perdendo nosso tempo. Acho que já adverti a senhora sobre as...

– Quem está perdendo tempo aqui sou eu. *Eu*. Alguém entrou na minha casa, tenho provas disso, e vocês ficam aí dizendo que tudo não passa de uma invenção. Exatamente como fizeram da outra vez. Falei que vi uma pessoa sendo *esfaqueada*, e vocês não deram a menor bola. Que mais eu posso fazer para que vocês...

O desenho.

Olho para trás. Ethan continua no sofá, agora com o gato no colo.

– Ethan, traz o desenho aqui, por favor.

– Vamos deixar o menino de fora – fala Norelli.

Mas Ethan já está vindo para a cozinha com o gato debaixo do braço. Ele entrega o guardanapo de um jeito quase solene, um coroinha entregando a hóstia na comunhão.

– Está vendo isso aqui? – digo, empurrando o papel para cima de Norelli, fazendo com que ela recue um passo. – Está assinado, olhe bem.

Ela franze a testa.

E, pela terceira vez no dia de hoje, a campainha toca.

SETENTA E DOIS

LITTLE OLHA PARA MIM, se dirige ao interfone, analisa o aparelho por um segundo, depois aperta o botão.

– Quem é? – pergunto, mas a porta já está aberta, passos firmes vindo pelo corredor.

É Alistair Russell quem surge na sala, embrulhado num cardigã, o rosto vermelho de frio. Parece mais velho que da última vez que o vi. Como uma águia, ele olha em volta e avista o filho.

– Pra casa, já! – ordena. Ethan permanece onde está. – Largue esse gato e vá pra casa imediatamente.

– Quero que você veja isto aqui – digo, erguendo o celular com a foto.

Mas ele me ignora completamente.

– Fico feliz em vê-lo aqui – diz a Little, embora não pareça muito feliz. – Minha mulher contou que ouviu essa aí *gritar* o nome do meu filho pela janela. Depois vi vocês chegando de carro.

Em sua última visita, se bem me lembro, ele se mostrou muito mais cordial, dando a impressão de que estava até se divertindo com a história toda. Agora, não.

Little se aproxima.

– Sr. Russell...

– Essa mulher tem ligado para a minha casa, vocês sabiam disso? – informa ele, mas Little não responde. – Ligou inclusive para a empresa onde eu trabalhava. Para a *empresa*.

Então Alex realmente me entregou.

– Por que você foi despedido? – pergunto.

Mas a esta altura ele já está cuspindo fogo pelas ventas, furioso, emendando uma coisa na outra:

– Ontem ela seguiu minha mulher na rua. Ela contou isso para vocês? Imagino que não. Seguiu minha mulher até a cafeteria ali da esquina.

– Nós sabemos.

– Tentou... *confrontá-la.*

Olho de relance para Ethan. Pelo visto ele não contou ao pai que esteve aqui ontem, após o episódio na cafeteria.

– É a segunda vez que nos encontramos aqui – prossegue Alistair, duro. – Primeiro ela alega ter visto uma pessoa sendo esfaqueada na minha casa. Agora trouxe meu filho para dentro da casa dela. Isso não pode continuar assim. Senão... – Ele olha diretamente para mim. – Ela é perigosa.

Apontando para a foto do celular, digo:

– Eu conheço a sua *mulher*...

– Você não conhece a minha mulher! – berra ele de volta.

E eu me calo.

– Você não conhece *ninguém*! Fica aqui, trancafiada nesta casa, *bisbilhotando* a vida dos outros.

Sinto um calor subir pelo pescoço. Deixo o braço cair para o lado, junto com o telefone. Alistair ainda não se deu por satisfeito:

– Você inventou esses... esses *encontros* aí, com essa pessoa que não é a minha mulher, e que de repente nem é...

Fico esperando pelo que está por vir com a aflição de alguém que antecipa um murro.

– ... que de repente nem é uma pessoa *real* – completa –, depois resolveu infernizar a vida do meu filho, infernizar a vida de *todos nós*.

Um silêncio se instala à nossa volta.

Até que Little diz:

– Ok.

– Esta mulher está delirando – arremata Alistair.

Pronto. Como eu imaginava. Olho para Ethan, que está fitando o chão.

– Ok, ok – repete Little. – Ethan, acho que você já pode voltar para casa. Sr. Russell, se puder ficar mais um pouquinho...

Mas agora é minha vez de falar:

– Por favor, fique. Talvez possa explicar isto aqui.

Com o guardanapo em punho, ergo o braço muito acima da cabeça, quase na altura dos olhos de Alistair.

Ele pega o papel, dizendo:

– O que é isto?

– Um retrato meu, desenhado por sua mulher.

Ele fica lívido.

– Quando ela esteve aqui. Naquela mesa.

– O que é isto? – pergunta Little, aproximando-se de Alistair.

– Jane desenhou para mim – explico.

– É você – diz Little.

– Sim, sou eu. Ela esteve aqui. Este desenho é a prova.

– Isto não prova nada – declara Alistair, um pouco mais calmo. Mas depois dispara: – Bem, prova que você é tão doente que chegou ao ponto de... de fabricar provas. – Dá um risinho irônico. – Enlouqueceu de vez.

"Você, *ka-pow!*, enlouqueceu de vez." *O bebê de Rosemary*, acho. Sinto minha testa franzir.

– Como assim, fabricar provas?

– Foi você mesma quem fez esse desenho.

Norelli sussurra ao meu lado:

– Do mesmo modo que tirou aquela foto e mandou para você mesma.

Chego a recuar um passo, como se tivesse acabado de levar um soco na boca do estômago.

– Eu...

– Tudo bem, Dra. Fox? – pergunta Little, aproximando-se.

Deixo o roupão cair mais uma vez. Estou tonta. A cozinha gira ao meu redor feito um carrossel. Alistair lança um olhar feroz na minha direção, o rosto da detetive Norelli é um borrão, a mão de Little paira sobre o meu ombro. Ethan acompanha tudo de longe, ainda com o gato nos braços. Eles giram ao meu redor, todos eles. Ninguém que me sirva de âncora, ninguém que me sirva de chão.

– Não fui eu quem fez esse desenho. Foi *Jane*. Bem aqui nesta... – Aponto vagamente para a mesa da cozinha. – E não

fui eu quem tirou essa foto. Não *poderia* ter tirado. Estou...
Tem alguma coisa acontecendo, e vocês não estão *ajudando*.

Não sei como dizer de outra forma. Tento fazer o mundo
parar de rodar, mas ele escorrega das minhas mãos. Vou cambaleando na direção de Ethan, agarro os ombros dele com
as mãos trêmulas.

– Fique longe do meu filho – explode Alistair.

Mas, olhando diretamente nos olhos do garoto, digo:

– Tem alguma coisa *acontecendo*.

– O que está acontecendo aqui?

Todos viramos ao mesmo tempo.

– A porta da frente estava aberta – diz David.

SETENTA E TRÊS

EMOLDURADO PELA PORTA, com as mãos escondidas nos bolsos e uma mochila velha pendurada no ombro, ele pergunta
outra vez:

– O que está acontecendo aqui?

Norelli descruza os braços e diz:

– Quem é você?

David cruza os seus e responde:

– Moro lá embaixo.

– Então... você é o famoso David – fala Little.

– Disso eu já não sei.

– Você tem um sobrenome, David?

– Quase todo mundo tem.

– Winters – respondo por ele, tirando a informação das
profundezas do cérebro.

David não me dá atenção.

– Quem são vocês?

– Polícia. Sou a detetive Norelli e este é o detetive Little.

David aponta o queixo na direção de Alistair.

– Esse aí eu conheço.

Alistair assente com a cabeça e declara:

– Talvez você possa explicar qual é o problema com essa mulher.

– Quem disse que ela tem algum problema?

A gratidão me aquece por dentro. Meus pulmões se enchem. Alguém está do meu lado.

Mas de repente relembro quem é esse alguém.

– Onde o senhor estava ontem à noite, Sr. Winters? – pergunta Little.

– Connecticut. Trabalhando. Por que você quer saber?

– Alguém tirou uma foto da Dra. Fox enquanto ela estava dormindo. Por volta das duas da madrugada. Depois mandaram a foto por e-mail.

Os olhos de David faíscam.

– Alguém invadiu a casa? – questiona ele. – Que droga!

Little não me deixa responder.

– Alguém pode confirmar que você realmente estava em Connecticut ontem?

David cruza um pé sobre o outro.

– A garota com quem eu fiquei.

– E qual seria o nome dela?

– Não peguei o sobrenome.

– Pegou o telefone?

– É isso que todo mundo faz, não é?

– Vamos precisar do número – diz Little.

– Ele é a única pessoa que poderia ter tirado essa foto – insisto.

Uma fração de segundo. David franze a testa.

– Hein?

Olhando para ele, chego a vacilar.

– Foi você quem tirou a foto?

Ele dá um risinho.

– Você está achando que eu entrei aqui e...

– Ninguém está achando nada – interrompe Norelli.

– Eu estou – digo a ela.

– Não sei que viagem é essa sua – fala David, quase entediado. Oferece o celular para Norelli, dizendo: – Aqui. Pode ligar. O nome dela é Elizabeth.

Norelli sai com o telefone em direção à sala.

Não vou conseguir ouvir ou dizer mais nada se não beber alguma coisa. Sigo para a cozinha, ouço a voz de Little às minhas costas:

– A Dra. Fox diz que uma mulher foi esfaqueada na casa do outro lado do parque. A casa do Sr. Russell. Você sabe alguma coisa a esse respeito?

– Não. Então foi por isso que ela me perguntou, no outro dia, se eu tinha ouvido alguém gritando por lá. Falei que não tinha ouvido nada.

Nem me dou o trabalho de virar para trás para olhar os dois. Já estou despejando vinho no copo.

– Claro que não ouviu – diz Alistair.

Agora, sim, virando para trás, digo:

– Mas o Ethan falou...

– Ethan, *sai* daqui! – grita Alistair. – Quantas vezes vou precisar rep...

– Calma, Sr. Russell. Dra. Fox, realmente não recomendo isso agora – adverte Little, dedo em riste.

Coloco o copo na bancada, mas mantenho os dedos em volta dele. Sinto dentro de mim um espírito desafiador.

Ele volta a atenção para David.

– Por acaso você chegou a ver algo estranho do outro lado do parque?

– Na casa dele? – pergunta David, olhando para Alistair, que revira os olhos.

– Isto é um... – começa a dizer o pai de Ethan.

– Não, não vi nada. – A mochila de David vai escorregando ombro abaixo; ele endireita o tronco, voltando com ela para o lugar. – Também não andei olhando.

– Sei. E você conhece a Sra. Russell?

– Não.

– Como é que conhece o Sr. Russell?

– Contratei ele para... – tenta Alistair, mas Little o silencia com um gesto da mão.

– Ele me contratou para fazer uns consertos na casa – explica David –, mas não cheguei a conhecer a Sra. Russell.

– Mas o brinco dela estava no seu quarto.

Todos os olhos se voltam para mim.

– Vi um brinco no seu quarto – digo, apertando meu copo. – Na mesa de cabeceira. Três pérolas. O brinco de Jane Russell.

David suspira e declara:

– Aquele brinco é de Katherine.

– Katherine?

– Uma mulher que namorei. Na verdade, nem chegou a ser um namoro. Ela dormiu aqui algumas vezes.

– Quando? – pergunta Little.

– Semana passada. Que diferença faz?

– Nenhuma – intervém Norelli, voltando para o lado de David. Devolve o celular dele e diz: – Elizabeth Hughes falou que passou a noite de ontem com ele em Darien. Ficaram juntos da meia-noite até as dez da manhã.

– Depois vim direto para cá – informa David.

Norelli agora se dirige a mim.

– Afinal de contas... o que você estava fazendo no quarto dele?

– Estava bisbilhotando – responde David.

Vermelha de raiva, disparo:

– Você pegou o meu estilete.

Ele dá um passo adiante. Little redobra a atenção.

– Você me *emprestou* o estilete.

– É, mas depois você o devolveu para a caixa de ferramentas sem falar nada comigo.

– É. Ele estava no meu bolso quando fui ao banheiro, então guardei no lugar. Não precisa agradecer.

– Acontece que isso foi logo depois que a Jane...

– *Chega!* – rosna Norelli.

Levo o copo à boca, o vinho balançando dentro dele. Sob o olhar de todos, dou meu gole sem nenhuma pressa.

O desenho. A fotografia. O brinco. O estilete. Todos os meus argumentos repelidos como insetos. Não sobrou nada.

Ou quase nada.

Respiro fundo.

– Ele já foi preso uma vez, sabiam? – Mal acredito no que acabei de dizer. – Já foi preso – repito. Sinto como se estivesse fora do meu próprio corpo. – Por agressão.

David fica visivelmente irritado. Alistair parece fuzilá-lo com o olhar. Norelli e Ethan estão olhando para mim. E Little... Little parece muito triste.

– Então – continuo –, por que vocês não estão dando uma dura nele? Vejo uma mulher ser assassinada – digo, brandindo o celular –, e vocês dizem que estou imaginando coisas. Que estou *mentindo*. – Bato com o celular na ilha da cozinha. – Mostro um desenho que ela fez e assinou – aponto para Alistair, que ainda está com o guardanapo na mão –, e vocês dizem que fui eu quem desenhou. Tem uma mulher naquela casa que *não é* quem ela diz ser, mas vocês nem se deram o trabalho de averiguar. Nem *pensaram* em averiguar.

Dou um passo adiante, um passinho de nada, mas todos recuam como se eu fosse uma tempestade chegando, como se eu fosse uma predadora. Melhor assim.

– Alguém entra na minha casa enquanto estou dormindo, tira uma foto minha, depois me manda por e-mail... e, de novo, vocês me acusam de ter feito tudo isso. – A voz embarga, as lágrimas caem. Mas isso não me detém. – Não estou ficando *doida*. Não estou inventando nada. Também não estou delirando. – Aponto um dedo trêmulo para Alistair e Ethan. – Tudo começou quando vi a mulher desse aí, mãe desse outro, com alguma coisa espetada no peito. *Isso* é o que vocês deveriam estar investigando. *Essas* são as perguntas que vocês deveriam estar fazendo. E não venham me dizer o que vi ou deixei de ver. *Eu sei muito bem o que vi!*

Silêncio. Todos estão imóveis. Até o gato está imóvel, o rabo virado numa interrogação.

Seco as lágrimas com o dorso da mão, limpo o nariz.

Little volta à vida e dá um passo na minha direção, um passo enorme, decidido, atravessando boa parte da cozinha, os olhos pregados nos meus. Deixo o copo vazio na bancada. Continuamos olhando um para o outro, eu do lado de cá da ilha, ele do lado de lá. Little afasta meu copo para o lado como se estivesse afastando uma arma, depois diz bem baixinho:

– O negócio é o seguinte, Anna. Conversei com o seu médico ontem, depois que a gente se falou por telefone.

Minha boca seca imediatamente.

– O Dr. Fielding – prossegue. – Você citou o nome dele lá no hospital. Eu só queria dar uma palavrinha com alguém que a conhecesse bem.

Meu coração enfraquece.

– Pelo que vi, ele gosta muito de você. Falei que estava preocupado com as coisas que você andava dizendo. Falei também que estava preocupado com você sozinha aqui neste casarão, pois você tinha dito que sua família morava longe e por isso não tinha com quem conversar. E...

E...

Sei muito bem o que ele está para dizer. E fico grata por ser ele quem vai dizê-lo, porque Little é um homem gentil, fala de um jeito delicado, e eu não suportaria se fosse de outra forma, não suportaria se...

Mas Norelli o interrompe, dizendo:

– Acontece que seu marido e sua filha estão mortos.

SETENTA E QUATRO

Ninguém nunca disse isso assim, com essas palavras, nessa ordem.

Nem mesmo o médico do pronto-socorro, que, enquanto avaliava os danos na minha coluna e na minha traqueia, falou: "Seu marido infelizmente não resistiu."

Nem mesmo a chefe da enfermaria, que, quarenta minutos depois, revelou: "Sinto muito, Sra. Fox..." Nem sequer terminou a frase. Não precisava.

Nem mesmo os nossos amigos (ou melhor, os amigos de Ed; constatei da pior maneira possível que Livvy e eu não tínhamos nenhum amigo estritamente nosso), que, no velório, no enterro, nas visitas ou telefonemas de pêsames, diziam apenas: "Pois é, eles se foram..." ou "Já não estão mais com a gente" ou (os insensíveis) "Morreram".

Nem mesmo Bina. Nem mesmo o Dr. Fielding.

Mas Norelli, sim. Norelli não pensou duas vezes antes de quebrar o feitiço, dizendo o indizível: "Seu marido e sua filha estão mortos."

...

E realmente estão. Não resistiram, não estão mais com a gente, se foram, morreram. Não vou negar.

"Mas você não vê, Anna..." Agora é o Dr. Fielding quem está falando na minha cabeça, quase em tom de súplica. "É *isto* que está acontecendo: você está em negação."

A mais pura verdade.

...

Mesmo assim...

Como explicar uma coisa dessas? Como explicar a essas pessoas, seja Little ou Norelli, Alistair ou Ethan, David ou até mesmo Jane? Eu *ouço* os dois; a voz de ambos ainda ecoa dentro de mim, fora de mim. Sobretudo quando estou triste demais com a ausência deles, com o buraco que ficou dentro de mim com... Acho que agora consigo dizer: com a morte deles. Ouço a voz dos dois quando preciso conversar. Ou, às vezes, quando menos espero. "Adivinha quem é", dizem eles, e para mim é uma grande alegria, meu coração chega a cantar.

Ouço e respondo de volta.

SETENTA E CINCO

AS PALAVRAS PAIRAM NO AR, flutuando feito fumaça.

Por cima dos ombros de Little, vejo Alistair e Ethan, ambos com os olhos arregalados; vejo David, de queixo caído. Norelli, por algum motivo, agora olha para o chão.

– Dra. Fox?

É Little, do outro lado da ilha. Ajusto meu foco na figura dele, no rosto agora banhado pela luz do entardecer.

– Anna – insiste ele.

Continuo imóvel. Não consigo me mexer.

Ele enche os pulmões, espera alguns segundos. Expira.

– O Dr. Fielding me contou toda a história.

Fecho os olhos. Não vejo nada que não seja escuridão. Não ouço nada que não seja a voz de Little:

– Ele contou que um agente da polícia rodoviária encontrou o carro de vocês num penhasco.

Isso. Ainda me lembro da voz do policial, dos gritos que ele dava ao descer de rapel pela encosta da montanha.

– Àquela altura vocês já tinham passado duas noites ali, ao relento. Em pleno inverno. Durante uma tempestade de neve.

Trinta e três horas desde o momento em que derrapamos na pista até a chegada do helicóptero, as hélices girando acima de nossas cabeças como um tufão.

– Ele contou que Olivia ainda estava viva quando finalmente conseguiram tirar vocês de lá.

"Mamãe", sussurrou minha filha ao ser colocada na maca, o corpinho envolto num cobertor.

– Mas o seu marido já tinha... partido.

Não, ele não tinha "partido". Estava lá, estava muito lá,

estava lá até demais, o corpo embalado pela neve. "Hemorragia interna", disseram. "E hipotermia. Você fez tudo que poderia ter feito."

Tanta coisa que eu poderia ter feito...

– Foi então que esse seu problema começou. A dificuldade para sair de casa. Estresse pós-traumático. Imagino que... Bem, acho que nem posso imaginar.

Caramba. Quanto pavor naquele leito de hospital. Quanto pavor naquele carro da polícia. Quanto pavor naquelas primeiras vezes que tentei sair para a rua. Quantas vezes caí antes de conseguir me arrastar de volta para casa.

E trancar todas as portas.

E fechar todas as janelas.

E jurar que ficaria escondida pelo resto da vida.

– Você precisa de um lugar onde se sinta segura. O que é perfeitamente compreensível. Estava quase congelada quando foi encontrada. Tinha passado por todo aquele pesadelo. Um pesadelo infernal.

Minhas unhas estão fincadas nas palmas das mãos.

– Segundo o Dr. Fielding, tem momentos em que você... ouve a voz deles.

Aperto os olhos o mais que posso; quanto maior a escuridão, melhor. Ainda lembro da minha conversa com Fielding: "Não são... alucinações", expliquei a ele. "De vez em quando gosto de fingir que eles ainda estão por aqui, só isso. Um artifício para me ajudar a seguir em frente. Sei que não é muito saudável, mas..."

– E que você às vezes conversa com eles.

Sinto o sol na minha nuca. "Sugiro que você não se entregue a esse tipo de fantasia com muita frequência", alertou ele. "Você precisa aprender a andar sem essa muleta."

– Então... Fiquei meio confuso, porque, do jeito que você falava, era como se eles estivessem apenas em outro lugar.

O que tecnicamente é verdade, mas não digo nada. Não tenho mais forças. Me sinto vazia como uma garrafa.

– Você falou que era separada. Que sua filha estava com o seu marido.

Outra verdade. Estou exausta.

– Falou a mesma coisa para mim.

Abro os olhos. A luz agora encharca a cozinha, sugando as sombras. Os cinco estão perfilados à minha frente como peças de xadrez. Olho para Alistair.

– Você falou que eles moravam em outro lugar – diz ele com uma careta de repulsa.

Mas isso eu nunca disse. Nunca falei que eles moravam em outro lugar. Paciência. Isso agora já não tem importância. Nada tem importância.

Little estica o braço sobre a ilha, pousa a mão sobre a minha.

– Você passou por maus bocados. Acho que realmente acredita que esteve com a tal mulher. Do mesmo modo que acredita estar falando com Olivia e Ed.

Faz uma pausa minúscula antes do nome de Ed, como se não tivesse certeza dele, mas também é possível que esteja apenas medindo as palavras. Olho dentro dos seus olhos. Dois poços sem fundo.

– Mas tudo isso que você está alegando... simplesmente não é verdade – declara ele, a voz macia feito neve. – Anna, você precisa esquecer essa história.

De repente me vejo concordando com a cabeça. Porque ele tem razão. Fui longe demais. "Isso precisa parar", como disse Alistair.

– Olhe... tem um monte de gente que gosta de você – prossegue Little, apertando os dedos da minha mão, estalando os ossos dela. – O Dr. Fielding... a sua fisioterapeuta... – Minha vontade é perguntar: "Quem mais? Quem mais?" – E... – Meu coração dispara no peito. – ... e eles querem ajudar você.

Baixo os olhos para a mão enorme que aperta meus dedos, para a aliança de ouro já um tanto encardida que ele traz no anular. Como a minha. De forma ainda mais delicada, ele diz:

– O médico contou... que os remédios que você toma podem causar alucinações.

E depressão. E insônia. E combustão espontânea. Mas *nada disso* é alucinação.

– E talvez você não se importe com isso. No seu lugar, *eu* não me importaria.

Norelli intervém:

– Jane Russell...

Mas, sem tirar os olhos de mim, Little ergue a outra mão para silenciá-la. Norelli obedece.

– Fomos lá conferir – continua ele. – A mulher... Ela é quem diz ser. E essa outra que você pensa ter conhecido... Bem, é isso, você *pensa* que conheceu.

Não pergunto como ele pode ter tanta certeza. Não ligo mais. Estou cansada. Estou exausta. Mas, para minha grande surpresa, novamente concordo com a cabeça.

No entanto, como se explica que...

Little está um passo à minha frente.

– Você contou que ela a ajudou na rua. Mas é possível que essa história também tenha sido coisa da sua cabeça. Sei lá, talvez você tenha... sonhado tudo isso.

"Se eu sonho coisas quando estou acordada..." Onde foi que já ouvi isso?

E posso imaginar a cena como se estivesse diante de um filme em cores: eu, escalando os degraus da entrada feito uma alpinista num paredão, atravessando o corredor, entrando em casa. Quase consigo *lembrar*.

– Você contou também que ela entrou e ficou aqui por um tempo, jogando xadrez com você, desenhando. Mas, de novo...

Pois é, de novo. Santo Deus. De novo consigo enxergar: as garrafas, os frascos de comprimido, os peões, as damas, o preto e branco dos dois exércitos, minha mão pairando sobre o tabuleiro como um helicóptero. Os dedos sujos de tinta, a caneta apertada entre eles. Eu havia treinado aquela assinatura, não havia? Durante o banho, rabiscando o nome dela no vidro embaçado do boxe, as letras sangrando para o chão, sumindo diante dos meus olhos.

– Seu médico falou que não sabia de nada disso. – Little se cala por alguns segundos. – Imagino que você não tenha contado a ele porque não queria que... que ele tentasse trazê-la de volta à realidade.

Faço que sim com a cabeça trêmula.

– Não sei o que pode ter sido aquele grito que você ouviu...

Eu sei. Ethan. Ele nunca contestou. E naquela tarde eu o vi com a mulher na sala... O garoto não estava nem olhando para ela. Estava olhando para o próprio colo e não para o assento vazio a seu lado.

Olho para ele agora, e ele olha de volta, mesmo enquanto deposita o gato no chão.

– Quanto a esse e-mail com a foto... Não sei direito o que pensar. O Dr. Fielding disse que às vezes você encena coisas, talvez como um pedido de ajuda.

Será que fiz isso mesmo? Acho que fiz, não fiz? Sim, fiz. Claro: aquele "adivinha quem é" no endereço de e-mail... É assim que eu sempre cumprimento Ed e Livvy. Cumprimentava.

– Mas quanto àquilo que você viu naquela noite...

Sei muito bem o que vi naquela noite.

Vi um filme. Um filme antigo, ressuscitado em Technicolor. Vi *Janela indiscreta*; vi *Dublê de corpo*; vi *Blow-up*. Vi uma montagem com centenas de imagens de arquivo de filmes em que sempre havia alguém bisbilhotando a vida dos outros.

Vi um assassinato sem assassino e sem vítima. Vi uma sala vazia, um sofá vazio. Vi o que quis ver, o que precisava ver. "Você não se sente muito sozinha aqui?", foi o que Humphrey Bogart perguntou a Lauren Bacall; a ela ou a mim.

"Já nasci sozinha", respondeu ela.

Eu, não. Eu me tornei sozinha.

Se deliro o suficiente para conversar com Ed e Livvy, nada impede que eu tenha fabricado esse assassinato na minha cabeça. Principalmente com tantos remédios ajudando. Aliás, não é isso que venho fazendo esse tempo todo? Lutando contra a realidade? Distorcendo, criando e adulterando os fatos?

Jane... a Jane verdadeira, a Jane de carne e osso: claro que ela é quem diz ser.

E claro que o brinco na cabeceira de David é de Katherine, seja ela quem for.

E claro que ninguém entrou na minha casa ontem à noite.

A constatação parece quebrar feito uma onda sobre o meu corpo, limpando e purificando tudo, deixando para trás apenas alguns dedos de lodo que apontam para o mar.

Eu estava enganada.

Mais que isso: estava delirando.

Mais que *isso*: fui responsável por tudo. Sou responsável.

"Se eu sonho coisas quando estou acordada, então estou ficando louca." Exatamente. *À meia-luz*, de George Cukor.

Silêncio. Nem sequer consigo ouvir a respiração de Little.

– Então é isso que está acontecendo. – Alistair balança a cabeça com a boca entreaberta. – Eu... *uau*. Caramba. – Ele me encara com o seu olhar duro. – *Caramba*.

Engulo em seco.

Ele me encara mais um pouco, abre a boca para dizer algo, fecha, balança a cabeça outra vez. Depois sinaliza para o filho e se encaminha para a porta.

– Estamos indo.

Ethan vai ao encontro dele. Mas, antes de sair para o corredor, fala baixinho:

– Eu sinto muito...

Vejo que os olhos dele estão molhados. Preciso me conter para não chorar também.

Os dois vão embora. A porta bate atrás deles.

Agora somos apenas quatro.

David dá um passo adiante. Como se estivesse falando com os próprios pés, diz:

– Quer dizer então que aquela menina do porta-retratos lá de baixo... Ela morreu?

Não respondo.

– E...

Ele aponta para a escadinha que trava a porta do porão.

Não digo nada.

Ele assente com a cabeça, como se eu tivesse dito algo, então me dá as costas e vai embora também.

– Não é o caso de interrogá-lo? – pergunta Norelli a Little.

Que pergunta a mim:

– David está constrangendo você de alguma forma?

Respondo que não.

– Ok – diz ele, soltando minha mão. – Bem, não sou... qualificado para lidar com o que vem agora. Meu trabalho é colocar um ponto final nisso tudo e garantir que todos possam tocar a vida adiante com segurança. Você inclusive, Anna. Imagino que não tenha sido fácil enfrentar tudo o que aconteceu aqui hoje. Então sugiro que você dê uma ligada para o seu médico, o Dr. Fielding. Acho que é importante.

Eu não disse uma única palavra desde o anúncio da detetive Norelli: "O seu marido e a sua filha estão mortos." Não consigo imaginar como será minha voz neste novo mundo, o mundo em que essa frase foi dita e ouvida.

Little ainda está falando:

– Sei que você não está bem e... – Ele reflete um instante, mas não completa o pensamento. – Sei que você não está bem.

Meneio a cabeça. Ele faz o mesmo.

– Parece que pergunto a mesma coisa toda vez que venho aqui, mas... você acha que vai ficar bem sozinha?

Novamente respondo com um gesto lento da cabeça: vou.

– Anna? – Ele busca o meu olhar. – Dra. Fox?

Voltamos para o "Dra. Fox". Abro a boca.

– Sim.

Minha voz parece distante, abafada. É como se eu estivesse ouvindo a mim mesma com um par de fones de ouvido.

– Em vista do que... – começa Norelli, e é mais uma vez silenciada por Little.

Fico me perguntando o que ela tinha a dizer.

– Você tem o meu número – fala Little. – Mas, por favor, ligue para o Dr. Fielding. Ele deve estar querendo notícias suas. Não dê motivos para que a gente fique ainda mais preocupado. Eu e ela aqui – diz ele, apontando para a colega. – No fundo, no fundo, Val também tem um coração mole.

Norelli me observa de longe.

Little agora está recuando na cozinha, como se não quisesse me dar as costas.

– E, como eu já disse antes, tem um pessoal bem bacana lá no nosso departamento, caso você queira conversar com alguém.

Norelli sai para o corredor. Ouço os passos dela na cerâmica do piso. Ouço a porta da frente bater.

Agora somos apenas eu e Little. Ele olha através da janela às minhas costas.

– Olha... Nem sei o que eu faria se alguma coisa acontecesse com as minhas meninas. – Ele volta a me encarar. – Nem sei o que eu faria. – Limpa a garganta, depois acena com a mão: – Tchau.

E vai embora.

Abandonada na cozinha, fico olhando para as pequenas galáxias de poeira que vão se formando e desmanchando contra a luz do sol.

Automaticamente pego o copo de vinho que havia deixado na bancada. Aperto os dedos em torno dele, levo até os lábios.

E arremesso a porra do copo contra a parede, dando o grito mais alto que já dei em toda a minha vida.

SETENTA E SEIS

Sentada na beira da cama, observo a dança das sombras na parede à minha frente.

Acendi uma vela Diptyque, dessas perfumadas que vêm no copinho, um presente de Natal que ganhei de Livvy dois anos atrás e que continuava na caixa até agora há pouco. *Figuier.* Ela adora figos.

Adorava.

Uma corrente de ar atravessa o quarto como um fantasma, fazendo a chama tombar no pavio.

Passa-se uma hora. Depois outra.

A VELA QUEIMA RÁPIDO, o pavio já quase submerso na poça de cera derretida. Continuo no mesmo lugar, os ombros caídos, as mãos cruzadas sobre as pernas.

O celular se ilumina e trepida. Julian Fielding, avisa o identificador de chamadas. Nossa consulta é amanhã. Não vai ter consulta nenhuma.

A noite desce feito uma cortina.

"FOI ENTÃO QUE ESSE SEU PROBLEMA COMEÇOU", disse Little. "A dificuldade para sair de casa."

No hospital, disseram que eu estava em choque. Depois esse choque se transformou em medo. O medo se transformou também, dando lugar ao pânico. E, quando o Dr. Fielding finalmente entrou em cena, o meu caso já era, como ele mesmo detectou, "um caso grave de agorafobia". Simples assim.

Preciso dos limites conhecidos da minha casa. Porque passei duas noites no espaço desconhecido de um penhasco, sob um céu sem nenhum limite.

Preciso de um ambiente que eu consiga controlar. Porque não pude fazer nada enquanto via minha família morrer aos poucos.

"Você já deve ter percebido que em nenhum momento perguntei o que deixou você desse jeito", disse ela para mim. Ou melhor, eu disse a mim mesma.

A vida me fez assim.

– ADIVINHA QUEM É.

Balanço a cabeça. Não quero falar com Ed agora.

– E aí, campeã, como está?

Eu me recuso a falar. Não quero. Não vou falar.

– Mãe?

Não.

– Mamãe?

Hesito.

Não.

LÁ PELAS TANTAS, deixo o corpo cair para o lado e adormeço. Quando acordo, meu pescoço está duro, o fogo da vela já se reduziu a uma reles faísca azulada, tremeluzindo na corrente fria. O quarto está escuro.

Me sento na cama. Rangendo feito uma escada enferruja-da, fico de pé e vou para o banheiro.

Ao voltar, vejo a casa dos Russells iluminada feito uma casinha de boneca. Ethan está no quarto, debruçado sobre o computador. Na cozinha, Alistair corta algo na bancada: cenouras que parecem florescentes sob a luz forte das lâmpadas. Uma taça de vinho espera ao lado delas. Minha boca fica seca.

E, na sala, sentada no sofazinho listrado, está aquela mulher. Acho que devo começar a chamá-la de Jane.

Jane está concentrada no celular, talvez vendo fotos, talvez jogando uma partida de paciência ou de qualquer outro jogo desses mais modernos.

Ou talvez esteja colocando alguma amiga a par dos últimos acontecimentos: "Lembra daquela minha vizinha esquisita...?"

Sinto a garganta doer. Vou até a janela e fecho as cortinas.

E fico ali na escuridão do quarto, sozinha até a medula dos ossos, sentindo frio, sentindo medo, ansiando por alguma coisa que não sei muito bem o que é.

> ## TERÇA-FEIRA,
> *9 de novembro*

SETENTA E SETE

Passo a manhã inteira na cama. Em algum momento antes do meio-dia, morrendo de sono, digito uma mensagem para o Dr. Fielding: "Hoje não."

Em cinco minutos ele liga de volta e deixa um recado que não escuto.

A tarde vai se arrastando. Lá pelas três, sinto o estômago roncar. Desço até a cozinha e tiro da geladeira um tomate já meio amassado.

Dou uma primeira mordida, a polpa escorre queixo abaixo. Ed tenta falar comigo. Depois Olivia. Não dou atenção a nenhum dos dois.

Dou comida para o gato. Tomo um temazepam. Depois outro. Depois outro. Volto para a cama e deixo o sono chegar. Isso é tudo que eu quero: dormir.

> # QUARTA-FEIRA,
> *10 de novembro*

SETENTA E OITO

A FOME ME ACORDA. Na cozinha, despejo um pouco de Grape Nuts numa tigela e completo com o leite que vence hoje. Nem gosto tanto assim de Grape Nuts; quem gosta é Ed. Gostava. O cereal tem uma textura de cascalho, arranha a garganta. Nem sei direito por que continuo comprando.

Claro que sei.

Minha vontade é subir novamente para o quarto; em vez disso, sigo para a sala, caminho lentamente até o console da televisão e abro a gaveta de DVDs. *Um corpo que cai.* Uma mulher que é confundida com outra; ou melhor, uma mulher que se faz passar por outra. Conheço os diálogos de cor. Por mais estranho que pareça, acho que é desse filme que preciso agora.

"O que foi que deu em você?", grita o policial para Jimmy Stewart. Ou para mim. "Me dê a sua mão!" Então escorrega telhado abaixo e despenca do alto do prédio.

Por mais estranho que pareça, isso me consola.

Lá pelo meio do filme, pego uma segunda tigela de cereal. Ed resmunga alguma coisa quando fecho a porta da geladeira. Olivia também diz algo que não consigo entender. Volto para o sofá, aumento o volume da televisão.

"A esposa dele?", pergunta a mulher no Jaguar verde. "Coitada. Não cheguei a conhecê-la. Mas me diz uma coisa: será que ela realmente acreditava que..."

Afundo ainda mais nas almofadas do sofá. Sou vencida pelo sono.

Um tempo depois, durante a cena da loja ("Não quero me vestir como uma morta!"), meu celular trepida sobre a mesa como se estivesse sofrendo uma convulsão. Deve ser o Dr. Fielding, imagino, e pego o aparelho.

"Foi para isso que você me trouxe aqui?", esbraveja Kim Novak. "Para se sentir na companhia de outra mulher que já morreu?"

Na tela do celular: "Wesley Brill."

Por um segundo, fico sem saber o que fazer.

Então tiro o som da TV, desbloqueio o celular e o levo ao ouvido.

Constato que não consigo falar. Mas nem preciso. Após um breve silêncio, ele enfim se manifesta:

– Estou ouvindo a sua respiração, Fox.

Quase onze meses já se passaram, mas a voz de Wesley continua tão trovejante quanto antes.

– Phoebe me disse que você ligou – prossegue ele. – Queria ter ligado ontem, mas tive um dia cheio. Muito cheio.

Não digo nada. E, por um minuto, ele também não.

– Você *está* aí, não está, Fox?

– Estou.

Faz dias que não ouço minha voz, que soa estranha, como se um ventríloquo estivesse falando por mim.

– Ótimo. Eu imaginava que sim – diz ele, parecendo mastigar as palavras. Provavelmente está com um cigarro entre os dentes. – Minha hipótese estava correta – fala, e sopra a fumaça contra o bocal do telefone.

– Eu queria falar com você.

Wesley se cala um instante para trocar de marcha no carro. Quase posso *ouvi-lo* trocando de marcha, algo no seu jeito de respirar. Ele agora está no modo psicólogo.

– Queria dizer que...

Segue-se um longo silêncio. Wesley limpa a garganta. Parece nervoso, o que para mim é um choque. Wesley Brill, nervoso.

– Não tenho andado muito bem.

Pronto, falei.

– Alguma coisa em particular? – pergunta ele.

"Não estou conseguindo lidar com a morte do meu marido e da minha filha", é o que eu quero gritar.

– É que...

– Sim?

Será que ele está tentando ganhar tempo? Ou apenas esperando que eu continue?

– Naquela noite...

Não sei como completar a frase. Fico me sentindo como a agulha de uma bússola, batendo de um lado para outro, procurando onde parar.

– No que você está pensando, Fox?

Típico de Wesley, o Brilhante: destravar a língua dos seus pacientes. Quando ainda estava na ativa, eu preferia deixar que os meus se abrissem aos poucos, do modo que mais lhes conviesse. Wesley, não. Wesley prefere pisar no acelerador.

– Naquela noite...

...

Naquela noite, pouco antes do acidente, você me ligou. Não estou culpando você de nada. Não estou querendo envolvê-lo nessa história. Só quero que você saiba.

Naquela noite, já estava tudo acabado. Quatro meses de mentiras: para Phoebe, que poderia ter descoberto sobre a gente; para Ed, que acabou descobrindo em dezembro, naquela tarde em que acidentalmente enviei para ele uma mensagem escrita para você.

Naquela noite, eu me arrependi de todos os momentos que passamos juntos: as manhãs no hotel da esquina, a luz entrando um tanto tímida pelas frestas da cortina; as noites que passávamos em claro, trocando mensagens pelo telefone. O dia em que tudo começou, com aquela taça de vinho no seu consultório.

Naquela noite, já fazia uma semana que tínhamos colocado nossa casa à venda, o corretor já vinha agendando visitas para os possíveis compradores. Mesmo assim, eu continuava suplicando a Ed, mas ele nem sequer me olhava. "Eu via você como uma pessoa meiga."

Naquela noite...

...

Mas Wesley me interrompe.

– Para ser sincero, Anna – diz, e eu fico tensa, porque, embora ele seja sempre sincero, raras foram as vezes em que me chamou pelo meu primeiro nome –, tenho tentado virar essa página. – Pausa. – Tentado e, em grande medida, conseguido.

Ah.

– Você não quis me ver depois. No hospital. Eu queria... Me dispus a falar com você na sua casa, lembra? Mas você não quis. Não retornou as minhas ligações.

Ele está escorregando nas palavras, tropeçando nelas, como alguém que chapinha na neve. Como eu, em torno daquele carro capotado.

– Eu não sabia... Bem, ainda não sei se você está vendo alguém. Um terapeuta. Posso recomendar alguns nomes se você quiser. – Pausa. – Mas se já estiver... Nesse caso, ótimo. – Outra pausa, agora mais longa. E finalmente: – Não sei muito bem o que você quer comigo.

Eu estava enganada. Wesley não está dando uma de psicólogo; não está querendo me ajudar. Afinal, levou dois dias para ligar de volta. Ele está tentando escapar.

Mas... o que eu *realmente* quero com ele? Boa pergunta. Não o culpo por nada, juro que não. Não tenho ódio dele. Não tenho saudades.

Quando liguei para o consultório dele (faz mesmo só dois dias?), sem dúvida queria alguma coisa. Mas depois que a detetive Norelli pronunciou aquelas palavras mágicas, tudo mudou na minha vida. E agora pouco importa.

Devo ter dito isso em voz alta.

– O que é que "pouco importa"? – pergunta ele.

Você, eu acho. É o que penso, mas não falo.

Em vez disso, desligo.

> QUINTA-FEIRA,
> *11 de novembro*

SETENTA E NOVE

Às onze em ponto a campainha toca. Com muito esforço, levanto da cama e espio pela janela da frente. É Bina quem está à porta, os cabelos negros brilhando sob a luz forte da manhã. Eu já tinha esquecido que ela vinha hoje. Já tinha esquecido dela como um todo.

Recuo um passo, examino as casas do outro lado da rua, da esquerda para a direita: as Gray Sisters, os Millers, os Takedas, a geminada sem moradores. A metade sul do meu império.

A campainha outra vez.

Desço para a sala, chego à porta do corredor e vejo Bina no monitor do interfone. Aperto o botão para falar com ela.

– Hoje não estou muito bem.

Ela diz da rua:

– Não quer que eu entre?

– Não precisa, obrigada.

– *Posso* entrar?

– Hoje não, Bina. Preciso ficar sozinha.

Ela morde o lábio inferior.

– Tem certeza?

– Preciso ficar sozinha – repito.

– Ok...

Fico esperando, mas ela não vai embora.

– O Dr. Fielding me contou o que aconteceu. A polícia falou com ele.

Não digo nada, apenas fecho os olhos. Um longo silêncio.

– Bem, então a gente se vê na semana que vem – diz ela.

– Na quarta, como sempre.

Talvez não.

– Claro.

– Você vai me ligar se precisar de alguma coisa, não vai?

Não.

– Vou.

Abro os olhos, vejo que ela já está descendo para a calçada. Pronto. Primeiro o Dr. Fielding, agora Bina. Mais alguém? *Oui*: amanhã tem o Yves. Vou mandar uma mensagem para cancelar. *Je ne peux pas...*

Acho que vou cancelar em inglês mesmo.

ANTES DE VOLTAR PARA CIMA, encho as vasilhas de água e de ração de Punch. Ele vem trotando para a cozinha, dá uma primeira lambida na comida, mas ergue a cabeça ao se assustar com algo: o barulho do encanamento.

É David, usando o banheiro lá de baixo. Eu já tinha me esquecido dele também.

Vou até a porta do porão, tiro a escadinha. Bato na porta e chamo o nome dele.

Nada. Chamo de novo.

Agora ouço passos. Destravo a porta.

– A porta está aberta, pode subir! – grito. – Se quiser – acrescento.

Antes que eu possa dizer mais alguma coisa, a porta se abre à minha frente e lá está ele, dois degraus abaixo na escada, vestindo uma camiseta justa e uma calça jeans bem surrada. Por um momento ficamos apenas olhando um para o outro. Sou em quem quebra o silêncio:

– Eu queria...

– Estou indo embora – interrompe ele.

Arregalo os olhos.

– As coisas ficaram... esquisitas.

Faço que sim com a cabeça.

Ele tira um papel do bolso traseiro da calça e me entrega. Desdobro para ler, muda.

"Não está legal. Desculpe qualquer coisa. Deixei a chave debaixo da porta."

De novo meneio a cabeça. Ouço o tique-taque do relógio da sala.

– Bem, eu...

– Aqui está a chave – diz ele. – Vou bater a porta quando sair.

Recebo a chave. Mais silêncio.

David me encara e diz:

– Aquele brinco...

– Não, você não precisa...

– Aquele brinco era de uma mulher chamada Katherine. Como eu disse. Não conheço a mulher desse Alistair Russell.

– Eu sei. Desculpe.

Agora é ele quem responde com a cabeça. E fecha a porta. Que deixo destrancada.

De volta ao meu quarto, envio uma mensagem sucinta para o Dr. Fielding: Estou bem. Vejo você na terça. Ele me liga imediatamente. Deixo o telefone tocar.

Bina, David, Fielding. Estou fazendo uma limpeza geral.

Paro diante da porta do banheiro e olho para o chuveiro como se estivesse avaliando um quadro numa galeria de arte: não, não vou levar; pelo menos não hoje. Escolho um roupão (preciso lavar o outro que sujou, mas a esta altura a mancha de vinho já deve ter sido promovida a tatuagem) e depois desço para o escritório.

Faz três dias que não entro no computador. Agito o mouse, a tela pede minha senha, digito.

E deparo com a foto em que estou dormindo.

Recosto na cadeira. Esta foto ficou aí o tempo todo, escondida sob o protetor de tela feito um segredo cabeludo. Arrasto o cursor e clico para fechá-la.

Agora estou diante do e-mail ao qual ela veio anexada. **adivinhequemeanna.**

Adivinhe quem é. Não me lembro de ter feito esse, essa... como foi mesmo que Norelli disse? Essa "selfie noturna". Juro por Deus que não lembro. E, no entanto, esse "adivinhe quem é" é uma coisa só minha, ou só *nossa*. Além disso, David tem um álibi (antes dessa história toda, nunca conheci alguém com ou sem "álibi") e ninguém além dele poderia ter acesso ao meu quarto. Não tem ninguém tentando me enlouquecer, ninguém dando uma de Charles Boyer em *À meia-luz.*

No entanto, se fui eu mesma quem tirou esta foto... ela não deveria estar no rolo da câmera?

Hum.

Deveria, sim. A menos que eu tenha tido a presença de espírito de apagá-la. Mas...

A Nikon está empoleirada na beira da mesa, a alça caindo para o lado. Puxo-a para perto, ligo, inspeciono as fotos guardadas na memória.

Na mais recente delas, Alistair Russell aparece embrulhado num casaco de inverno, escalando os degraus da sua porta. A data é **sábado, 6 de novembro.** Depois disso, nada. Desligo a câmera, coloco de volta na mesa.

Mas, pensando bem, a Nikon é pesada demais para fazer uma selfie. Tiro o celular do bolso do roupão, digito minha senha, abro as fotos.

E lá está ela, a mais recente de todas, reduzida na tela do iPhone. A boca entreaberta, os cabelos soltos, o travesseiro gordo. E a hora: 2:02.

Além de mim, ninguém tem a senha deste celular.

Há mais um teste que eu posso fazer, mas sei o resultado de antemão.

Abro o navegador, entro na página do Gmail. Meus dados de login aparecem automaticamente nos devidos campos. Nome de usuário: **adivinhequemeanna.**

Fui eu mesma que fiz tudo. Adivinhe quem é. Anna Fox.

Só pode ser. Ninguém mais tem a senha deste computador. Mesmo que alguém tenha entrado aqui, mesmo que David tenha tentado usar este computador, sou a única pessoa que sabe a senha.

Minha cabeça cai sobre os ombros.

Juro que não lembro de nada disso.

OITENTA

Volto com o celular para o bolso do roupão, respiro fundo, entro no Ágora.

Várias mensagens esperam por mim. Dou uma olhada rápida nelas. Quase todas são dos meus interlocutores mais frequentes, dando um oi: DiscoMickey, o boliviano Pedro, Talia de São Francisco. E também Sally4th, que anuncia: "Grávida!!! Parto previsto pra abril!!!"

Por um instante não faço mais do que ficar olhando para a tela. Meu coração dói.

Em seguida, passo para os novatos. Que são quatro, pedindo minha ajuda. Meus dedos pairam acima do teclado, depois caem sobre o colo. Quem sou eu para dizer a alguém como lidar com suas doenças?

Seleciono todas as mensagens. Deleto.

Estou prestes a fazer o logout quando uma caixa de diálogo aparece na tela.

GrannyLizzie: Como vai, Dra. Anna?

Por que não? Já me despedi de todos os outros.

thedoctorisin: Oi Lizzie! Seus filhos ainda estão com você?
GrannyLizzie: William, sim!
thedoctorisin: Ótimo! E os seus progressos, como andam?

GrannyLizzie: Cada vez maiores. Tenho conseguido sair com regularidade. E com você, como vão as coisas?
thedoctorisin: Tudo ótimo! Hoje é meu aniversário.

"Caramba", penso com meus botões. Realmente é meu aniversário. Eu tinha me esquecido completamente. Não me lembrei dele em nenhum momento desta última semana.

GrannyLizzie: Feliz aniversário! É um daqueles mais importantes?
thedoctorisin: Que nada. A menos que você ache que 39 é importante!
GrannyLizzie: O que eu não daria pra...
GrannyLizzie: Alguma notícia da sua família?

Aperto o mouse.

thedoctorisin: Preciso ser honesta com você.
GrannyLizzie: ??
thedoctorisin: Minha família morreu em dezembro.

O cursor pisca.

thedoctorisin: Num acidente de carro.
thedoctorisin: Tive um caso. Eu e meu marido estávamos tendo uma discussão quando o carro derrapou e a gente saiu da estrada.
thedoctorisin: Eu estava dirigindo.
thedoctorisin: Estou fazendo terapia com um psiquiatra pra ver se consigo me livrar da culpa e da agorafobia.
thedoctorisin: Queria que você soubesse a verdade.

Preciso dar um fim nisto.

thedoctorisin: Agora preciso ir. Fico feliz em saber que você está bem.

GrannyLizzie: Puxa... Eu sinto muito.

Vejo que ela está digitando mais alguma coisa, mas não espero. Fecho a caixa de diálogo, faço o logout.

Basta de Ágora.

OITENTA E UM

FAZ TRÊS DIAS QUE NÃO BEBO.

Estou escovando os dentes quando me dou conta disso. (Posso até ficar sem banho, mas nunca sem escovar os dentes.) Três dias. Nem me lembro da última vez que consegui ficar tanto tempo longe do vinho. Nem sequer pensei em beber.

Baixo a cabeça, cuspo na pia.

FRASCOS E MAIS FRASCOS ABARROTAM o armarinho dos remédios. Retiro quatro.

Sigo para a escada e vou descendo rumo à sala, a tarde cinzenta entrando pela claraboia lá no alto.

Depois de me acomodar no sofá, escolho um dos frascos e viro seu conteúdo sobre a mesa, espalhando os comprimidos como se estivesse fazendo um caminho de migalhas de pão.

Fico olhando para eles. Conto quantos são. Junto todos na palma da mão. Espalho novamente sobre a mesa.

Levo um deles à boca.

Não. Ainda não.

A NOITE CAI.

Ergo os olhos na direção das janelas, encaro demoradamente a casa do outro lado do parque. Aquela casa. Um teatro para a minha mente perturbada. "Muito poético da minha parte", penso.

Todas as luzes estão acesas por lá, fortes como as faíscas de uma vela de aniversário. Os cômodos estão vazios.

Tenho a sensação de que a loucura veio para me libertar. Estremeço.

Subo para o quarto. Amanhã vou rever alguns dos meus filmes prediletos. *A teia de renda negra. Correspondente estrangeiro* (pelo menos a cena do moinho de vento). *A 23 passos da rua Baker.* Talvez *Um corpo que cai*; da última vez, dormi no meio.

E no dia seguinte...

Deitada na cama, o sono chegando aos poucos, fico ouvindo a pulsação da casa: o relógio lá de baixo, batendo as nove horas; as tábuas estalando no piso.

"Feliz aniversário", dizem Ed e Livvy em uníssono. Viro para o lado, procuro não pensar neles.

Lembro que hoje também é aniversário de Jane. O aniversário que eu dei a ela. Onze do onze.

A noite já vai longe quando desperto um instante e ouço o gato zanzando pela escuridão da escada.

> ## SEXTA-FEIRA,
> *12 de novembro*

OITENTA E DOIS

O SOL ATRAVESSA A CLARABOIA e cai feito uma cascata de luz sobre os degraus da escada, formando um poço no patamar junto à cozinha. Quando piso nela, tenho a impressão de que estou sob um holofote.

Fora isso, a casa está escura. Fechei todas as cortinas e persianas. A escuridão tem a espessura de uma bruma, quase posso cheirá-la. Na televisão está a cena final de *Festim diabólico*. Dois rapazes muito bonitos, um ex-colega assassinado, um cadáver escondido num baú antigo no centro da sala, e de novo Jimmy Stewart; tudo muito bem ensaiado para o que parece ser um plano-sequência (na realidade são oito segmentos de dez minutos costurados juntos; mesmo assim o efeito é impressionante, sobretudo para um filme de 1948). "Gato e rato, gato e rato", espuma Farley Granger, o cerco se fechando cada vez mais à sua volta, "mas qual é o gato e qual é o rato?" Repito as palavras em voz alta.

Meu próprio gato está empoleirado no encosto do sofá, o rabo se movimentando como a serpente de um encantador hindu. Machucou uma das patinhas traseiras, estava mancando muito quando o encontrei mais cedo. Enchi a vasilha dele com comida suficiente para uns cinco dias, de modo que ele não...

A campainha toca.

O susto me faz afundar nas almofadas. Viro a cabeça na direção da porta.

Diabo, quem pode ser?

David não é, Bina também não. Muito menos o Dr. Fielding; ele já deixou um monte de recados, mas não apareceria por aqui sem avisar antes. A menos que tenha avisado num dos recados que ignorei.

A campainha toca outra vez. Dou pausa no filme, planto os dois pés no chão, levanto. Caminho para o interfone.

É Ethan. Mãos escondidas nos bolsos, cachecol no pescoço, cabelo em chamas sob o sol.

Pelo interfone, pergunto:

– Seus pais sabem que você está aqui?

– Tudo certo.

Reflito.

– Está frio pra caramba – acrescenta ele.

Aperto o botão para deixá-lo entrar.

Logo ele surge na sala, seguido por uma corrente de ar gélida.

– Valeu – diz, ofegante. – Puxa, está gelado lá fora. – Corre os olhos pela sala. – E aqui está tudo escuro.

– Por causa da claridade da rua, só isso – explico.

Mas ele tem razão. Acendo um abajur.

– Não quer que eu abra as persianas?

– Claro. Mas, na verdade, está bem assim. Não está?

– Ok.

Sento na chaise.

– Posso sentar aqui? – pergunta ele, apontando para o sofá.

Educado como sempre. Bem mais do que a média dos adolescentes.

– Claro.

Ele se acomoda. Punch pula para o chão, corre para debaixo do sofá.

Ethan olha a seu redor.

– Aquela lareira... ela funciona?

– Funciona, mas é a gás. Quer que eu ligue?

– Não, eu só queria saber.

Silêncio.

– E estes comprimidos, para que são?

Olho rapidamente para a mesa de centro. Comprimidos para todo lado: quatro frascos, um deles vazio, se agrupam num pequeno bosque de plástico.

– Só estou contando – explico. – Para fazer o refil.

– Ah, ok.

Mais silêncio.

– Vim aqui porque... – começa ele.

Mas eu digo ao mesmo tempo:

– Ethan, eu sinto muito.

Ele inclina a cabeça.

– Sinto mesmo, de verdade.

Agora está olhando para as próprias pernas.

– Sinto muito por essa chateação toda, por ter envolvido você nessa história. É que... Eu tinha *tanta* certeza... Podia *jurar* que tinha alguma coisa acontecendo lá na sua casa. Sabe... Tive um ano muito difícil – revelo, e fecho os olhos. Ao reabri-los, deparo com o olhar dele, luminoso, inquisitivo. – Perdi meu marido e minha filha. – Engulo em seco. Vai, Anna, coragem. – Eles morreram. Estão mortos, os dois. – Respiro. Um, dois, três, quatro. – Depois comecei a beber. Mais que de costume. E também a me automedicar. O que é uma péssima ideia, muito perigoso. – Ele continua a me encarar. – Não cheguei ao ponto de acreditar que estava... que eles estavam falando comigo lá do...

– Do outro lado – completa ele baixinho.

– Isso. – Reacomodo o peso do corpo na chaise, me inclino para a frente. – Eu sabia que eles já tinham partido. Que tinham morrido. Mas gostava de ouvir a voz deles. De me sentir... É difícil explicar.

– Tipo... conectada?

– Isso – concordo, espantada com o garoto, um adolescente realmente fora do comum. – Quanto ao resto, eu não... Olha, para falar a verdade, nem lembro direito. Acho que queria me conectar com outras pessoas. Ou precisava, sei lá. Não entendo muito bem o que deu em mim, mas... de qualquer modo, sinto muito. – Limpo a garganta, endireito o tronco. Sustentando o olhar dele, falo: – Mas você não veio aqui para ver uma mulher adulta chorar.

– Já chorei na sua frente – observa ele.

– É verdade – digo, sorrindo.

– Peguei aquele DVD emprestado, lembra? – Ele tira a caixa do bolso do casaco, deixa em cima da mesa. *A noite tudo encobre.* – Já tinha até esquecido.

– E aí, conseguiu ver? – pergunto.

– Consegui.

– O que achou?

– Sinistro demais. Aquele cara.

– Robert Montgomery?

– É o que faz o Danny?

– É.

– Muito sinistro. Gosto daquela parte em que ele pergunta à garota...

– Rosalind Russell.

– A Olivia?

– Sim.

– Aquela parte em que ele pergunta se ela gosta dele, e ela diz que não, e ele manda de volta: "Mas todo mundo gosta!" Ele ri, eu também.

– Que bom que você gostou.

– Sim.

– Esses filmes antigos são bem melhores do que vocês, jovens, imaginam.

– É, é, eu realmente gostei.

– Pode levar outros, se quiser.

– Obrigado.

– Mas não quero criar nenhum problema com os seus pais – digo, e ele vira o rosto, fica olhando para a lareira. – Sei que eles estão furiosos comigo.

Ethan deixa escapar um risinho irônico, depois volta a me encarar.

– Eles têm lá os problemas deles também. Sabe... é difícil conviver com os dois. Tipo, muito difícil.

– Imagino que muitos adolescentes pensem a mesma coisa a respeito dos pais.

– Eu sei, mas eles são difíceis de verdade.

Concordo com a cabeça.

– Não vejo a hora de ir para a faculdade – prossegue Ethan. – Só mais dois anos. Menos que isso.

– Você já sabe onde quer estudar?

– Ainda não. Só sei de uma coisa: quanto mais longe, melhor. – Ele contorce o braço, coça as costas. – Até porque não tenho nenhum amigo aqui.

– Nem uma namorada? – pergunto.

Ele faz que não com a cabeça.

– Namorado?

Ele olha para mim, surpreso. Dando de ombros, explica:

– Ainda não sei direito qual é a minha.

– Entendi – digo, imaginando se os pais dele sabem. O relógio bate uma, duas, três, quatro vezes. – Olha... o apartamento lá de baixo vagou. O porão.

– Ah é? E aquele cara, o que aconteceu com ele?

– Foi embora. – Novamente limpo a garganta. – Mas você pode usar quando quiser. Para ter um espaço só seu. Já passei por isso. Sei como é importante a gente ter um espaço só nosso.

Será que estou tentando me vingar de Alistair e Jane? Acho que não. *Acho* que não. Mas talvez fosse... Bem, seria *muito* bom ter alguém por perto outra vez. Principalmente alguém mais novo, ainda que seja um adolescente solitário.

Continuo falando como se estivesse vendendo um produto, talvez mais para mim mesma:

– Não tem televisão, mas posso dar a senha do Wi-Fi para você. Tem um sofá. Você pode fugir para cá sempre que as coisas ficarem esquisitas lá na sua casa.

– Uau, isso seria o máximo – diz Ethan, arregalando os olhos.

Antes que ele possa mudar de ideia, fico de pé, pego a chave de David que deixei na bancada da cozinha e volto para entregá-la ao garoto, que se levanta para recebê-la.

– Isso é o máximo – repete ele, já guardando a chave no bolso.

– Venha quando quiser.

Ele olha para a porta.

– Agora é melhor eu ir embora.

– Claro.

– Obrigado por... – Ele bate no bolso. – E pelo filme também.

– De nada.

Vou com ele em direção ao corredor. Antes de sair, Ethan vira para trás e aponta para o gato debaixo do sofá.

– Nosso amigo está meio tímido hoje – diz, e depois, orgulhoso: – Ganhei um telefone.

– Parabéns!

– Quer ver?

– Claro.

Ele saca do bolso um iPhone já meio surrado.

– É de segunda mão, mas... melhor do que nada.

– É o máximo.

– O seu é de que geração?

– Não faço a menor ideia. E o seu?

– É um iPhone 6. Quase o mais recente.

– Que ótimo. Que bom que agora você tem um telefone.

– Já adicionei o seu número aos contatos. Quer o meu?

– Seu número?

– Sim.

– Claro.

Ele digita alguma coisa e, segundos depois, meu celular estremece nas profundezas do roupão.

– Agora você já tem.

– Obrigada.

Ethan guarda o celular e segura a maçaneta da porta. Então a solta e olha para mim, subitamente sério.

– Sinto muito por tudo isso que aconteceu com você – declara, de forma tão carinhosa que me deixa comovida.

– Obrigada – digo com um nó na garganta.

Ele vai embora.

Tranco a porta, flutuo de volta para o sofá e olho para a mesinha de centro, enfeitada com os comprimidos. Pego o controle remoto, volto a assistir a meu filme.

"Pra falar a verdade", diz Jimmy Stewart, "isso realmente me assusta um pouco."

SÁBADO,
13 de novembro

OITENTA E TRÊS

DEZ E MEIA, E EU ME SINTO DIFERENTE.

Talvez porque tenha dormido (dois temazepans, doze horas); talvez porque tenha comido: depois que Ethan saiu, e que terminei de ver meu filme, fiz um sanduíche. O mais próximo de uma refeição de verdade que consegui comer durante toda a semana.

Qualquer que seja a razão, eu me sinto diferente.

Me sinto melhor.

Tomo um banho. A ducha forte encharca os meus cabelos, massageia os ombros. Quinze minutos se passam. Vinte. Meia hora. Quando saio, já bem limpa e sem nenhum xampu na cabeça, tenho a impressão de que troquei de pele. Visto uma calça jeans e um suéter. (Jeans! Qual foi a última vez que usei jeans?)

Atravesso o quarto em direção à janela, abro as cortinas; a luz invade o cômodo. Fecho os olhos e deixo que ela me aqueça.

Sinto que estou pronta para a luta, pronta para enfrentar o dia. Pronta para uma taça de vinho. Só uma.

COMEÇO MEU PÉRIPLO ESCADA ABAIXO, entrando em cada um dos cômodos, subindo persianas, abrindo cortinas. A casa se inunda de luz.

Na cozinha, sirvo dois dedos de Merlot. ("Só uísque é que a gente mede com dedos", posso ouvir Ed dizer. Mando ele embora e sirvo outro dedo.)

Agora: *Um corpo que cai*, segundo round. Deito no sofá e volto o filme para o começo, para aquela sequência letal, a da perseguição nos telhados. Jimmy Stewart já está subindo sua escada. Tenho passado muito tempo com ele ultimamente.

UMA HORA DEPOIS, já na minha terceira taça:

"Ele estava disposto a internar a mulher num hospital psiquiátrico", diz o oficial de justiça no comando do inquérito, "onde a saúde mental dela estaria nas mãos de profissionais habilitados." Inquieta, levanto para buscar mais vinho.

Resolvi que hoje à tarde vou jogar um pouquinho de xadrez, dar uma passada no meu site de clássicos do cinema e talvez limpar a casa (os cômodos lá de cima estão nadando em poeira). Mas em hipótese alguma vou bisbilhotar os meus vizinhos.

Nem mesmo os Russells.

Muito menos os Russells.

Parada à janela da cozinha, nem olho para a casa deles. Volto para o sofá, deito de novo.

Dali a pouco: "É uma pena que, sabendo das tendências suicidas dela..."

Olho de relance para a quantidade de comprimidos na mesinha à minha frente. Então me sento no sofá, finco os pés no tapete e varro todos eles para a palma da mão, fazendo um montículo.

"O júri decide que Madeleine Elster cometeu suicídio num momento de desvario."

"O júri está errado", penso. "Não foi isso que aconteceu."

Coloco os comprimidos de volta nos frascos, fecho bem as tampas.

Recostando no sofá, percebo que estou pensando em Ethan, imaginando se ele vai aparecer. Talvez queira conversar mais um pouquinho.

"Mas cheguei no meu limite", lamenta Jimmy Stewart.

E eu repito:

– Mas cheguei no meu limite.

Passa-se mais uma hora. A luz do entardecer invade a cozinha. A esta altura já estou bastante alterada. O gato vem mancando sala adentro e reclama quando examino sua patinha machucada. Só então me dou conta de uma coisa: será que levei este gato ao veterinário pelo menos uma vez este ano?

– Quanta irresponsabilidade... – digo a ele.

Punch pisca os olhinhos, se aninhando entre as minhas pernas.

No filme, Jimmy Stewart obriga Kim Novak a subir pela escadaria do campanário. "Não consegui alcançá-la... Deus sabe que tentei", grita ele, sacudindo Kim pelos ombros. "Não é sempre que a gente tem uma segunda chance. *Preciso ficar livre dessa culpa.*"

– Preciso ficar livre dessa culpa – repito.

De olhos fechados, repito uma segunda vez. Faço um carinho no gato, pego minha taça.

"E foi ela, a esposa verdadeira, quem morreu. Não foi você", grita Jimmy, as mãos na garganta dela. – "Você era uma cópia. Uma impostora."

Algo começa a apitar baixinho no meu cérebro, como os sinais de um radar. Um ruído suave e distante, que me desconcentra.

Mas não por muito tempo. Recosto no sofá e bebo mais vinho.

Um grito, uma freira, o repique de um sino. O filme acaba.

– É assim que eu quero morrer – informo ao gato.

Eu me levanto do sofá, coloco Punch no chão. Ele reclama. Levo minha taça para a pia da cozinha. Preciso deixar a casa mais arrumada. É possível que Ethan queira passar alguns minutinhos por aqui. Não posso virar uma Miss Havisham (de *Grandes esperanças*, mais um livro escolhido pelo clube de leitura de Christine Gray. Preciso saber o que eles têm lido ultimamente. Que mal pode haver nisso? Nenhum, claro).

Subo para usar o computador, entro no fórum de xadrez. Após duas horas de jogo, percebo que já é noite. Venço três partidas seguidas. Acho que já posso festejar. Pego um Merlot na cozinha (jogo melhor quando estou com o tanque cheio) e vou enchendo a taça enquanto subo de volta. Derramo um pouco de vinho no carpete da escada. Prometo a mim mesma que voltarei depois para limpar a sujeira com uma esponja.

Mais duas horas de jogo, mais duas vitórias. Hoje estou impossível. Entorno na taça o que ainda sobrou do vinho. Bebi muito mais do que pretendia. Amanhã volto a me comportar.

Ainda estou no início da sexta partida quando me vejo pensando nas duas últimas semanas, na febre que se apoderou de mim. Foi como se eu estivesse hipnotizada, feito Gene Tierney em *A ladra*. Ou como se estivesse louca, feito Ingrid Bergman em *À meia-luz*. Fiz coisas das quais não consigo lembrar. *Não fiz* coisas das quais *consigo* lembrar. A médica que existe dentro de mim esfrega as mãos uma na outra: o que temos aqui? Um caso legítimo de amnésia dissociativa? O Dr. Fielding vai...

Droga.

Acidentalmente sacrifiquei minha dama, confundi com um bispo. Berro um palavrão bem cabeludo. Faz dias que não falo palavrão. Então saboreio este último, tentando prolongar o gostinho dele na minha língua.

No entanto... A dama. Rook&Roll, meu adversário, dá o bote rapidamente. E escreve: "Que foi que deu em você? Péssima jogada!"

"Pensei que fosse outra peça", explico.

Quando de repente me vem uma luz.

OITENTA E QUATRO

E SE...

Pense, Anna, pense.

A ideia se dilui na minha cabeça, feito sangue na água.

Levo minha taça à boca.

E se...

Não.

Sim.

E se...

E se Jane (a mulher que conheci como Jane) não fosse Jane?

... Não.

... Sim.

E se...

E se ela fosse outra pessoa completamente diferente?

Foi o que Little disse. Não. Isso foi apenas *parte* do que Little disse. Segundo ele, a mulher da casa do outro lado do parque, a dos cabelos bem cortados e quadris estreitos, era definitiva e comprovadamente Jane Russell. Até aí tudo bem. Aceito.

Mas... e se a mulher que esteve aqui, ou que penso ter estado aqui, fosse uma pessoa fingindo ser Jane? Um gato tomado por lebre? Um bispo tomado por dama?

E se *ela* for a cópia? A que realmente morreu? E se *ela* for a impostora?

A taça escorrega dos meus lábios. Volto com ela para a mesa, empurro para longe.

Mas por quê?

Preciso pensar. Digamos que ela fosse real. Sim. Deixemos Little de lado, deixemos a lógica de lado, e partamos do princípio de que eu estava certa desde o início. Ou quase certa. Ela era uma pessoa real. E de fato esteve aqui. Que motivo teriam os Russells para negar a existência dela? Poderiam simplesmente ter dito que ela não era Jane. Mas não. Foram além.

E como ela poderia saber tanta coisa a respeito deles? Por que fingiu ser outra pessoa? Por que se fez passar por Jane?

– Quem poderia ser essa mulher? – pergunta Ed.

Não. Pare com isso.

Fico de pé, ando até a janela. Olho para a casa dos Russells: *aquela casa*. Alistair e Jane conversam na cozinha; ele está com um laptop na mão, ela, com os braços cruzados sobre o peito. Eles que olhem para cá se quiserem. Não vão me ver na escuridão do escritório. Aqui estou segura. Aqui estou invisível.

Percebo um movimento no andar de cima. É Ethan, que surgiu na janela do seu quarto, apenas um vulto comprido na contraluz do abajur às suas costas. Está com as duas mãos espalmadas na vidraça, como se estivesse com dificuldade para enxergar através dela. De repente, ergue uma delas e acena para mim.

Meu coração dispara. Aceno de volta, devagar.

Próxima jogada.

OITENTA E CINCO

BINA ATENDE AO PRIMEIRO TOQUE.

– Você está bem?

– Eu...

– Seu médico me ligou. Está muito preocupado com você.

– Eu sei.

Estou sentada na escada, o luar entrando de mansinho pela claraboia. Vejo sob meus pés a mancha do vinho que derramei mais cedo. Preciso passar uma esponja nela.

– Ele disse que tem tentado falar com você.

– Pois é. Mas estou bem. Pode dizer isso a ele. Olhe...

– Você tem bebido?

– Não.

– Mas parece que... Você está enrolando um pouquinho a língua.

– Estava dormindo, só isso. Escute, eu estava pensando...

– Pensei que estivesse dormindo.

Finjo que não ouvi.

– Estava pensando nessas coisas todas.

– Que coisas? – pergunta ela, desconfiada.

– Nessa gente aí da casa do outro lado do parque. Naquela mulher.

Bina suspira e diz:

– Puxa, Anna... Era exatamente sobre isso que eu queria conversar com você na quinta. Mas você nem me deixou entrar.

– Eu sei. Desculpe. Mas...

– Aquela mulher *nunca existiu*.

– Não é bem assim. Não posso provar que ela existe. Ou existiu.

– Anna. Isso é uma loucura. Acho melhor você virar essa página.

Fico quieta.

– Não tem nada para provar – diz ela, impositiva, quase com raiva. Nunca tinha falado assim comigo antes. – Não sei o que você estava pensando... não sei o que estava acontecendo com você, mas... *já passou*. Você está arruinando sua vida. Quanto mais insistir nessa história, mais tempo vai levar para se curar.

Silêncio. Posso ouvir a respiração dela no outro lado da linha.

– Tem razão.

– Está falando sério?

Dou um suspiro.

– Estou.

– Promete que não vai fazer nenhuma besteira?

– Não vou fazer nenhuma besteira.

– Preciso que você prometa.

– Prometo.

– Então diz que imaginou aquilo tudo.

– Imaginei aquilo tudo.

Outro silêncio.

– Bina. Você tem toda a razão. Desculpe. Aquilo foi só... uma ressaca psicológica. Tipo esses neurônios que continuam trabalhando depois que a gente morre.

– Nunca ouvi falar de neurônio que continua trabalhando depois que a gente morre – diz ela, menos dura do que antes.

– Desculpe. Só estou querendo dizer que... não vou fazer nenhuma besteira.

– *Prometeu* que não vai.

– Prometi.

– Quer dizer então que... na nossa sessão da semana que vem... não vou ouvir nenhuma dessas suas maluquices. Ou vou?

– Não. Vai ouvir apenas os meus gemidos toda vez que me apertar.

Ela ri e fala:

– O Dr. Fielding contou que você conseguiu sair de casa outra vez. Que foi até a cafeteria da esquina.

Séculos atrás.

– Pois é, consegui.

– E aí, como foi?

– Ah, foi horrível.

– Mesmo assim, foi um progresso...

– Pois é.

Pausa.

– Pela última vez... – diz ela.

– Eu prometo. Imaginei aquilo tudo.

Nós nos despedimos e desligamos.

Minha mão está esfregando minha nuca, como sempre faz quando minto.

OITENTA E SEIS

Preciso pensar antes de seguir em frente. Não há margem para erros. Não tenho nenhum aliado.

Ou talvez tenha um. Mas por enquanto não vou fazer uso dele. Não posso.

Preciso pensar. Mas antes preciso dormir. Bateu um cansaço repentino, talvez por causa do vinho. Certamente por causa do vinho. Confiro as horas no celular: quase dez e meia. O tempo voa.

Volto para a sala, desligo o abajur. Subo para o escritório, desligo o computador (mensagem de Rook&Roll: "Cadê você???"). Sigo para o quarto. Punch vem mancando atrás de mim. Preciso resolver o problema da patinha dele. Talvez Ethan possa levá-lo ao veterinário.

Dou uma espiada rápida no banheiro. Estou cansada demais para lavar o rosto e escovar os dentes. Além disso, fiz as duas coisas hoje cedo. Amanhã eu compenso de alguma forma. Tiro a roupa, pego o gato, deito na cama.

Punch faz um tour das cobertas, escolhe um canto mais afastado para se aninhar. Fico ouvindo sua respiração.

Não consigo dormir. De novo, talvez seja o vinho. Muito provavelmente é o vinho. Deito de costas, fico olhando para os frisos do gesso no teto. Viro de lado, observo a escuridão do corredor. Viro de bruços, enterro a cabeça no travesseiro.

O temazepam. Ainda está lá no frasco, na mesinha da sala. Eu deveria me levantar e descer para buscá-lo. Em vez disso, viro para o outro lado.

Agora posso ver a casa dos Russells pela janela. Ela dorme: a cozinha está escura, as cortinas da sala estão fechadas, o quarto de Ethan se ilumina apenas com o brilho fantasmagórico do computador.

Fico olhando para esse brilho até a vista não aguentar mais.

– O que você vai fazer, mamãe?

Aperto os olhos e mais uma vez afundo o rosto no travesseiro. Não. Agora não. Pense em outra coisa, Anna. Qualquer outra coisa.

Pense em Jane.

Um filme vai passando de trás para a frente na minha

cabeça: a conversa com Bina; Ethan com as mãos espalmadas na janela, iluminado pelo abajur atrás dele; Jimmy Stewart e Kim Novak na televisão; a visita de Ethan; as muitas horas de solidão na minha semana, depois aquela gente toda na cozinha, primeiro os dois detetives, depois Alistair e Ethan. As imagens se aceleram numa sucessão de borrões: a cafeteria da esquina, o hospital, a noite em que vi a mulher esfaqueada na janela, a câmera pulando do chão para as minhas mãos. Mais uns tantos borrões. Até o momento em que ela, de pé diante da pia, vira para trás e olha para mim.

Pausa no filme. Viro de costas, abro os olhos. O teto do quarto se transforma num telão de cinema.

E lá está ela, preenchendo todo o fotograma: Jane. Ou a mulher que conheci como Jane. Está junto da janela da cozinha, a trança caindo entre os ombros.

A cena se repete em câmera lenta.

Jane vira para trás e dou um zoom no rosto dela, naqueles olhos elétricos, no relicário de prata. Desfaço o zoom. Numa das mãos, um copo d'água; na outra, um copo de conhaque. "Nem sei se conhaque realmente *funciona*", diz ela alegremente, em som *surround*.

Congelo a imagem.

O que diria Wesley? "Vamos refinar nossa investigação, Fox."

Pergunta número um: por que ela se apresentou como Jane Russell?

Pergunta número um, com adendo: será que ela realmente se apresentou como Jane, ou será que fui eu mesma quem a chamou por esse nome?

Volto o filme mais um pouco, até o momento em que ouço sua voz pela primeira vez. Junto da pia, ela vira na minha direção. Play: "Eu estava indo para a casa aí do lado..."

Isso. Exatamente. Foi nesse momento que decidi quem ela era. Foi nesse momento que me atrapalhei na leitura do tabuleiro.

Portanto, segunda pergunta: como ela reage? Adianto o filme, olho para o telão do teto, observo a boca dela enquanto ouço minha própria voz dizer:

– Você é a mulher do outro lado do parque... Você é Jane Russell.

Ela enrubesce. Os lábios se entreabrem. Ela diz...

E agora ouço algo diferente, algo que não pertence ao meu filme.

Algo lá embaixo.

Vidro se quebrando.

OITENTA E SETE

Se eu ligar para o serviço de emergência, quanto tempo eles vão levar para chegar? Se eu ligar para Little, será que ele vai atender?

Apalpo o colchão a meu lado.

Não encontro o celular.

Apalpo o travesseiro, as cobertas. Nada. O celular não está aqui.

Pense, Anna. *Pense*. Quando foi a última vez que você usou o celular? Na escada, quando estava falando com Bina. O que fez com o aparelho? Levou para o escritório? Deixou por lá?

Logo me dou conta: não importa. Aqui é que ele não está.

O silêncio é interrompido pelo mesmo barulho de antes. Vidro quebrando.

Arrastando uma perna de cada vez, firmo os pés no carpete e me levanto. Pego o roupão que deixei jogado na cadeira e visto. Caminho até a porta do quarto.

A claraboia deixa entrar uma luz cinzenta. Passo para o corredor, recosto na parede. Mal consigo respirar enquanto vou descendo pela espiral da escada. Meu coração está aos saltos.

Aterrisso no patamar seguinte. Tudo é silêncio lá embaixo.

Pé ante pé, deixo o sisal da escada, passo para o carpete do corredor e sigo para o escritório. À porta, corro os olhos pela mesa. O celular não está lá.

Volto pelo corredor. Apenas um lance de escada me separa do primeiro andar. Estou desarmada. Não adianta gritar por ajuda. Mais vidro quebrando lá embaixo.

Sinto um frio na barriga quando esbarro o quadril numa maçaneta.

A porta do depósito.

Pouso a mão na maçaneta. Giro. Ouço a lingueta metálica, puxo a porta.

Um breu se descortina à minha frente. Dou um passo adiante.

Tateando no escuro, encontro as prateleiras da direita. A cordinha da lâmpada bate na minha testa. Será que posso arriscar? Não. A lâmpada é forte demais; a luz vazaria para a escada.

Sigo adiante, ambas as mãos à minha frente como numa brincadeira de cabra-cega. Até que uma delas encontra o metal da caixa de ferramentas. Abro a tampa, vasculho o interior da caixa.

O estilete.

Com ele em punho, volto para a escada e empurro a lâmina para fora. Ela reflete os fiapos de luar que chegam da claraboia. Vou para o centro do patamar, o cotovelo apertado contra o corpo, o estilete apontado para a frente. Com a mão esquerda, me apoio no corrimão. Levo um pé adiante.

Só então me lembro do telefone da biblioteca. O telefone fixo. Apenas a alguns metros de distância.

Já começo a caminhar na direção do aparelho quando ouço:

– Sra. Fox? Estou na cozinha, desça, por favor.

OITENTA E OITO

Reconheço a voz.

O estilete treme na minha mão enquanto desço pela escada, cautelosamente, sem largar o corrimão. Ouço a minha própria respiração. Ouço os meus passos.

– Isso. Mais rápido, por favor.

Enfim chego ao primeiro andar e fico ali, parada junto da porta. Inspiro tão profundamente que chego a tossir. Tento abafar o barulho, mesmo que ele saiba onde estou.

– Venha, entre.

Obedeço.

O luar inunda a cozinha, pintando de prata as bancadas, preenchendo as garrafas vazias que deixei perto da janela. As torneiras brilham; a pia é uma grande cuba iluminada. Até o piso de madeira reluz.

Ele está recostado na ilha, apenas uma silhueta à contraluz, uma sombra chapada. Estilhaços de vidro também cintilam no chão à sua volta. Na bancada a seu lado há todo um relevo de garrafas, copos e taças.

– Desculpe a... bagunça – diz Alistair.

Não respondo, mas aperto o estilete entre os dedos.

– Tenho sido muito paciente, Sra. Fox. – Ele suspira, virando de perfil, deixando à mostra a testa alta, o nariz afilado. – Ou... *Dra.* Fox, como preferir.

Está arrastando a língua. Bêbado. Muito bêbado.

– Tenho sido muito paciente – repete. – Já engoli muita coisa. – Funga, pega um copo e começa a girá-lo entre as mãos. – Todos nós engolimos, mas eu principalmente.

Agora posso vê-lo com mais nitidez. O zíper da jaqueta está fechado até em cima. Ele está usando luvas pretas. Sinto um nó na garganta.

Ainda em silêncio, ergo o braço na direção do interruptor mais próximo, mas dou um salto para trás quando algo de vidro explode a poucos centímetros da minha mão.

Alistair rosna:

– Deixe essa luz apagada, porra!

Volto com a mão para o batente da porta, fico imóvel.

– Alguém devia ter alertado a gente sobre você.

Ele movimenta a cabeça, rindo.

Engulo em seco.

A risada morre aos poucos.

– Você deu uma chave do seu porão ao meu filho – diz Alistair, mostrando-a. – Vim devolver. – Ela tilinta quando ele a deixa cair sobre a ilha. – Mesmo que você não fosse... *doida de pedra*... eu jamais ia deixar meu filho frequentar a casa de uma mulher assim, com chave e tudo.

– Vou chamar a polícia – balbucio.

– Isso, chame – ironiza ele. – Aqui está seu telefone.

Pega o aparelho na bancada e brinca com ele, jogando-o para o alto, uma, duas vezes.

Isso mesmo. Foi na cozinha que deixei a porcaria do celular. Fico esperando que a qualquer momento ele jogue o telefone no chão ou arremesse contra a parede, mas ele o coloca na ilha também, ao lado da chave.

– A polícia não leva você a sério – declara, e dá um passo na minha direção.

Ergo o estilete.

– Uau! Um *estilete*! O que você pretende fazer com ele?

Alistair dá mais um passo à frente.

Dessa vez eu também dou.

– Saia da minha casa – digo.

Meu braço está mole, minha mão treme. A lâmina cintila, uma pequena faixa prateada no escuro.

Alistair agora está imóvel. Nem sequer respira.

– Quem era aquela mulher? – pergunto.

De repente ele avança e aperta meu pescoço com uma das mãos, fazendo com que eu bata com as costas e a cabeça na parede. Dou um grito.

Sem largar minha garganta, ele diz:

– Você é completamente maluca. – O bafo de álcool queima meu rosto, fere meus olhos. – Fique longe do meu filho. Fique longe da minha mulher.

Estou sufocando, mal consigo falar. Com a mão livre, tento puxar os dedos dele, arranho o antebraço com as unhas. Com a outra, tento usar o estilete a meu favor, mas erro a pontaria, e ele acaba indo para o chão. A esta altura, já estou grasnando como um corvo.

– Fique longe da minha família inteira!!

Passam-se alguns segundos.

Mais outros.

Minha visão turva. As lágrimas começam a rolar.

Estou perdendo a consci...

Ele larga meu pescoço. Escorrego para o chão, tossindo.

Alistair agora é uma torre alta ao meu lado. Rapidamente ele recua um dos pés, chuta o estilete para longe. E ameaça:

– Não esqueça o que eu disse. – Está ofegante, cuspindo as palavras. E cospe mais algumas, agora quase sussurrando:

– Por favor.

Silêncio. Não vejo mais que os sapatos dele, a barra da calça. E vejo quando ele me dá as costas para ir embora.

Ao passar pela ilha, ele usa o braço para varrer tudo que está em cima dela, jogando copos e garrafas no chão, vidro se espatifando para todo lado. Tento gritar, mas da minha garganta sai apenas um chiado.

Alistair abre a porta do corredor. Ouço quando ele sai para a rua batendo a segunda porta.

Aos prantos, abraço a mim mesma: uma mão no pescoço, a outra no abdômen.

Choro ainda mais quando Punch vem mancando ao meu encontro e delicadamente lambe a minha mão.

> ## DOMINGO,
> *14 de novembro*

OITENTA E NOVE

Examino minha garganta no espelho do banheiro. Cinco hematomas bem escuros, um vermelhão em torno do pescoço. Enroscado aos meus pés, Punch lambe a patinha machucada. Que dupla.

Não vou denunciar Alistair para a polícia. Não vou porque não posso. Provas é que não faltam, claro. O homem deixou impressões digitais em todo canto, inclusive na minha pele. Mas eles vão querer saber o que ele veio fazer aqui, e a verdade é que... Bem, a verdade é que convidei um adolescente para usar meu porão quando quisesse, um adolescente cuja família venho bisbilhotando e importunando há algum tempo. Acho que não pegaria bem.

– Não pegaria nada bem – digo, apenas para testar a voz. Que está fraquinha, murcha.

Saio do banheiro e vou descendo a escada, o celular batendo contra a coxa, jogado no bolso do roupão.

Pego uma vassoura e varro os cacos e estilhaços do chão da cozinha, jogando tudo num saco de lixo. Tento não pensar na noite passada, naquele homem me imobilizando contra a parede, me enforcando, me olhando do alto. Pisando nestes mesmos cacos e estilhaços ao sair da minha casa.

Sob os meus chinelos, o piso reluz como a areia de uma praia.

Sento à mesa e fico brincando com o estilete, abrindo e fechando a lâmina.

Olho para o outro lado do parque. A casa dos Russells olha de volta com as suas janelas vazias. Onde será que eles se meteram? Onde será que *ele* se meteu?

Eu devia ter caprichado mais na pontaria. Devia ter golpeado com mais força. Fico imaginando a lâmina furando a jaqueta dele, rasgando a pele.

"E aí você teria em casa um homem retalhado", penso.

Largo o estilete, levo uma caneca à boca. Não tem chá nos armários (Ed nunca gostou de chá, e eu sempre preferi outras coisas), então bebo um pouco de água quente com umas pitadas de sal. Minha garganta queima. Dói.

Olho para a casa dos Russells mais uma vez. Depois me levanto, fecho as persianas da janela.

Os acontecimentos de ontem à noite parecem os delírios de uma febre, uma nuvem de fumaça. O filme no teto do quarto. O barulho de vidro quebrando. O breu do depósito. A espiral da escada. E ele ali, chamando por mim, esperando por mim.

Levo a mão à garganta. "Não vá dizer que eu estava sonhando, que ele nunca esteve aqui." Onde foi que ouvi isso...? Ah, sim: de novo, À *meia-luz*.

Porque não foi sonho. ("Isto não é sonho! Realmente está acontecendo!" Mia Farrow em *O bebê de Rosemary*.) Minha casa foi invadida. Foi vandalizada. Eu fui ameaçada. Fui agredida. E não há nada que eu possa fazer a respeito.

Não há nada que eu possa fazer a respeito de *nada*. Agora sei que Alistair é um homem violento; sei do que é capaz. Mas ele tem razão: a polícia não vai me dar ouvidos. E o Dr. Fielding acha que estou delirando. E eu prometi a Bina que esqueceria toda essa história. E não tenho como falar com Ethan. E Wesley sumiu do mapa. Não tenho mais ninguém.

– Adivinhe quem é.

Agora é ela. Parece distante, mas sei que é ela.

Faço que não com a cabeça.

"Quem era aquela mulher?", perguntei a Alistair.

Se é que realmente há uma mulher.

Não sei. Nunca vou saber.

NOVENTA

Passo o resto da manhã na cama, e também a tarde, tentando não chorar, tentando não pensar sobre a noite de ontem, nem sobre o dia de hoje, nem sobre o de amanhã, nem sobre Jane.

Lá fora, as nuvens estão pesadas, barrigudas e escuras. Pego o celular, abro o aplicativo de previsão do tempo. Uma tempestade deve chegar logo mais.

A noite vai caindo aos poucos, sombria. Fecho as cortinas, abro o laptop e coloco ao meu lado na cama. A máquina aquece os lençóis à medida que assisto ao filme *Charada*.

"O que eu preciso fazer pra deixar você feliz?", pergunta Cary Grant. "Me tornar a próxima vítima?"

Sinto um calafrio na espinha.

Já estou quase dormindo quando entra a música dos créditos finais. Fecho o computador, adormeço.

E logo sou acordada por uma mensagem no celular: "Alerta de emergência: risco de alagamento nesta região até as três horas da madrugada. Evite sair de casa neste período. Mantenha-se informado pelos noticiários locais. NWS."

Sempre vigilante, esse National Weather Service, nosso serviço de meteorologia. Mas não tenho a menor intenção de sair de casa neste período. Deixo escapar um bocejo, levanto da cama, me arrasto até a janela.

Tudo escuro na rua. Ainda não está chovendo, mas o céu continua carregado, as nuvens cada vez mais baixas. Posso ouvir o vento que balança a copa dos plátanos. Minha mão direita procura o ombro esquerdo.

Na casa dos Russells, uma luz se acende na cozinha: Alistair. Ele vai até a geladeira e de dentro dela tira uma garrafa. Cerveja, eu acho. Será que está enchendo a cara outra vez?

Apalpo meu pescoço. Os hematomas doem.

Fecho as cortinas e volto para a cama. Apago a mensagem do celular, confiro as horas: 21:29. Quem sabe não vejo mais um filme? Quem sabe não bebo um vinhozinho?

Meus dedos correm de forma displicente sobre o telefone. Um vinho, acho. Só uma taça. Até porque a garganta está machucada, dói quando engulo.

Percebo um movimento de cores sob os dedos. Olho para o celular; por acidente abri a galeria de imagens da câmera. Meu coração esmorece quando vejo a tal foto, aquela em que estou dormindo. Supostamente tirada por mim mesma.

Deixo o celular de lado. Mas logo o pego de volta e apago a foto.

A foto anterior aparece automaticamente.

Por um instante fico confusa, não sei o que é. E então me lembro: uma foto que tirei da janela da cozinha. Um crepúsculo, laranja-sorbet, entrecortado pela silhueta dos prédios distantes, que parecem mordê-lo. A rua brilha sob a luz dourada. No centro de tudo, a imagem congelada de um passarinho em pleno voo, as asinhas escancaradas.

E, refletida na vidraça, a imagem da mulher que conheci como Jane.

NOVENTA E UM

Translúcida, difusa nos contornos, mas não há dúvida de que é Jane quem está ali, um fantasma espreitando no canto direito da foto. Ela fita a câmera com um olhar firme, os lábios entreabertos. O braço direito extravasa da borda da foto (apagando um cigarro na tigela, lembro direitinho). Acima dela ainda paira uma espessa rodela de fumaça. A foto foi tirada às 18:04, como revela o horário fixado na imagem. A data é de quase duas semanas atrás.

Jane. Não consigo tirar os olhos da foto. Mal consigo respirar.

Jane.

"O mundo pode ser um lugar bonito", disse ela.

"Não se esqueça disso", disse ela.

"É isso aí, garota!", disse ela.

Ela realmente *disse* essas coisas, todas elas, porque era uma pessoa *real*.

Jane.

Salto da cama com os lençóis embolados no corpo, o laptop escorregando para o chão. Corro para a janela, afasto as cortinas.

Agora a luz está acesa na sala dos Russells, a sala onde tudo começou. E lá estão os dois, Alistair e a mulher, sentados no sofazinho listrado, ele esparramado com a cerveja na mão, ela sentada sobre as próprias pernas, ajeitando os cabelos.

Os *mentirosos*.

Olho para o telefone na minha mão.

E agora, o que fazer?

Sei muito bem o que Little iria dizer: "Esta foto não prova nada além da sua própria existência. E da existência de uma desconhecida."

– Fielding também não vai lhe dar ouvidos – adverte Ed.

Cale a boca!

Mas ele tem razão.

Pense, Anna, pense.

– E a Bina, mamãe?

Pare com isso!

Pense, Anna.

Meus olhos viajam da sala para o quarto no andar de cima.

Só me resta uma única jogada: capturar o peão.

– Alô?

Uma voz de passarinho no ninho, frágil, distante. Olho através da escuridão para a sua janela. Nenhum sinal dele.

– Aqui é a Anna.

– Eu sei.

Quase um sussurro.

– Onde você está?

– No meu quarto.

– Não estou vendo você.

Segundos depois ele aparece na janela feito um fantasma, magrinho e pálido numa camiseta branca. Espalmo uma das mãos na vidraça à minha frente.

– Está me vendo? – pergunto.

– Estou.

– Preciso que você venha aqui.

– Não vai dar – diz ele, balançando a cabeça. – Fui proibido.

Baixo os olhos para a sala. Alistair e Jane continuam no mesmo lugar.

– Eu sei, mas é importante. *Muito* importante.

– Papai ficou com a chave que você me deu.

– Eu sei.

Pausa.

– Se eu consigo ver você... – balbucia ele.

– O quê?

– Se eu consigo ver você, eles também conseguem.

Imediatamente me afasto da janela e puxo as cortinas, deixando apenas uma fresta entre elas. De novo confiro a sala. Tudo igual.

– Venha, Ethan. Por favor. Você não...

– O quê?

– Você não... Quando acha que vai poder sair?

Outra pausa.

Ele inspeciona o celular, volta com ele para a orelha.

– Eles costumam assistir a *The Good Wife* às dez. Talvez eu consiga sair nesse momento.

Agora sou em quem inspeciona o telefone. Vinte para as dez.

– Ótimo. Perfeito.

– Está tudo bem com você?

– Tudo. – Não quero assustar o garoto, dizendo que ele não está seguro. – Mas tem uma coisa sobre a qual eu queria conversar com você.

– Para mim, seria mais fácil passar aí amanhã.

– Não dá para esperar. Juro que...

Na sala, Jane está olhando para o próprio colo, segurando uma garrafa de cerveja. Alistair saiu para algum lugar.

– Rápido, desligue o telefone! – aviso, o coração a mil.

– Hein?

– Desligue o telefone!

Ethan abre a boca para dizer algo, mas a luz do quarto se acende de repente.

Alistair ainda está com a mão no interruptor quando o garoto baixa o telefone e vira para trás.

A ligação cai. Continuo acompanhando a cena através da fresta entre as cortinas.

Parado à porta do quarto, Alistair está dizendo algo. Ethan dá um passo à frente, mostra o telefone.

Ambos permanecem imóveis por alguns segundos.

Alistair se adianta e pega o telefone. Olha para o aparelho, olha para o filho. Visivelmente irritado, vai para a janela do quarto.

Dou um salto para trás. Mas vejo quando Alistair fecha as venezianas de madeira sobre a vidraça de Ethan.

Agora não vejo mais nada.

Xeque-mate.

NOVENTA E DOIS

Dou as costas para as cortinas e corro os olhos pelo quarto.

Nem consigo imaginar o que está acontecendo por lá. Por minha causa.

Arrastando os pés, vou para a escada. A cada passo, penso em Ethan do outro lado daquela janela, sozinho com o pai.

Um degrau de cada vez.

Na cozinha, me encaminho para a pia e ainda estou lavando minha taça quando um trovão ribomba do lado de fora. Espio através das persianas. As nuvens agora correm mais rápido, tocadas pelo mesmo vento que verga as árvores. É a tempestade chegando.

Sento à mesa com minha taça de Merlot. No rótulo da garrafa, sob o desenho de um barco sacudido pelas ondas, está escrito *Silver Bay, New Zealand*. Talvez seja uma boa ideia: mudar para a Nova Zelândia, começar uma vida nova por lá. Silver Bay. Gosto deste nome. Adoraria velejar novamente.

Se um dia conseguir sair desta casa.

Volto para a janela, ergo uma das lâminas da persiana. A chuva já está batendo na vidraça. Olho para o outro lado do parque. A janela de Ethan continua fechada.

Assim que me sento à mesa, a campainha toca, rompendo o silêncio com a estridência de um alarme. Quase derramo o vinho, tamanho o susto. Olho para a porta.

É ele. Alistair.

Fico apavorada. Levo a mão ao bolso, aperto o celular entre os dedos. Com a outra, pego o estilete.

Fico de pé e lentamente atravesso a cozinha. Paro diante do interfone e, preparando-me para o pior, baixo os olhos para o monitor.

Ethan.

Meus pulmões relaxam.

Ethan, balançando o corpo sobre os calcanhares, abraçando o próprio tronco. Aperto o botão para abrir a porta da frente, destranco a porta do corredor e ele surge à minha frente, os cabelos molhados de chuva.

– O que está fazendo aqui?

– Ué, foi você quem chamou, não foi?

– Pensei que o seu pai...

Ele fecha a porta, passa por mim e vai para a sala.

– Falei que era um amigo da natação.

– Ele não conferiu seu telefone? – pergunto, indo atrás do garoto.

– Salvei o seu número com um nome diferente.

– E se ele tivesse ligado de volta?

Ethan dá de ombros.

– Mas não ligou. – Ele vê o estilete na minha mão e pergunta: – Para que isso aí?

– Para nada – digo, já guardando o objeto no bolso.

– Posso usar seu banheiro?

– Claro.

Enquanto ele está no lavabo vermelho, pego o celular e preparo minha jogada.

Ouço quando ele dá descarga e lava as mãos.

– Cadê o Punch? – pergunta ao sair.

– Não sei.

– E a patinha dele, melhorou?

– Melhorou. – Neste exato momento, não quero nem saber. – Preciso mostrar uma coisa para você. – Coloco o celular nas mãos dele e digo: – Abra a galeria de fotos.

Ele olha para mim, surpreso.

– Pode abrir.

Fico observando seu rosto enquanto ele examina a foto. O relógio começa a bater as dez horas. O suspense é grande.

Num primeiro momento, nada. Impassível, ele diz:

– É a nossa rua. Ao amanhecer. Ou... Bem, o sol está no oeste. Então está anoit...

Ele para.

Certamente viu.

Passam-se alguns segundos.

Ele arregala os olhos na minha direção.

Seis badaladas. Sete.

Ethan abre a boca.

Oito. Nove.

– O que... – começa ele.

Dez.

– Acho que já é hora de você contar a verdade – digo.

NOVENTA E TRÊS

ETHAN PERMANECE IMÓVEL ENQUANTO ecoa a última badalada; nem parece respirar. Até que, conduzindo-o pelos ombros, levo o garoto para o sofá da sala. Sentamos. Ele ainda está com o telefone na mão.

Não digo nada, apenas olho para ele. Meu coração está desgovernado, parece uma mosca presa numa jarra. Cruzo as mãos sobre as pernas para conter o tremor.

Ele fala alguma coisa.

– Hein?

Limpa a garganta e repete:

– Quando foi que você encontrou essa foto?

– Hoje. Pouco antes de ligar para você.

– Hum.

– Quem é...

– É a minha mãe.

– Não pode ser... O detetive falou que a sua mãe...

– Minha mãe *verdadeira*. Minha mãe biológica.

Por essa eu não esperava.

– Você é... adotado?

Ele não diz nada, apenas faz que sim com a cabeça e olha para o chão.

– Então... – Inclino o tronco para a frente, passo a mão pelos cabelos. – Então...

– Ela... Puxa, nem sei como começar.

Fecho os olhos, procurando afastar minha confusão mental. O garoto precisa ser orientado. E isso eu posso fazer. Acomodo o corpo para ficar de frente para ele, ajeito o roupão sobre as pernas.

– Quando você foi adotado? – pergunto.

Ele suspira e se recosta nas almofadas.

– Quando tinha 5 anos.

– Tarde assim? Por quê?

– Porque ela era... viciada em drogas – diz ele, hesitante como um potrinho recém-parido ao dar seus primeiros passos. Talvez seja a primeira vez que fala disso com alguém. – Era viciada em drogas e... muito jovem.

Eu lembro de ter achado que Jane era jovem demais para ser mãe de um adolescente.

– Então fui morar com o papai e a mamãe.

Analiso o rosto do garoto, as têmporas molhadas de chuva, a boca que ele umedece com a ponta da língua.

– Onde foi que você cresceu? – pergunto.

– Antes de Boston?

– Sim.

– São Francisco. Foi lá que eles me adotaram.

Resisto ao impulso de tocá-lo. Em vez disso, tomo o telefone de suas mãos e deixo sobre a mesa.

– Ela me procurou uma vez – conta ele. – Quando eu tinha 12 anos. Encontrou a gente em Boston. Apareceu lá em casa e perguntou ao papai se podia me ver. Ele disse que não.

– Vocês nem chegaram a conversar?

– Não. – Ele se cala um instante, respira fundo. Os olhinhos estão brilhando. – Meus pais ficaram com muita raiva. Falaram que se ela tentasse falar comigo outra vez... que eu devia contar para eles.

Faço que sim com a cabeça, recosto no sofá. Vejo que ele está mais solto, falando com mais facilidade.

– Depois a gente se mudou para cá.

– Mas seu pai perdeu o emprego.

– É – diz ele, estranhamente cauteloso.

– Por que ele perdeu o emprego?

Irrequieto, Ethan responde:

– Alguma coisa a ver com a mulher do chefe dele. Não sei direito. Só sei que eles viviam gritando um com o outro por causa disso.

"Tudo isso é *supermisterioso*", dissera Alex. Agora está explicado. Um casinho extraconjugal. Nada de muito especial. Fico me perguntando se valeu a pena.

– Logo depois que a gente mudou para cá, minha mãe voltou a Boston para resolver umas coisas. E também para ficar longe do papai, eu acho. Então ele foi atrás. Me deixaram sozinho só por uma noite. Já tinham feito isso antes. E foi aí que ela apareceu.

– Sua mãe biológica?

– Sim.

– Qual é o nome dela?

Ele funga, limpa o nariz com o dorso da mão.

– Katie.

– Então ela veio procurar você.

– Veio.

Outra fungada.

– Quando, exatamente?

– Não lembro. – Depois: – Bem... acho que foi no Halloween.

A noite em que a conheci.

– Ela disse que estava... "limpa" – revela ele, pronunciando a palavra como se ela pudesse machucá-lo. – Não estava mais se drogando.

– Sei.

– Disse que tinha lido na internet sobre a transferência do

papai, sabia que a gente tinha vindo para Nova York. Então veio atrás. Ainda estava pensando no que ia fazer quando os meus pais viajaram pra Boston.

Ele se cala, coça uma das mãos.

– E o que aconteceu depois?

– Depois... – Agora ele está de olhos fechados. – Depois ela bateu lá em casa.

– Vocês conversaram?

– Sim. Deixei ela entrar.

– No Halloween?

– Sim, durante o dia.

– Foi nesse mesmo dia, à tarde, que a gente se conheceu.

Ele concorda com a cabeça, sempre olhando para baixo.

– Ela foi buscar um álbum de fotos no hotel. Queria me mostrar umas fotos antigas. De quando eu era bebê, essas coisas. Depois, no caminho de volta para cá, viu você na rua.

Ainda lembro do braço dela na minha cintura, dos cabelos roçando meu rosto.

– Mas ela se apresentou como sua mãe. Como... Jane Russell.

De novo ele sinaliza com a cabeça.

– Você sabia disso?

– Sabia.

– Mas por quê? Que motivo ela poderia ter para dar um nome falso?

Finalmente ele ergue a cabeça e me encara.

– Ela disse que foi *você* que chamou ela de Jane. E que ficou sem saber o que dizer na hora, porque não podia contar o que estava fazendo por aqui, entende? – Ethan para um pouquinho e coça a mão mais uma vez. – Mas também acho que... Bem, acho que ela estava gostando de se fazer passar por minha mãe.

Um trovão ruge na rua, como se o céu estivesse desabando.

Passado o susto, puxo pela língua dele novamente. Precisava mantê-lo falando.

– E o que aconteceu em seguida, após ela me ajudar?

Ethan olha para as mãos.

– Ela voltou lá para casa e a gente conversou mais um pouquinho. Ela contou como era a nossa vida quando eu era bebê. Contou tudo que fez depois que me entregou para adoção. Me mostrou as fotos.

– E depois?

– Depois foi embora.

– Para o hotel onde estava hospedada?

Ele balança a cabeça, dizendo que não.

– Então para onde ela foi?

– Bem, antes eu não sabia.

Sinto um frio na barriga.

– Para onde ela foi?

Ele me encara de novo.

– Veio para cá.

Tiques e taques no relógio.

– Como assim, veio para cá?

– Para se encontrar com aquele cara que mora no porão. Ou morava.

Arregalo os olhos.

– David?

Sim, ele confirma com a cabeça.

Lembro da manhã seguinte ao dia de Halloween, o barulho que ouvi na tubulação da casa enquanto David e eu lidávamos com o rato morto que Punch trouxera para a cozinha. Lembro do brinco que vi na mesa de cabeceira dele. "Era de uma mulher chamada Katherine." Katie.

– Ela estava lá, no meu porão.

– Só fiquei sabendo depois – insiste Ethan.

– Quanto tempo ela ficou aqui?

– Até...

A voz do garoto treme.

– Até o quê?

Ele agora aperta os dedos.

– No dia seguinte ao Halloween, ela me procurou de novo e a gente conversou mais um pouco. Falei que ia dizer para os meus pais que queria continuar me encontrando com ela. Tipo... oficialmente. Porque estou com quase 17 anos. Quando fizer 18, vou poder fazer o que bem entender. Então... no dia seguinte liguei para eles e contei a história toda. Papai teve um ataque. Mamãe também não gostou, mas papai... ficou *furioso*. Voltou direto para casa, querendo saber onde ela estava. E quando me recusei a responder...

Uma lágrima brota nos olhos do garoto.

– Ele bateu em você?

Ele diz que sim com a cabeça e ficamos calados por um tempo.

Ethan enche os pulmões uma vez, depois outra, e só então diz:

– Eu sabia que ela tinha estado aqui com você. Vi pela janela do meu quarto. Vocês duas ali na cozinha. Acabei contando a papai. Sinto muito. De verdade.

Não se contendo, ele começa a chorar.

– Puxa... – digo, mais uma vez refreando o impulso de reconfortá-lo com um carinho.

– Eu precisava fazer alguma coisa para que ele me deixasse em paz.

– Entendo.

– Bem... – Ele corre um dedo sob o nariz. – Vi quando ela saiu da sua casa. Então sabia que papai não a encontraria. Foi depois disso que ele veio aqui.

– Sim, veio.

– Eu estava acompanhando pela janela, rezando para que ele não fizesse nada com você.

– Não fez.

"Eu só queria saber se você recebeu alguma visita hoje cedo", disse ele. E depois: "Eu estava procurando por meu filho, não por minha mulher." Tudo mentira.

– E aí... logo depois que ele voltou para casa, ela... apareceu outra vez. Não sabia que ele já tinha retornado a Nova York; achou que meu pai só ia chegar no dia seguinte. Ela tocou a campainha e papai mandou que eu atendesse e convidasse ela para entrar. Fiquei apavorado.

Não digo nada, continuo escutando.

– A gente tentou argumentar com ele. Tanto ela quanto eu.

– Isso... Lá na sala.

– Você viu? – pergunta ele, surpreso.

– Vi.

Lembro dos três naquela sala, Ethan e Jane (ou melhor, Katie) no sofazinho listrado, Alistair numa cadeira diante deles. "Quem há de saber o que se passa numa família?"

– A conversa não deu muito certo – diz ele, soluçando. – Papai ameaçou chamar a polícia se ela voltasse a me procurar, falou que ela ia ser presa por assédio.

Ainda estou pensando naquele *quadro* do outro lado da janela: o filho, o pai, a "mãe". "Quem há de saber o que se passa...?"

De repente me lembro de algo.

– No dia seguinte...

– No dia seguinte ela apareceu de novo lá em casa – completa ele por mim, os olhos voltados para o chão, os dedos irrequietos sobre as pernas. – Papai falou que ia matar ela, chegou a apertar a garganta dela.

Silêncio. As palavras quase ecoam: "... matar ela"; "... apertar a garganta dela". Logo me vem à mente o dia em que Alistair fez o mesmo comigo, em que me imobilizou contra a parede e apertou minha garganta.

– E ela gritou – relembro.

– Gritou.

– Foi aí que liguei para sua casa.

– Sim.

– Por que você não me contou o que estava acontecendo?

– Ele estava lá. E eu fiquei com *medo* – diz ele num tom

bem mais agudo, as faces molhadas. – Eu *queria* contar. Vim aqui depois que ela foi embora.

– Veio sim, eu me lembro.

– Tentei contar...

– Eu sei.

– Então no dia seguinte mamãe voltou de Boston – continua ele, fungando. – E Katie apareceu de novo, achando que talvez fosse mais fácil conversar com ela.

Ethan deixa a cabeça cair entre as mãos e seca o rosto.

– E o que aconteceu?

Por um tempo ele fica calado, olhando para mim com o rabo do olho, como se desconfiasse de alguma coisa.

– Você não viu?

– Não. Vi apenas a sua... Vi apenas quando ela gritou alguma coisa com alguém, depois voltou com... – Minha mão vai automaticamente para o peito. – Depois voltou com uma coisa no... – Não consigo terminar. – Não vi mais ninguém além dela.

Quando Ethan volta a falar, parece mais calmo, mais firme.

– Os três subiram para conversar – diz ele baixinho. – Papai, mamãe e Katie. Eu estava no meu quarto, mas podia ouvir tudo que falavam. Papai queria chamar a polícia. Ela... a minha... ela ficava falando que eu era filho dela, que a gente devia poder falar um com o outro, que eles não deviam tentar impedir. Mamãe gritava muito, dizendo que ia fazer de tudo para que ela nunca mais voltasse a me ver. Mas, de repente, eles se calaram. Esperei um pouco, então desci e encontrei...

Aqui ele contorce o rosto numa careta, depois baixa a guarda e irrompe num choro violento, os soluços brotando do fundo do peito. Ele desvia o olhar, se remexendo no sofá.

– Ela estava caída no chão. Mamãe tinha apunhalado ela. – Agora é ele quem leva a mão ao peito. – Com um abridor de cartas.

– Entendo – digo. Depois: – Espere um pouco. Quem você disse que apunhalou Katie?

– Minha mãe – diz ele com a voz embargada.

Arregalo os olhos e não digo nada.

– Falou que não queria que ninguém tirasse o filho dela...

Ele cai para a frente, as mãos escondendo os olhos. Seus ombros tremem, sacudidos pelo choro.

"Minha mãe." Eu estava enganada. Redondamente enganada.

– Ela disse que esperou muito tempo para ter um filho e...

Fecho os olhos.

– ... e que não ia deixar que ela aprontasse comigo outra vez.

Posso ouvi-lo chorando baixinho.

Por um ou dois minutos, não falamos nada. Fico pensando em Jane, na Jane real. No seu instinto de mãe-leoa, o mesmo que se apoderou de mim naquele penhasco. "Ela esperou muito tempo para ter um filho..." Ai de quem tentasse tirá-lo dela.

Quando abro os olhos, vejo que Ethan já parou de chorar. Mas está ofegante, como se tivesse acabado de chegar de uma corrida.

– Ela fez isso por mim – declara. – Para me proteger.

Mais um minuto de silêncio.

Ethan limpa a garganta.

– Depois eles levaram o corpo para uma casa que a gente tem no norte do estado e o enterraram lá.

– Então é lá que ela está?

Ele respira fundo, uma, duas vezes.

– É.

– E o que aconteceu quando a polícia foi falar com os dois no dia seguinte?

– Foi um susto – diz Ethan. – Eu estava na cozinha, mas ouvi a conversa deles na sala. Os detetives falaram que alguém tinha denunciado uma agressão na noite anterior. Meus pais simplesmente negaram. E quando ficaram sabendo que era você quem tinha denunciado... Era a sua palavra contra a deles. Contra a nossa. Ninguém mais tinha visto Katie.

– David viu. Passou... – Faço as contas na minha cabeça. – Passou quatro noites com ela.

– Só ficamos sabendo depois. Quando olhamos o celular dela para saber com quem andava falando. Papai disse que não tinha importância, que ninguém ia acreditar num cara que morava num porão. Então eram eles contra você. E o papai disse que você...

– Que eu o quê?

Ele engole em seco e fala:

– Que você era uma pessoa instável, que bebia demais.

Deixo passar. A tempestade açoita o vidro das janelas.

– Àquela altura a gente não sabia nada sobre a sua família.

Fecho os olhos, começo a contar. Um. Dois...

No três, Ethan está falando novamente, emocionado:

– Essas coisas todas que eu não posso contar para ninguém, esses segredos... Não estou aguentando mais.

Abro os olhos. Na penumbra da sala, sob a luz fraca do abajur, o garoto mais parece um anjo.

– Precisamos contar tudo isso para a polícia.

Ethan se inclina para a frente, abraçando os próprios joelhos. Então reergue o tronco e me encara por alguns segundos antes de desviar o olhar.

– Ethan.

– Eu sei – sussurra ele.

Ambos levamos um susto quando Punch mia perto de nós. Está atrás do sofá, olhando para o alto com a cabeça tombada para o lado. Mia outra vez.

– Finalmente ele apareceu. – Ethan estica o braço para pegá-lo, mas o gato foge. – Acho que ele não gosta mais de mim.

– Ethan, preste atenção. – Limpo a garganta. – Tudo isso é muito sério. *Muito* sério. Vou ligar para o detetive Little e pedir que venha até aqui. Você vai contar a ele tudo que acabou de me contar.

– Posso falar com eles primeiro?

– Eles quem? Seus...

– Com a minha mãe. Com meu pai também.

– Melhor não – digo com firmeza. – A gente...

– Por favor, Anna. *Por favor* – suplica ele, sua voz soando em falsete.

– Ethan, a gente...

– *Por favor. Por favor* – repete, agora quase gritando.

Os olhos estão esbugalhados, o rosto está manchado de vermelho. Uma crise de pânico. O que devo fazer? Esperar que ele chore tudo o que tem para chorar? Mas logo ele já está falando de novo, vomitando as palavras:

– Tudo que ela fez foi por mim. *Por mim.* – Os olhos dele voltam a marejar. – Não posso... não posso fazer uma coisa dessas com a minha mãe. Depois de tudo que ela fez *por mim.*

Minha respiração está fraca.

– Eu...

– Além disso, não seria melhor se eles mesmos se entregassem? – pergunta ele.

Penso nessa possibilidade. Melhor para os pais, muito melhor para o filho. No entanto...

– Eles piraram desde que tudo aconteceu. Piraram de verdade. – O lábio superior dele está úmido. De suor, não de muco nasal. Ele usa o dedo para secá-lo. – Papai disse a mamãe que eles deviam procurar a polícia. Eles vão me ouvir, tenho certeza.

– Não sei se...

– Vão, sim. – A cabeça afirma, a respiração acelera. – Se eu falar para eles que estive aqui, e que você falou que vai contar tudo para a polícia se eles não contarem...

– Você tem certeza de que...

De que pode confiar na sua mãe? De que Alistair não vai bater em você? De que os dois não vão vir atrás de mim?

– Será que dá para você esperar até eu conversar com eles? Não vou... Se eu deixar que a polícia venha prender os dois agora, eu não... – Ele olha para as mãos. – Simplesmente não dá. Nem sei como vou conseguir... *viver* com uma coisa dessas. – A voz está embargada outra vez, ele mal consegue falar. – Se eu não der uma chance a eles primeiro... Uma oportunidade de ajudarem a si mesmos... Ela é minha *mãe*.

Ele está falando de Jane.

Na minha experiência de vida, nada me preparou para uma situação como essa. Fico pensando em Wesley, no conselho que ele teria para me dar. "Pense com sua própria cabeça, Fox."

Será que posso mesmo deixar o garoto voltar para aquela casa? Para aquela gente?

Mas será que posso condená-lo a uma vida inteira de remorso? Sei muito bem o que é isso: a dor que não vai embora nunca. Não quero que Ethan tenha o mesmo destino que eu.

– Tudo bem – digo afinal.

Ele pisca, surpreso.

– Jura?

– Juro. Pode falar com eles primeiro.

Agora está boquiaberto, como se custasse a crer no que acabou de ouvir. Mas logo se recompõe.

– Obrigado.

– Por favor, Ethan. Tome *muito* cuidado.

– Vou tomar.

Ele se levanta.

– O que você pretende dizer a eles?

Senta-se novamente, exalando um suspiro.

– Acho que... Bem, vou dizer que você tem provas. Isso. Vou dizer a verdade. Que contei tudo que aconteceu, e que você disse que a gente tem que procurar a polícia. – A voz está trêmula. – Antes que você procure. – Ele esfrega os olhos. – O que acha que vai acontecer com eles?

Penso um instante, rumino uma resposta.

– Não sei... Acho que... a polícia vai entender que seus pais estavam sendo assediados, que ela... que Katie estava, em última análise, perseguindo você, provavelmente violando alguma cláusula do acordo de adoção.

– Hum...

– Também vão levar em conta que tudo aconteceu durante uma discussão.

Ele morde o lábio inferior.

– Não vai ser fácil, Ethan.

– Não, não vai – diz ele, baixando os olhos. Então ergue a cabeça e me encara com uma intensidade que chega a assustar. – Obrigado.

– Bem, eu...

– Obrigado mesmo.

– Você tem meu telefone, não tem?

Ele apalpa o celular no bolso do casaco.

– Tenho.

– Me ligue depois. Só para avisar que está tudo bem.

– Ok.

Ele fica de pé e vai caminhando na direção da porta.

– Ethan – falo, me levantando também.

Ele vira para trás.

– Eu preciso saber. O seu pai... Você sabe se ele esteve aqui à noite?

– Ontem à noite? – pergunta ele surpreso. – Esteve. Achei que...

– Não. Na semana passada.

Ethan não diz nada.

– Porque me falaram que eu tinha imaginado tudo que aconteceu na sua casa, e agora sei que não era imaginação coisa nenhuma. Falaram também que fui eu quem fez aquele desenho, quando não foi. Então, agora quero... ou melhor, *preciso* saber quem foi que tirou aquela foto no meu quarto enquanto eu dormia. Porque... – digo, tropeçando na emoção. – Porque eu quero *muito* que não tenha sido eu.

Silêncio.

– Não sei – diz Ethan afinal. – Como é que ele conseguiria entrar aqui?

Isso eu não sei.

Vamos juntos até a porta. Antes que ele saia, puxo o garoto para um abraço e repito baixinho:

– Tome muito cuidado, Ethan.

Assim ficamos por um tempo, a chuva cuspindo nas janelas, o vento uivando na rua.

Ele desfaz o abraço, dando um sorriso triste. E vai embora.

NOVENTA E QUATRO

ABRO UMA FRESTA NA PERSIANA e fico espiando enquanto ele sobe os degraus da frente de casa, destranca a porta e some lá dentro.

Será que fiz a coisa certa? Será que deveria ter avisado Little antes de deixar o garoto sair? Não teria sido melhor chamar Alistair e Jane para conversar aqui em casa?

Tarde demais.

Fico observando a casa do outro lado do parque: as janelas escuras, os cômodos vazios. Em algum lugar das entranhas dela, Ethan está conversando com os pais, destroçando o mundo deles. E de repente me vejo rezando pela segurança dele, exatamente como fazia todos os dias quando Olivia estava viva.

Se tem uma coisa que aprendi na minha experiência clínica com crianças e adolescentes é que eles são extraordinariamente resilientes. São capazes de sobreviver a quase tudo: à negligência, à carência afetiva, a abusos de todo tipo. São capazes de enfrentar situações nas quais os pais desabariam feito um castelo de cartas. Por vezes saem até mais fortalecidos dessas mesmas situações. É isso que desejo a Ethan: resiliência. Porque ele vai precisar.

Que história, a dele. Que história horrível. Chego a sentir um calafrio enquanto retorno para a sala e apago o abajur. Aquela pobre mulher. O pobre garoto.

E *Jane*. Não Alistair, mas *Jane*.

Uma lágrima escorre pelo meu rosto. Eu a recolho com a ponta do dedo e, curiosa, fico olhando para a umidade colada à pele. Depois seco no roupão.

Minhas pálpebras estão pesadas. Subo para o quarto. Para me preocupar, para esperar.

Vou até a janela e espio a casa do outro lado do parque. Nenhum sinal de vida.

Fico roendo a unha do polegar até tirar sangue dele.

Ando sem parar, fazendo círculos no carpete.

Olho de relance para o celular. Já se passaram trinta minutos.

Preciso de algo para me distrair. Preciso acalmar os nervos. Algo familiar. Algo reconfortante.

A sombra de uma dúvida. O filme preferido de Hitchcock. Thornton Wilder é o roteirista: a mocinha ingênua descobre que seu herói não é quem ela pensa ser. "A gente até que se dá bem, mas nada acontece", reclama ela. "Caímos numa rotina terrível. Comemos e dormimos, e isso é praticamente tudo. Sequer temos uma conversa de verdade." Até o dia em que seu tio Charlie aparece para uma visitinha.

Na minha opinião, ela já podia ter descoberto tudo muito antes. Sinceramente.

Vejo o filme no laptop e continuo mordiscando o polegar machucado. O gato vem deitar ao meu lado. Aperto a patinha dele; ele reclama.

À medida que a trama vai se desenrolando, algo também se desenrola dentro do meu peito, uma certa perturbação que não consigo explicar. Fico me perguntando o que está acontecendo do outro lado do parque.

Meu telefone vibra e vai escorregando sobre o travesseiro à minha esquerda. Pego antes que ele caia.

Uma mensagem: Indo pra polícia.

23:33. Acho que cochilei.

Levanto da cama, afasto as cortinas para o lado. A chuva castiga as vidraças com a força de uma artilharia.

Do outro lado do parque, e da tempestade, a casa está escura.

"Tem tanta coisa que você não sabe, tanta coisa..."

Atrás de mim, o filme segue adiante.

"Você vive num sonho", ironiza tio Charlie. "É uma sonâmbula, uma cega. Como pode saber o que é o mundo? O mundo é uma pocilga. Se você arrancar a fachada das casas, sabe o que vai encontrar atrás delas? Porcos. Use os seus miolos, menina. Aprenda alguma coisa."

Vou caminhando na direção do banheiro, seguindo no carpete o traço desenhado pela luz que vem da janela. Preciso de algo para me ajudar a dormir. Melatonina, talvez. Hoje vou precisar.

Tomo um comprimido. Na tela do computador, o corpo cai, o trem guincha, aparecem os créditos.

— ADIVINHE QUEM É.

Dessa vez não vai dar para ignorá-lo, pois, apesar de consciente, estou dormindo. Um sonho lúcido. Mesmo assim, eu tento:

— Vá embora, Ed.

— Ah, converse comigo.

— Não. Vá embora.

Escuridão. Silêncio.

— Tem alguma coisa errada.

— Não.

Mas ele tem razão. Realmente tem algo errado nessa história. Por isso aquela perturbação de antes.

— Caramba. O tal de Alistair se revelou o esquisitão da semana, foi ou não foi?

— Não quero falar sobre isso.

— Ah, eu já ia me esquecendo. Livvy tem uma pergunta para fazer a você.

— Não quero ouvir.

– Só uma. – Um sorrisinho sedutor. – Nada muito complicado.

– Não.

– Venha, meu anjo, pergunte à mamãe.

– Eu disse que...

Porém a sua boquinha já está encostada no meu ouvido, soprando o calor das suas palavras para dentro da minha cabeça, falando com a mesma vozinha rouca que costuma usar toda vez que precisa compartilhar um segredo.

– Como está a patinha do Punch? – pergunta.

ESTOU ACORDADA, COMPLETAMENTE LIGADA, como se tivesse levado um balde d'água na cara. Os olhos estão escancarados. Um risco de luz atravessa o teto do quarto.

Levanto, vou até a janela, abro as cortinas. O breu dá lugar a uma penumbra cinzenta. Através da vidraça, através da chuva, vejo a casa dos Russells, que parece carregar nas costas o céu pesado. Um raio estoura por perto, o trovão vem logo depois.

Volto para a cama, e Punch mia baixinho quando me acomodo nela.

"Como está a patinha do Punch?"

Foi isso que me perturbou.

Dois dias atrás, quando Ethan passou por aqui, o gato se escondeu debaixo do sofá. Procurando me concentrar, repasso a cena por todos os ângulos possíveis. Não. Ethan não viu a patinha machucada. Não poderia ter visto.

Ou poderia? Tateando a cama, encontro o rabo do gato e fecho os dedos em torno dele. Punch vem para mais perto, esfrega-se em mim. Confiro as horas no celular: 1:10.

A luz digital fere meus olhos. Aperto as pálpebras para aliviá-los, depois olho para o teto.

– Como ele sabia da sua pata machucada? – pergunto a Punch no escuro.

– Porque eu entro na sua casa à noite – responde Ethan.

> ## SEGUNDA-FEIRA,
> *15 de novembro*

NOVENTA E CINCO

MEU CORPO ESTREMECE COM O SUSTO. Minha cabeça gira automaticamente na direção da porta.

Um raio incendeia o quarto com seu clarão repentino. Ele está recostado à porta, um halo de chuva nos cabelos, um cachecol pendurado ao pescoço.

As palavras escorregam da minha língua:

– Pensei... que você tivesse ido para casa.

– Fui – diz ele baixinho, mas com firmeza. – Dei boa-noite e esperei que eles fossem dormir. – Um esboço de sorriso. – Então voltei para cá. Tenho vindo muito aqui – acrescenta.

– Hein?

Não estou entendendo nada.

– Preciso dizer uma coisa: já passei por um monte de psicólogos, mas você foi a primeira que *não* diagnosticou o meu transtorno de personalidade. – Ele ergue as sobrancelhas. – Imagino que não seja das mais competentes.

Minha boca abre e fecha sem saber o que dizer; por pouco não range como uma porta defeituosa.

– Mas você me interessa. Interessa muito. Por isso continuei a vir aqui, mesmo sabendo que não devia. Mulheres mais velhas me interessam. Desculpe se ofendi você. – Franzindo a testa: – Ofendi?

Não consigo me mexer.

– Espero que não – fala ele, e dá um suspiro de impaciência antes de continuar. – O chefe do meu pai tinha uma mulher que me interessava também. Jennifer. Eu gostava dela. E ela meio que gostava de mim também. Só que... – Ele mexe o corpo magricela, recostando no outro lado da porta. – Rolou um... mal-entendido. Pouco antes da nossa mudança para cá. Entrei na casa dela. À noite. E ela não gostou. Ou falou que não gostou. – Irritado: – Ela sabia o que estava fazendo.

Só então vejo o que ele tem na mão. Um metal prateado, cintilando.

É uma lâmina. Um abridor de cartas.

Seus olhos viajam do meu rosto para sua mão, voltam para o mesmo lugar. Minha garganta se fecha.

– Foi isto aqui que usei na Katie – explica ele, empolgado. – Porque ela não me deixava em paz. Eu disse a ela. Mais de uma vez. Falei um *milhão* de vezes. – Ele balança a cabeça. – Mas ela... ela continuou insistindo. – Funga. – Mais ou menos como você.

– Mas... – balbucio. – Agora há pouco... você...

A voz seca, morre.

– Eu o quê?

Molho os lábios.

– Você contou que...

– Contei o que precisava contar para... desculpe... para calar a sua boca. Desculpe falar desse jeito, porque você é realmente muito bacana. Mas eu precisava calar a sua boca. Até que eu desse um jeito nas coisas. – Ele agora está irrequieto. – Você queria chamar a *polícia*. Eu precisava de um tempinho para... me preparar.

De rabo de olho, percebo um movimento ao meu lado: o gato, espichando-se para o pé da cama. Ele olha para Ethan e mia.

– Gato danado! Quando criança eu adorava o filme *Aquele gato danado!*. – Sorrindo, Ethan aponta para Punch com o abridor de cartas e declara: – Acho que quebrei a pata dele. Desculpe. Ele ficava andando atrás de mim quando eu entrava aqui, e perdi a cabeça. Além do mais, sou alérgico, como já disse. Não queria acordar você com os meus espirros. Aliás, desculpe por ter acordado você *agora*.

– Você entra aqui à noite?

Ele dá um passo na minha direção, a lâmina rebrilhando na penumbra.

– Quase toda noite – responde.

Ouço o susto na minha própria respiração.

– Como?

Ele sorri de novo.

– Peguei sua chave. Naquele dia, enquanto você anotava o seu número de telefone. A primeira vez que estive aqui, vi que ela ficava pendurada no gancho lá de baixo. Depois pensei: ela nem vai dar falta. Nunca sai de casa, vai precisar de chave para quê? Fiz uma cópia e devolvi a original. – Mais um sorriso. – Fácil.

Ele agora dá um risinho, tapa a boca com a mão.

– Desculpe. É que... Eu podia *jurar* que você tinha descoberto tudo quando me chamou aqui hoje. Fiquei... sei lá... Não sabia direito o que fazer. Para falar a verdade, isto estava no meu bolso o tempo todo. – Ele balança o abridor de cartas. – Só por garantia. Eu enrolei você com as histórias mais malucas. "Papai tem o pavio curto." "Morro de medo dele." "Ah, eles não me deixam ter um telefone." E você caiu direitinho. Como eu disse antes, não é das psicólogas mais competentes. – Pensa um pouquinho, depois diz: – Tive uma ideia! Por que você não me analisa? Aposto que quer saber da minha infância, não quer? Todo mundo quer saber da minha infância!

Completamente aturdida, respondo que sim com a cabeça.

– Você vai adorar. Minha infância é tipo... o sonho de qualquer terapeuta. *Katie* – ele praticamente cospe o nome da mãe, enojado – era uma drogada sinistra. O lance dela era heroína. Dava para qualquer um, só para descolar a grana que precisava para se picar. Nunca quis dizer quem era o meu pai. Não deveria ser mãe de ninguém, aquela lá.

Ele se cala um instante, baixa os olhos para a lâmina e então continua:

– Pelo que meus pais contaram, eu tinha 1 ano quando ela começou a se drogar. Estava com 5 quando me tiraram dela, então não lembro de muita coisa. Mas lembro das seringas, das agulhas. Lembro dos namorados dela, que me cobriam de porrada quando dava na telha deles.

Silêncio.

– Aposto que o meu pai de verdade nunca faria uma coisa dessas.

Não digo nada.

– Lembro também de uma amiga dela, que morreu de overdose. Bem na minha frente. Essa é a minha lembrança mais antiga. Eu tinha 4 anos.

Mais silêncio. Ele suspira baixinho.

– Comecei a aprontar. Ela tentava me ajudar, ou dar um basta naquilo, mas estava sempre drogada demais para conseguir fazer alguma coisa. Então fui parar no orfanato, depois fui adotado pelos meus pais. – Ele dá de ombros. – Eles... Bem, eles me deram muita coisa. – Outro suspiro. – Dou muito trabalho para eles, eu sei. Foi por isso que me tiraram da escola. E papai perdeu o emprego porque eu queria conhecer a Jennifer. Ficou furioso comigo, mas... sabe como é. – Uma sombra encobre seu olhar. – Problema dele.

Outro raio ilumina o quarto. Troveja.

– Pois bem. A Katie. – Ele agora olha pela janela, para sua casa do outro lado do parque. – Como você já sabe, ela nos descobriu em Boston, mas mamãe não deixou que a gente se falasse. Depois ela veio para Nova York e apareceu aqui um dia, quando eu estava sozinho. Mostrou aquele pingente com o meu retrato dentro. E eu conversei com ela porque estava interessado em saber mais. Principalmente porque queria que me dissesse quem é o meu pai. – Ele volta a me encarar. – Você sabe o que é isso? Ficar imaginando o tempo todo se o seu pai é tão ferrado quanto a sua mãe? E *rezando* para que não seja? Mas ela disse que não fazia diferença. No álbum não havia nenhuma foto do cara. Mas ela *tinha* fotos dele. Tudo que contei a você era verdade, sabia?

Ele reflete um instante, depois, timidamente, se corrige:

– Bem, *nem tudo*. Aquele grito que você ouviu... Era eu, apertando o pescoço dela. Nem foi com tanta força assim, mas àquela altura eu já estava de saco cheio da mulher. Só queria que ela fosse embora. Mas ela pirou. Começou a falar sem parar. Antes disso, papai nem sabia que ela estava lá. Aí ele também pirou. E falou para ela: "Vá embora antes que ele faça alguma merda!" Nesse momento você ligou e eu precisei fingir que estava com medo. Depois você ligou *de novo*, e aí foi o *papai* que precisou fingir que estava tudo bem. – Ele balança a cabeça. – Mas a vagabunda ainda *voltou* no dia seguinte...

Pausa.

– Mas eu já estava de saco cheio dela. Não aguentava mais. Não queria saber de foto. Não estava nem aí se ela tinha aprendido a velejar, se estava aprendendo a linguagem de sinais, porra nenhuma. E, ainda por cima, ela se recusava a falar do meu pai. Provavelmente porque *não podia*. Provavelmente nem sabia quem era o cara.

Risinho irônico.

– Então ela voltou. Eu estava no quarto e ouvi quando ela começou a discutir com papai. Não aguentava mais aquilo. Queria mais era que ela desaparecesse. Não estava nem aí para aquele papo meloso dela. Odiava a filha da puta pelo que ela tinha feito comigo, por não me dizer quem era meu pai. Queria que ela sumisse da minha vida. Foi aí que peguei este abridor na minha mesa, voltei correndo para a sala e... – Ele golpeia o ar. – Foi tudo muito rápido. Ela nem chegou a gritar.

Lembro da nossa conversa na sala, do momento em que ele contou que Jane matara Katie. Lembro perfeitamente que ele desviou o olhar.

373

Mas é com os olhos bem firmes e brilhantes, plantados sobre mim, que ele diz:

– Foi meio que... uma sensação de alívio, sabe? E foi pura sorte você não ter visto o que aconteceu. Ou não ter visto *tudo* que aconteceu. – Os olhos continuam fincados em mim. – Mas viu o suficiente.

Ele dá um passo lento na direção da cama. Depois outro.

– Mamãe nem faz ideia. De nada. Não estava em casa na hora. Só chegou na manhã seguinte. Papai me fez prometer que não ia contar nada. Para poupar ela, para proteger. Fico até com pena dele. É uma parada muito séria para esconder da pessoa com quem você está casado. – Ele dá um terceiro passo. – Ela continua pensando que você é uma maluca.

Mais um passo, e ele agora está ao meu lado, a lâmina na altura da minha garganta.

– E aí? – pergunta ele.

Dou um gemido de terror.

Ele se senta na beira da cama, recosta nos meus joelhos.

– Me analise – diz, e inclina a cabeça. – Me conserte.

Recuo até onde é possível recuar. Apavorada. Não vou conseguir.

"Vai, sim, mamãe."

Não. Não. Acabou.

"Força, Anna."

Ele tem uma arma.

"Você tem a sua inteligência."

Ok, ok.

Um, dois, três, quatro.

– Sei muito bem quem eu sou – diz Ethan, baixinho, quase carinhosamente. – Isso ajuda em alguma coisa?

Psicopata. O charme superficial, a personalidade volúvel, a frieza. O abridor de cartas na mão.

– Você... você já machucou muitos animais na sua vida – digo, tentando firmar a voz.

– Sim, mas isso é fácil. Dei para o seu gato um rato que

eu mesmo retalhei. Um rato que encontrei no nosso porão. Esta cidade é um lixão. – Ele olha para a lâmina; olha de novo para mim. – Mais alguma coisa? Ora, você pode fazer melhor do que isso.

Respiro fundo, boto a cabeça para funcionar.

– Você gosta de manipular os outros.

– Manipular os outros? *Claro* que eu gosto de manipular os outros. – Ele coça a nuca. – Porque é muito divertido. Divertido e fácil. Você, por exemplo, é *muito* fácil – declara, piscando para mim.

O celular escorrega do travesseiro ao meu lado, pousa junto do cotovelo.

– Peguei pesado com a Jennifer – diz ele, pensativo. – Ela ficou... Era muita coisa para a cabeça dela. Eu devia ter ido mais devagar. – Coloca o abridor sobre uma das pernas, começa a alisá-lo contra o jeans como se estivesse afiando a lâmina. – Então não quis que você me visse como algum tipo de ameaça. Por isso falei que tinha saudade dos meus amigos. Por isso fingi que podia ser gay. Porra, até chorei não sei quantas vezes. Tudo para que você ficasse com peninha de mim, que me visse como um... – Ele não termina. – E também porque, como eu já disse, me divirto à beça com você.

Fecho os olhos. Mentalmente vejo o celular, como se ele estivesse iluminado.

– Ah, você viu quando tirei a roupa perto da janela? Fiz isso mais de uma vez. Numa delas, tenho certeza de que você viu.

Engulo em seco. Lentamente volto o cotovelo para cima do travesseiro, o celular escorregando contra a pele do antebraço.

– Que mais? Problemas com o papai, talvez? – Mais um risinho irônico. – Sei que volta e meia eu falo dele. Do meu pai biológico, não do Alistair. Alistair é um bundão, só isso.

Sinto contra o pulso a superfície fria do celular.

– Você não...

– Não o quê?

– Você não respeita o espaço dos outros.

– Ah... Estou aqui, não estou?

Respondo com a cabeça. Roço o polegar no telefone.

– Já disse: fiquei interessado em você. Aquela velha amarga aí da rua... ela me contou tudo a seu respeito. Bem, nem *tudo*, claro. Descobri um monte de coisas desde então. Mas foi por isso que vim trazer a vela aquele dia. Mamãe nem sonha com isso. Jamais teria permitido. – Ele para um instante, analisa meu rosto. – Você deve ter sido bonita um dia, aposto – diz, depois usa o abridor para afastar uma mecha dos meus cabelos, tocando de leve a minha face.

Sinto um frio na barriga, deixo escapar um gemido de pânico.

– A velha contou que você nunca saía de casa. Achei interessante. Uma maluca que nunca sai de casa. Uma aberração.

Fecho a mão em torno do celular. Minha intenção é desbloqueá-lo discretamente, deixar que os dedos digitem por conta própria os quatro dígitos da senha. Já fizeram isso um milhão de vezes. Podem fazê-lo às cegas. Podem fazê-lo sem que Ethan perceba.

– Eu sabia que precisava conhecer você.

É agora. Apalpo o botão do telefone, aperto. Tusso para abafar o clique.

– Meus pais... – começa Ethan a dizer, virando-se para a janela.

Deixa a frase no ar.

Olho na mesma direção, vejo o que ele está vendo: a luz do celular, refletida na vidraça.

Ele se assusta. Eu me assusto também.

Eu o encaro. Ele me encara de volta.

Depois ri e diz:

– Brincadeirinha. – Apontando para o telefone com o abridor, explica: – Já troquei a senha. Pouco antes de você acordar. Não sou burro. Não ia dar esse mole: deixar um telefone ao alcance da sua mão.

Não consigo respirar.

– Também tirei as pilhas daquele outro lá da biblioteca, caso você esteja pensando em usá-lo.

Meu sangue congela nas veias.

Ele aponta para a porta.

– Já faz um tempo que venho à sua casa. Fico andando por aí, observando você. Gosto daqui. Gosto do silêncio, da escuridão. – Ele reflete um instante. – E acho interessante esse seu jeito de viver. É como se eu estivesse pesquisando você. Tipo... para um documentário. – Rindo: – Cheguei ao ponto de tirar uma foto sua, com o seu próprio telefone. – Faz uma careta. – Será que exagerei? Sei lá, acho que sim. Ah... você não quer saber como foi que desbloqueei seu telefone?

Não digo nada.

– Pode perguntar.

O tom é de ameaça.

– Como foi que você desbloqueou meu telefone? – sussurro.

Ele abre um sorriso largo, o sorriso de uma criança ciente de que está prestes a dizer algo muito inteligente.

– Foi você mesma que me ensinou.

– *Eu?*

Ele revira os olhos, dizendo:

– Tudo bem. Não foi exatamente *pra mim* que você ensinou. Foi para aquela velha gagá de Montana.

– Lizzie?

– Ela mesma.

– Você estava... espionando a gente?

Ele bufa.

– Porra, como você é burra... Ah, e só pra deixar bem claro: nunca dei aulas de natação para criancinhas com síndrome de Down. Preferiria mil vezes dar um tiro na testa. Anna, *eu* sou a Lizzie.

Meu queixo despenca.

– Ou era – continua ele. – Porque agora ela está bem melhor, tem conseguido sair de casa. Graças aos filhos. Como eles se chamam mesmo, hein?

– Beau e William – respondo mecanicamente.

Ele ri.

– Puta merda. Nem acredito que você lembra de uma coisa dessas. – Mais risos. – *Beau*. Juro que inventei ali na hora.

Não consigo fazer outra coisa além de encará-lo.

– No primeiro dia em que estive aqui, vi que o seu computador estava aberto naquele site de maluco. Criei uma conta assim que cheguei em casa e fiquei conhecendo um monte de idiotas. Entre eles, um tal de... DiscoMickey. – Ele balança a cabeça. – É muito triste. Mas foi ele que me colocou em contato com você. Eu não queria escrever para você assim... à queima-roupa. Não queria que você ficasse com a pulga atrás da orelha. Bem. Você ensinou a "Lizzie" como criar as senhas dela. Trocando letras por números, por exemplo. (Olha, nem a Nasa ia conseguir criar uma senha tão difícil de descobrir.)

Tento molhar a garganta, não consigo.

– Ou usando a data de aniversário. Foi isso que você disse. E disse também que a sua filha nasceu no dia de São Valentim. Fevereiro, dia quatorze. Zero-dois-um-quatro. Foi assim que desbloqueei o seu telefone e tirei uma foto sua roncando. Depois troquei a senha. Só para me divertir um pouquinho com você. – Ele ri, apontando para a minha cara. – Depois desci até o escritório e entrei no seu computador. – Chega mais perto, fala bem devagar: – *Claro* que a sua senha era o nome da sua filha Olivia. Tanto a do computador quanto a do e-mail. E *claro* que você trocou as letras por números. Exatamente como ensinou a Lizzie. – Ele me encara e pergunta: – Você bateu com a cabeça ou já nasceu burra assim?

Fico muda.

– Fiz uma pergunta – esbraveja ele. – Você bateu com a cabeça ou já nasceu burra assim?

– Nasci...

– Nasceu o quê?

– Burra...

– Pouco burra ou muito burra?

– Muito...

– Isso, assim é que eu gosto.

A chuva golpeia a janela.

– Então criei aquela conta no Gmail. No seu próprio computador. Você contou a Lizzie essa parada do "Adivinhe quem é", que vocês costumavam usar em família. Era bom demais pra deixar passar. Adivinhe quem é, Anna? – Ele ri. – Depois mandei a foto para seu e-mail. Queria muito ter visto a sua cara. – Mais um risinho.

O quarto é um grande vácuo. Não consigo respirar.

– E eu *tinha* que colocar minha mãe como remetente. Aposto que *isso* deixou você com os cabelos em pé – ironiza ele. – Mas você contou outras coisas a Lizzie também. – Inclina-se outra vez com o abridor apontado para o meu peito. – Você traiu seu marido, sua vagabunda. Matou a sua família.

Não consigo falar. Não há nada que eu possa falar.

– Depois você ficou tão pirada com o que aconteceu com a Katie... Coisa de maluco. Quer dizer, você é maluca. Pensando bem, até entendo. Matei a mulher na frente de papai, e *ele* também pirou. Se bem que... acho até que ele ficou aliviado ao se ver livre dela. Eu fiquei. Ela enchia o meu saco.

Ele escorrega cama acima, chega mais perto.

– Chega para lá.

Dobro as minhas pernas, que encostam na coxa dele.

– Eu devia ter fechado as janelas, mas tudo aconteceu muito rápido. De qualquer modo, foi tão fácil negar tudo... Mais fácil do que mentir. – Ele balança a cabeça. – Olha, sinto até... *pena* dele. Ele só queria me proteger.

– Seu pai tentou proteger você de mim – digo. – Mesmo sabendo que...

– Não – interrompe ele, seco. – Ele tentou proteger *você* de *mim*.

"Eu jamais ia deixar meu filho frequentar a casa de uma mulher assim, com chave e tudo", disse Alistair. O problema era o "filho", não a "mulher".

– Mas, sabe como é... Fazer o quê? Um dos psicólogos falou para meus pais que eu simplesmente "não tinha jeito".
– Ele dá de ombros. – Não tenho jeito? Então, dane-se. *Porra*.

A revolta. Os palavrões. Ele está começando a se descontrolar. O sangue lateja nas minhas têmporas. Preciso pensar. Preciso me concentrar. Preciso lembrar.

– Quer saber de uma coisa? Fico com pena dos policiais também. Aquele detetive grandalhão teve uma paciência de Jó com você. É um santo – declara, fungando. – A colega dele era uma cascuda.

Mal ouço o que ele está dizendo.

– Me fale da sua mãe – balbucio.

Ele olha para mim.

– Hein?

– Sua mãe. Me fale dela.

Um momento de silêncio. Quebrado pelo gemido de um trovão.

– Tipo... o quê? – pergunta, cauteloso.

Limpo a garganta.

– Você falou que os namorados dela batiam em você.

– Falei que eles *me cobriam de porrada* – corrige, bravo.

– Sim. Aposto que acontecia com muita frequência.

– Acontecia. – Ainda bravo. – Por quê?

– Você disse que... você não tinha jeito.

– Não fui eu que disse. Foi um dos psicólogos.

– Não acredito nisso. Que você não tenha jeito.

Ele inclina a cabeça.

– Ah, você não acredita.

– Não. – Tento regularizar a respiração. – Não acredito que as pessoas nasçam boas ou ruins. – Recosto no travesseiro, arrumo o lençol sobre as pernas. – *Você* não nasceu nem bom nem ruim.

– Não? – questiona Ethan, o abridor de cartas ainda na mão, mas sem a convicção de antes.

– Coisas aconteceram na sua infância. Coisas que você...

viu. Coisas fora do seu controle. – Aos poucos minha voz vai ganhando força. – Coisas que marcaram você.

Ele estremece.

– Katie não foi uma boa mãe. Você está coberto de razão. – Engulo em seco, ele também. – E acho que... quando você finalmente foi adotado, já estava bastante ferido. Acho também que... – Será que arrisco? – Os seus pais gostam muito de você. Mesmo que não sejam perfeitos.

Ethan olha fundo nos meus olhos, franzindo a testa de modo quase imperceptível.

– Eles têm medo de mim – afirma.

– Foi você mesmo quem disse – lembro a ele. – Falou que Alistair estava tentando me proteger ao manter você... ao manter a gente longe um do outro.

Ele permanece imóvel.

– Mas acho que ele temia *por você*. Queria proteger você também. – Estico o braço. – Acho que, ao adotá-lo, eles o salvaram.

Ele me observa com atenção.

– Seus pais amam você – digo. – Você merece ser amado. E, se conversarmos com eles, acho que... acho não, tenho certeza... eles vão fazer de tudo para continuar protegendo você. Os dois. Sei que eles desejam... se conectar com você. – Minha mão busca o ombro dele e paira no ar. – Tudo isso que aconteceu na sua infância... você não tem culpa de nada. E...

– Chega desse papo idiota.

Ele se afasta antes que eu possa tocá-lo.

Recolho o braço. Sei que perdi a atenção do garoto. Sinto o sangue fugir do meu cérebro, a boca secar.

Ethan se inclina na minha direção, planta os olhos brilhantes e sérios nos meus.

– Tenho cheiro de quê? – pergunta.

Não sei o que responder.

– Cheira aí.

Obedeço. Lembro daquele primeiro dia em que cheirei a vela que ele trouxe. Lavanda.

– Cheiro de chuva – digo.

– Que mais?

Mal consigo balbuciar:

– Perfume.

– Romance. De Ralph Lauren – acrescenta ele. – Queria ficar cheiroso para você.

Balanço a cabeça, apavorada.

– Isso mesmo. Mas ainda não decidi o que vai ser. Sei lá, uma overdose? Afinal de contas, você anda tão deprimida ultimamente... Aqueles comprimidos todos em cima da mesa... Mas uma queda também não seria mau. Uma maluca feito você... Nada mais natural do que pisar em falso naquela escada.

Custo a acreditar no que está acontecendo. Olho para o gato. Ele voltou para o seu lado da cama outra vez. Está dormindo.

– Vou sentir sua falta. Eu e mais ninguém. Durante muitos dias ninguém nem vai notar. E, depois disso, ninguém vai se importar.

Flexiono as pernas sob as cobertas.

– Talvez o seu terapeuta, mas aposto que ele já anda de saco cheio de você. Você contou a Lizzie que ele trata da sua agorafobia *e* da sua culpa. Puta merda. Outro santo.

Fecho os olhos bem fechados.

– Olhe para mim quando eu estiver falando com você, sua vagabunda.

Com toda a minha força, eu chuto.

NOVENTA E SEIS

Acerto o garoto na boca do estômago. Ele se dobra em dois. Recarrego minhas pernas, dou um segundo chute, dessa vez no rosto: calcanhar contra nariz. Ele cai no chão.

Afasto as cobertas, salto da cama, corro para a escuridão do corredor.

A chuva fere a claraboia. A certa altura tropeço, caio de joelhos. Tateando à minha volta, encontro o corrimão ao meu lado e me apoio nele para me reerguer.

O clarão de um raio ilumina subitamente os degraus, a balaustrada, os patamares da escada.

A escada desce, desce, desce...

Pisco e ela volta à escuridão de antes. Nada para ver, nada para me orientar, a não ser a percussão da chuva.

Sem largar o corrimão, vou descendo o mais rápido que posso. Troveja.

Ouço quando Ethan irrompe no corredor e tromba na balaustrada.

– Sua *vagabunda*! – grita ele com uma voz estranha. – Sua *vagabunda*!

Preciso alcançar a cozinha. Alcançar o estilete que deixei na mesa. Alcançar os cacos de vidro que joguei no lixo. Alcançar o interfone.

Alcançar as portas.

"Mas você vai conseguir sair?", pergunta Ed, apenas um sussurro.

Preciso sair. Me deixe em paz.

"Ele vai alcançá-la na cozinha. Você não vai conseguir chegar até a porta. E, mesmo que consiga..."

Saltando para o andar de baixo, olho para todos os lados com a ânsia de um ponteiro de bússola, procurando me orientar. São quatro portas à minha volta. O escritório. A biblioteca. O depósito. O lavabo.

"Escolha uma."

Espera...

"Escolha uma."

O lavabo. O azul "Êxtase Celestial". Giro a maçaneta, abro a porta, entro. Fico espreitando no escuro, ofegante e... Ouço os passos dele, correndo escada abaixo. Nem respiro.

Ele alcança o patamar e para. Está a menos de dois metros de distância.

Sinto o ar se deslocar à minha volta. Por um instante, não ouço nada além do rufar da chuva. Fios de suor escorrem da nuca para as minhas costas.

– Anna – chama ele, grave, frio.

Estremeço.

Apertando os dedos contra o alisar da porta, forte o bastante para despregá-lo, dou uma espiadela na escuridão.

Ethan é apenas um vulto entre outros tantos, mas posso discernir o contorno dos ombros dele, a pele clara das mãos. Ele está de costas para mim. Não sei dizer em qual das mãos está o abridor de cartas.

Ele vai girando lentamente até ficar de perfil. Parado onde está, olha fixamente para a porta da biblioteca.

Depois gira novamente, agora mais rápido e, antes que eu possa recuar de volta para o lavabo, ele olha na minha direção.

Não mexo um músculo. Não consigo.

– Anna – diz baixinho.

Meus lábios se entreabrem. O coração dispara.

Continuamos olhando um para o outro. Minha vontade é gritar.

Mas ele segue girando. Não me viu. Não consegue enxergar naquele breu. Meus olhos, no entanto, já estão acostumados à pouca luz, ou a luz nenhuma. Posso muito bem ver o que ele está...

Ethan volta para os degraus da escada, uma das mãos segurando a lâmina, a outra enterrada no bolso.

– Anna – chama novamente.

Tira algo do bolso e ergue à sua frente. Uma luz forte emana de repente de sua mão: a lanterna do seu celular.

Da porta do lavabo, posso ver a escada iluminada, o branco das paredes. Mais um trovão ruge por perto.

E mais uma vez ele gira o corpo, a lanterna girando junto,

iluminando o patamar em que estamos como um farol. Primeiro ele se aproxima do depósito, escancara a porta e aponta o telefone para dentro. Depois vai para o escritório. Atravessa a porta, esquadrinha o cômodo com a lanterna, de costas para mim.

Preparo o espírito para uma fuga escada abaixo.

"Mas ele vai alcançar você."

Não tenho outra saída.

"Tem, sim."

Qual?

"Subir em vez de descer."

Balanço a cabeça, vejo Ethan sair do escritório. Ele vai para a biblioteca e depois para o lavabo. Preciso fazer alguma coisa antes que...

Meu quadril esbarra na maçaneta, ela gira com um pequeno gemido.

Ethan imediatamente vira para trás com sua lanterna, aponta o lume para os meus olhos, ofuscando-me.

O tempo para.

– Ah, você está aí...

Então me lanço porta afora, atropelando-o, enterrando meu ombro em seu estômago. Ethan chia com o golpe. Não enxergo nada, mas empurro o garoto para o lado, na direção da escada, e...

E de repente ele não está mais lá. Ouço o corpo dele tombar escada abaixo, como uma avalanche. A lanterna vai abrindo riscos desgovernados na escuridão.

"Suba, mamãe", sussurra Olivia.

Obedeço. Mas a visão ainda está embaralhada. Bato com o pé no primeiro degrau à minha frente, desabo no chão. Mas vou me arrastando escada acima até conseguir me reerguer e correr.

Meus olhos já se reacostumaram à escuridão quando alcanço o andar de cima. Meu quarto está logo ali à minha frente. Do outro lado do corredor está o quarto de hóspedes.

"Suba, mamãe, suba."

Mas no andar de cima só tem os dois quartos vazios, o seu e o outro.

"Suba."

Para o telhado?

"Suba."

Mas *como*? Jamais vou conseguir...

"Você não tem escolha, campeã", diz Ed.

Dois andares abaixo, Ethan torna a subir a escada. Rapidamente fujo para o andar de cima, o sisal da passarela machucando meus pés, a balaustrada bamba sob a minha mão.

Irrompo no patamar, corro para o canto onde imagino ficar o alçapão do terraço. Tateando no escuro, encontro a corrente da tampa, dou um puxão nela.

NOVENTA E SETE

A CHUVA MOLHA MEU ROSTO quando o alçapão boceja. A escadinha escorrega na minha direção com um grito metálico. Ethan também grita algo lá embaixo, mas a ventania carrega as palavras dele.

Fecho os olhos para protegê-los do aguaceiro e subo. Um, dois, três, quatro. Os degraus estão frios e escorregadios; a escada range sob o peso do meu corpo. Lá pelo sétimo degrau, sinto minha cabeça atravessar para o terraço, e o barulho da chuva...

Por muito pouco os ruídos da chuva não me derrubam no chão de novo. A tempestade faz sons horríveis, rugindo feito um animal. O vento abocanha o ar para reduzi-lo a pedacinhos. Os pingos grossos, afiados feito dentes, mordem minha pele. A água lambe meu rosto, encharca meu cabelo...

A mão dele agarra meu tornozelo.

Chutando histericamente, consigo me desvencilhar e continuar subindo até rolar para o chão do terraço, em algum lugar entre o alçapão e a claraboia. Apoio a mão no domo de vidro, fico de pé, abro os olhos.

O mundo gira à minha volta. Apesar da barulheira, ouço meu próprio gemido.

E, apesar da escuridão, vejo que o terraço se transformou num matagal. Plantas transbordam de vasos e canteiros; trepadeiras cobrem quase todas as paredes. A hera invade a unidade de ventilação. À minha frente está a pérgula, três longos metros de um túnel que já começa a ruir, cedendo ao peso da folhagem.

A chuva não cai, ela desaba; parece vir em ondas que despencam feito chumbo no terraço, ricocheteando no chão. Meu roupão gruda na pele, completamente ensopado.

Com os joelhos bambos, olho ao meu redor. Em três lados, uma queda de quatro andares; para leste, o muro da igreja de Santa Dymphna assoma feito a encosta de uma montanha.

Acima da minha cabeça, céu. À minha volta, espaços abertos. Meus dedos estão fincados na palma das mãos. As pernas estão moles. A respiração está desgovernada. O barulho é ensurdecedor.

A meu lado está a boca do alçapão, um braço saindo por ela. O braço de Ethan, expondo-se à chuva.

Ele agora sai para o terraço, negro como uma sombra, o abridor de cartas reluzindo na mão direita.

Dou um passo cambaleante para trás. Meu pé aterrissa no domo da claraboia; sinto o vidro ceder ligeiramente. David já havia alertado: "Muito frágil. Se um galho cair em cima, pode quebrar a claraboia inteira."

A sombra vai chegando mais perto. O vento rouba o grito da minha boca, levando-o embora.

Ethan chega a levar um susto, mas logo se recupera e dá uma gargalhada.

– Ninguém vai ouvir você – grita por cima dos uivos. – A gente está num...

Não consigo ouvir o resto.

Não posso recuar sem pisar na claraboia. Então dou um passo para o lado, um passo minúsculo, e bato com o pé em algo metálico. Baixo o rosto para ver o que é. É o regador que David derrubou outro dia, quando subiu ao terraço.

Ethan se aproxima, encharcado da cabeça aos pés, ofegante, os olhos brilhando em meio ao breu.

Pego o regador e arremesso contra ele; mas como estou tonta, perco o equilíbrio e o regador acaba escorregando dos dedos, voando para longe.

Ele abaixa automaticamente para escapar.

E eu corro.

Corro rumo à escuridão, rumo ao desconhecido, morrendo de medo do céu que me desprotege, apavorada com o garoto que vem atrás de mim. Minha memória mapeia o terraço: a cerquinha viva à esquerda, os canteiros mais adiante. À direita, jardineiras vazias escoram sacos de adubo como se eles fossem bêbados. O túnel da pérgula está bem diante de mim.

Troveja. Raios clareiam as nuvens, banham o terraço com sua luz branca. Véus de água balançam e tremem. Irrompo contra eles.

A qualquer instante o céu pode desabar e me reduzir a pó; mesmo assim, meu coração continua batendo, o sangue esquentando as veias enquanto corro na direção da pérgula.

Uma cortina de água encobre a entrada. Jogo-me contra ela e entro no túnel, escuro como uma ponte coberta, úmido feito uma floresta tropical. Aqui o barulho é menor, galhos e lona funcionando como um isolamento acústico. Posso ouvir minha respiração arfante. De um lado está o banquinho com a inscrição *Ad astra per aspera*. Apesar das adversidades, rumo às estrelas.

Na extremidade do túnel encontro justamente o que imaginava encontrar. Corro, pego e viro para trás.

Um vulto desponta do outro lado do dilúvio. Foi assim que o conheci, me recordo, apenas uma sombra junto ao vidro jateado da porta da minha casa.

Ele passa para o lado de cá.

– Perfeito – diz, secando o rosto com a mão, vindo ao meu encontro. O casaco está ensopado. O cachecol pesa em torno do pescoço. O abridor de cartas a postos em sua mão. – Eu ia quebrar seu pescoço, mas isto é bem melhor. – Ele ergue uma das sobrancelhas. – Você era tão destrambelhada que pulou do telhado.

Balanço a cabeça.

Ele abre um sorriso.

– Você não acha? E o que você está segurando aí?

A tesoura de podar balança nas minhas mãos trêmulas. É pesada, mas consigo apontá-la contra o peito do garoto enquanto vou caminhando na direção dele.

Ethan não está mais sorrindo.

– Largue isso – ordena.

Balanço a cabeça novamente, chego mais perto.

Ele não sabe o que fazer.

– *Largue isso* – repete.

Dou mais um passo adiante, fecho as duas lâminas da tesoura.

Ele olha de relance para o seu abridor. E recua através da cortina d'água que encobre a entrada da pérgula.

Espero um instante, o peito inflando e desinflando com o descompasso da respiração. Não o vejo mais.

Muito lentamente vou me aproximando da entrada da pérgula e paro diante dela. Respingos molham meu rosto quando espeto a cortina d'água com a ponta da tesoura.

É agora.

Usando a tesoura como uma espada, salto para a frente e atravesso o aguaceiro. Se Ethan estiver esperando do outro lado, será...

Mas não está.

Com o cabelo gotejando e o roupão encharcado, corro os olhos pelo terraço.

Nenhum sinal do garoto para os lados da cerca viva.

Nem para os lados da unidade de ventilação.

Nem para os lados dos canteiros.

Um relâmpago ilumina o terraço. Que parece deserto. Nada além de matagal e chuva.

Se Ethan não está mais aqui, então...

Ele me atropela pelas costas, tão subitamente e com tanta força que nem consigo gritar. Solto a tesoura e caio junto com ele, os joelhos amortecendo a queda, a cabeça batendo contra o chão. Sinto o sangue escorrer da boca.

Rolamos juntos, duas ou três vezes, até batermos na borda da claraboia, forte o bastante para fazê-la tremer.

– Vagabunda – rosna Ethan, soprando seu hálito quente na minha orelha. Depois levanta, pisa no meu pescoço. – Quietinha, sua *vagabunda*. Porque agora você vai pular deste telhado. Se não pular por conta própria, vai ser empurrada. Então, o que você prefere? Morrer para o lado do parque ou para a rua?

A chuva estala no asfalto. Fecho os olhos, depois sussurro:

– Sua mãe...

– Hein?

– Sua mãe.

Ele relaxa um pouco o pé que aperta meu pescoço.

– Minha mãe?

Faço que sim com a cabeça.

– O que tem a minha mãe?

– Ela me contou...

Ele volta a pisar forte, quase me sufocando.

– Contou *o quê*?

Meus olhos se arregalam. A boca se escancara. Engasgo. De novo ele relaxa o pé.

Respiro fundo.

– Contou quem é o seu pai – respondo.

Ethan fica imóvel. A chuva banha meu rosto. Sinto na língua o gosto forte do meu próprio sangue.

– Mentira.

– Verdade – afirmo tossindo.

– Você nem sabia quem ela era. Não sabia que era a minha mãe. Nem sabia que eu era adotado. – Ele aperta o pé. – Então, como pode...

– Ela me contou. Eu não... – Engulo em seco, mal consigo falar com a pressão na garganta. – Na hora eu não entendi, mas ela contou...

Ele se cala. O chiado da minha respiração se mistura ao chiado da chuva batendo no asfalto.

– Quem?

Fico muda.

– *Quem?*

Ele chuta minha barriga. Sugo todo o ar que posso, dobro o tronco, mas logo ele se abaixa para me reerguer, me puxando pela camiseta até me colocar de joelhos. Antes que eu caia de bruços, ele aperta minha garganta e grita:

– O que foi que ela contou?

Tento me desvencilhar, mas ele começa a me içar pelo pescoço, obrigando-me a levantar, e de repente me vejo de pé, cara a cara com o garoto, os joelhos batendo um no outro de tanto tremer.

Ele parece ainda mais jovem, com a pele molhada de chuva, os cabelos colados ao rosto, os lábios cheios. "Um bom menino." Atrás dele está o parque. Mais adiante, sua casa é uma grande sombra. Sinto nos calcanhares o volume convexo da claraboia.

– Fala.

Tento responder, não consigo.

– *Fala!*

Começo a engasgar, e só então ele relaxa os dedos que apertam minha garganta. Baixando os olhos, vejo que o abridor de cartas continua na sua mão.

– Ele era arquiteto – balbucio.

Ethan me encara através da chuva que cai entre nós.

– Ele adorava chocolate amargo – digo. – Chamava sua mãe de "campeã".

Solta a minha garganta.

– Gostava muito de cinema. Os dois gostavam. Também gostavam de...

– Quando foi que ela disse tudo isso a você? – pergunta ele, desconfiado.

– Naquela noite que me visitou. Falou que amava muito o seu pai.

– O que aconteceu com ele? Onde ele mora?

Fecho os olhos.

– Ele morreu.

– Quando?

Balanço a cabeça.

– Não faz muito tempo. Mas pouco importa. Ele morreu, e ela ficou péssima.

– Claro que importa! – grita ele, voltando a me enforcar. – Quando foi que...

– O que importa é que ele amava você – digo como posso.

Ele se paralisa um instante, solta meu pescoço.

– Seu pai amava você – repito. – Sua mãe também.

Sob o olhar furioso de Ethan, ainda ameaçada pela lâmina que ele tem na mão, respiro fundo, tentando me acalmar. Depois o puxo para um abraço.

Num primeiro momento ele fica duro, mas depois se entrega. E assim ficamos na chuva, eu com meus braços em torno dele, ele com os seus junto ao próprio corpo. Jogo o garoto para um lado, jogo para o outro, vamos girando até trocarmos de lugar. A esta altura minhas mãos estão pousadas no peito dele, sentindo as batidas do coração.

– Os dois amavam muito você – repito baixinho.

E, sem pensar duas vezes, jogo todo o meu peso contra ele, empurrando-o para o vidro da claraboia.

NOVENTA E OITO

ETHAN CAI DE COSTAS. A claraboia estremece.

Ele não diz nada, apenas olha para mim como se eu tivesse feito uma pergunta difícil.

Deixou cair o abridor de cartas, que escorregou para longe. Ele espalma as mãos contra o vidro, começa a se reerguer. Meu coração desacelera. O tempo desacelera.

E então a claraboia cede ao excesso de peso, desabando silenciosamente na tempestade.

Ethan some de vista num piscar de olhos. Se gritou, não ouvi.

Cambaleando, me aproximo do buraco onde antes ficava a claraboia e espio através dele. Gotas de chuva rodopiam no breu feito centelhas; uma galáxia de estilhaços cintila lá embaixo. Não consigo enxergar nada além disso: está escuro demais.

Por alguns minutos, continuo parada onde estou, aturdida, a chuva se acumulando a meus pés.

Depois me afasto. Cautelosamente contorno a claraboia, vou para o alçapão ainda escancarado.

E vou descendo por ele. Descendo, descendo, descendo. Meus dedos escorregam nos degraus.

Salto para o chão, já completamente encharcado. Atravessando a chuva que cai pelo vão da claraboia, caminho até a escada.

À porta do quarto de Olivia, paro um instante e olho para dentro.

Meu bebê. Meu anjinho. Desculpe.

Depois volto para a escada e desço; o sisal aqui está seco e áspero. Nesse patamar, paro de novo, atravesso a cascata que cai do alto e, pingando água, paro à porta do meu próprio quarto. Olho para a cama, para as cortinas, para o espectro negro da casa dos Russells do outro lado do parque.

De novo a cascata, de novo a escada, e agora estou na biblioteca (a biblioteca de Ed, a minha biblioteca), vendo a dança do aguaceiro pela janela. O relógio da lareira bate as horas. Duas da manhã.

Desvio o olhar, saio do cômodo.

Daqui já posso ver os escombros do corpo dele, desarranjados no chão, um anjo caído. Sigo descendo a escada.

Um halo de sangue cerca a cabeça. Uma mão está fechada em punho sobre o coração. Os olhos estão voltados para mim.

Olho dentro deles.

Depois sigo adiante.

E entro na cozinha.

E ligo o telefone fixo na tomada para chamar o detetive Little.

```
┌─────────────────────────────────┐
│          SEIS                   │
│     SEMANAS DEPOIS              │
└─────────────────────────────────┘
```

NOVENTA E NOVE

Os últimos flocos de neve caíram uma hora atrás e agora o sol do meio-dia flutua num céu que chega a doer de tão azul: um céu "não para aquecer a carne, mas exclusivamente para deleitar os olhos". Nabokov, *A verdadeira vida de Sebastian Knight*. Hoje tenho minha própria programação de leituras; não preciso pegar carona no clube alheio.

Pois o céu é *realmente* um grande deleite. Assim como a rua, coberta pelo branco de alta voltagem da neve. Foram mais de 35 centímetros na manhã de hoje. Fiquei horas vendo a nevasca pela janela do meu quarto, os flocos caindo espessos do alto, atapetando calçadas e soleiras, transbordando das jardineiras. Já passava das dez quando os quatro membros da família Gray saíram de casa num pequeno rebanho de pessoas felizes: riram das rajadas fortes, curvaram-se contra elas, seguiram adiante até sumir na esquina. E, passados alguns minutos, foi Rita Miller quem surgiu à porta para admirar a tempestade, embrulhada no robe, caneca na mão. O marido surgiu logo em seguida: abraçou-a por trás, encaixou o queixo no ombro dela, recebeu um beijinho no rosto.

Aliás, descobri o nome verdadeiro dela; foi Little quem me contou, após interrogar toda a vizinhança. É Sue. Que decepção.

O parque é um grande descampado, reluzente de tão branco e limpo. Para além dele está a casa de janelas fechadas, tristemente encolhida sob o esplendor do céu. "A casa de 4 milhões de dólares do adolescente homicida!", como dizem os jornais. Vale menos, eu sei, mas imagino que a cifra de 3,45 milhões não seja tão sexy.

Faz semanas que ela está vazia. Little veio me ver uma segunda vez naquela manhã, depois que a polícia chegou, depois que os paramédicos levaram o corpo embora. O corpo dele. Alistair Russell foi preso, segundo contou o detetive, indiciado por cumplicidade em crime de morte. Confessou assim que foi informado sobre o filho, confirmando toda a história que o garoto havia contado na minha sala. Parece que ficou em estado de choque. Foi Jane quem se revelou a durona do casal. Fico me perguntando até onde ela sabia das coisas. Se é que sabia de algo.

– Acho que devo um pedido de desculpas a você – reconheceu Little. – Quanto à Val... essa deve muito mais.

Não discordei.

Ele voltou no dia seguinte também. Àquela altura os repórteres não paravam de bater à minha porta, de tocar minha campainha. Ignorei todos eles. Se tem uma coisa que aprendi nesse último ano foi a ignorar o mundo exterior.

– Olá, Anna Fox. Como está? Imagino que este seja o famoso psiquiatra – disse Little, já apertando a mão de Fielding, que acabara de descer comigo da biblioteca e agora esperava a meu lado, impressionado com o tamanho descomunal do detetive. – Que bom que ela tem o senhor para ajudá-la.

– Também acho muito bom poder ajudá-la – falou Fielding.

E realmente ajudou. Ao longo das últimas seis semanas consegui me estabilizar, concatenar as ideias. A claraboia já foi consertada. Uma equipe de profissionais fez uma faxina geral na casa. Estou tomando meus remédios na dosagem certa e bebendo menos. Na verdade, não tenho bebido quase nada – e este milagre se deve a uma moça tatuada e trabalhadora chamada Pam.

– Já lidei com todo tipo de gente, em todos os tipos de situação – disse ela em sua primeira visita.

– Talvez se surpreenda comigo – respondi.

Tentei me desculpar com David; liguei pelo menos umas dez vezes, mas ele não atendeu. Por onde andará? Espero que esteja bem. Encontrei os fones de ouvido dele debaixo da cama no porão. Guardei numa gaveta para lhe devolver, caso ele ligue de volta.

E algumas semanas atrás voltei a frequentar o Ágora. Eles são a minha tribo, mais ou menos como uma família. "Promover a cura e o bem-estar das pessoas."

Tenho evitado Ed e Livvy. Não o tempo todo, não completamente; certas noites, quando ouço a voz deles, resmungo uma coisa ou outra. Mas não converso mais.

CEM

– Venha.

A mão de Bina está seca. A minha, não.

– Venha logo...

Ela abre a porta para o jardim. Um vento frio invade a casa.

– Você já saiu de dentro de casa e correu para o telhado. Num dia de chuva.

Mas foi diferente. Eu estava lutando pela minha vida.

– Agora estamos no seu jardim. Num dia de sol.

Verdade.

– E você está com suas botas de neve.

Verdade também. Encontrei as botas lá no depósito. Não as usava desde aquela noite em Vermont.

– E aí? Está esperando o quê?

Nada. Não mais. Fiquei esperando que minha família voltasse; não voltou. Fiquei esperando que a depressão fosse embora; não foi. Nem irá, se eu não ajudar.

E, se eu espero voltar ao mundo um dia, a hora é agora.

Agora que o sol ferve lá no alto. Agora que estou perfeitamente lúcida. Agora que tenho Bina para segurar minha mão e me conduzir porta afora.

Ela tem razão: consegui subir naquele telhado, debaixo de uma tempestade. Estava lutando pela minha vida. Isso significa que não quero morrer.

E, se não quero morrer, preciso começar a viver.

"Está esperando o quê?", digo a mim mesma.

Um, dois, três, quatro.

Ela solta minha mão, desce para o jardim e dá alguns passos na neve. Depois vira para trás e sinaliza para que eu desça também.

– Venha *logo*.

Fecho os olhos.

Abro os olhos.

E avanço na direção da luz.

AGRADECIMENTOS

Jennifer Joel, minha amiga, minha agente, minha guru;
Felicity Blunt, pelos milagres realizados;
Jake Smith-Bosanquet e Alice Dill,
que me deram o mundo;
às equipes da ICM e da Curtis Brown.

Jennifer Brehl e Julia Wisdom,
minhas generosas e perspicazes heroínas;
às equipes da Morrow e da Harper;
aos editores internacionais, muito obrigado.

Josie Freedman, Greg Mooradian,
Elizabeth Gabler e Drew Reed.

Minha família e meus amigos;
Hope Brooks, minha primeira e astuta leitora, uma
incansável torcedora;
Robert Douglas-Fairhurst, sempre uma grande inspiração;
Liate Stehlik, que disse que eu podia;
George S. Georgiev, que disse que eu devia.

POP *(s.m.)*

popular, relativo ao público geral,
conveniente à maioria das pessoas,
aceito ou aprovado pela maioria.

CHIC *(adj.)*

elegante, gracioso, que se destaca
pelo bom gosto e pela ausência
de afetação, preparado com
cuidado e com esmero.

A coleção Pop Chic é nossa maneira de reafirmar
a crença de que milhões de brasileiros desejam e
poderão ler mais se oferecermos nossas melhores
histórias em livros leves e fáceis de carregar,
impressos em papel de qualidade, com texto em
tamanho agradável aos olhos e preços acessíveis.

Para saber mais sobre os títulos e autores da Editora Arqueiro,
visite o nosso site e siga as nossas redes sociais.
Além de informações sobre os próximos lançamentos,
você terá acesso a conteúdos exclusivos
e poderá participar de promoções e sorteios.

editoraarqueiro.com.br